著者略歴

エリヤフ・ゴールドラット（Eliyahu M. Goldratt）

イスラエルの物理学者。1948年生まれ。ＴＯＣ（Theory of Constraints:制約条件の理論）の提唱者として知られる。本書『ザ・ゴール』で説明した生産管理の手法をＴＯＣと名づけ、その研究や教育を推進する研究所を設立した。その後、ＴＯＣを単なる生産管理の理論から、新しい会計方法（スループット会計）や一般的な問題解決の手法（思考プロセス）へと発展させ、アメリカの生産管理やサプライチェーン・マネジメントに大きな影響を与えた。著書に『ザ・ゴール２』、*Critical Chain*、*Necessary But Not Sufficient* などがある。

訳者略歴

三本木 亮（さんぼんぎ・りょう）

1960年、福島県出身。早稲田大学商学部卒。米ブリガムヤング大学ビジネススクール卒、MBA取得。在日南アフリカ総領事館（現大使館）領事部、大和證券国際営業部、国際企画部、国際引受部を経て、1992年に渡米。ブリガムヤング大学－ユタ大学国際ビジネス教育研究センター準助教授として教鞭をとるかたわら、日米間の投資事業、提携事業に数多く携わる。

解説者略歴

稲垣 公夫（いながき・きみお）

ジェイビルサーキットジャパン㈱社長。著書に『アメリカ生産革命』『TOC革命』『TOCクリティカルチェーン革命』（いずれも日本能率協会）、『ＥＭＳ戦略』（ダイヤモンド社）がある。

ザ・ゴール

企業の究極の目的とは何か

2001年５月17日　第１刷発行
2002年９月24日　第22刷発行

著者／エリヤフ・ゴールドラット
訳者／三本木 亮
解説／稲垣 公夫
装丁／藤崎 登

印刷／恵友社
製本／川島製本所

発行所／ダイヤモンド社
〒150-8409　東京都渋谷区神宮前６－12－17
http://www.diamond.co.jp/
電話／03-5778-7233（編集）0120-700-168（受注センター）

ISBN 4－478－42040－8

『ザ・ゴール』目次

●主な登場人物

アレックス・ロゴ……ユニコ社ユニウェア部門 ベアリントン工場の所長
ジュリー……アレックスの妻
デイブ……アレックスの息子
シャロン……アレックスの娘
ジョナ……物理学者（アレックスの恩師）
フラン……ロゴの秘書
ボブ・ドノバン……ベアリントン工場製造課長
ルー……ベアリントン工場経理課長
ステーシー・ポタゼニック……ベアリントン工場資材マネジャー
ラルフ・ナカムラ……ベアリントン工場データ処理担当責任者
フレッド……ベアリントン工場特別処理班
ビル・ピーチ……ユニコ社ユニウェア部門副本部長
ジョニー・ジョンズ……ユニウェア部門マーケティング部長
ヒルトン・スミス……アレックスのライバル（プラント・マネジャー）
イーサン・フロスト……ユニウェア部門経理部長
ニール・クラビッツ……ユニウェア部門副経理部長（本部監査チーム）
バッキー・バーンサイド……ユニコ社の大口顧客会社社長

The Goal
ザ・ゴール
企業の究極の目的とは何か

The Goal
I
突然の閉鎖通告

1

朝七時半、会社のゲートをクルマでくぐると、駐車場奥の真っ赤なベンツが目に飛び込んできた。工場棟に隣接した事務所脇に停めてある。それも私専用の駐車スペースにだ。こんなことをするのはビル・ピーチ以外にいない。朝のこの早い時間帯、駐車場はまだほとんど空だし「来客者用」と表示されたスペースもあるのに、そんなことはおかまいなしのようだ。いや、私のスペースにわざわざ駐車することに意味があるのだろう。ビルは言いたいことがあるとき、こんなわざとらしいことをする。彼は副本部長、私はこの工場の所長にすぎない。彼のほうが偉いのだから、自分のベンツをどこへ駐車しようと勝手だということらしい。

私は自分のクルマをベンツの隣の「経理課長」と書かれたスペースに停めた。クルマを降りてベンツの脇をすり抜けながら、ちらっとナンバープレートに目をやった。「NUMBER 1（ナンバーワン）」ビルのクルマに違いない。彼にお似合いの番号だ。いつも一番になることしか考えていない。いずれは社長の座を狙っているのだろう。私だって願望こそあれ、そんなことはいまのところ望めそうにない。

私は事務所の入り口に向かった。すでに体内ではアドレナリンが沸き立っている。いったい、ビルは何をしに来たのだ。午前中は、どうやら自分の仕事はできそうにない。昼間は忙しいので、朝早めに出勤し、自分の仕事を片づけるようにしている。電話が鳴り出したり、会議が始まる前ならなんとか仕事がはかどる。朝、最初の休憩時間までが勝負だ。しかし、今日はそうもいきそうにない。

「所長！」誰かが私の名前を呼んだ。

足を止めると、工場棟横の扉から男が四人飛び出してきた。シフト・スーパーバイザーのデンプシー、組合委員のマルチネス、機械主任のレイ、それに時間給の機械工だ。名前は知らない。私のところに走り寄るなり、みんな一斉に話しかけてきた。デンプシーは大変な問題が起きたと言い、マルチネスはストライキだとわめいている。時間給の男は、ハラスメントがどうとかこうとか騒ぎ立て、レイは部品が全部揃っていなくて作れないと言っている。突然の喧騒に巻き込まれ、私は彼らの顔をただ見ているだけだった。

出勤して、まだコーヒー一杯すら口にしていない。

ようやくみんなが落ち着いたところで、いったい何の騒動か訊ねた。ビルが一時間ほど前、41427番のオーダーの状況を教えろと工場に乗り込んで来たというのだ。

しかし、41427番のことがすぐわかる者など一人もいなかった。そこでビルは、工場中の人間を片っぱしからつかまえては訊きまくっていたというのだ。結局、かなり大きなオーダーで納期に遅れていることがわかった。しかし、だからいったいどうしたというのだ。この工場で納期に遅れることなど当たり前のことではないか。この工場では重要度順に客からのオーダーを四つに分けることができる。「Hot（重要）」、「Very Hot（最重要）」、「Red Hot（超最重要）」、「Do It Now（いますぐやれ）」の四つだ。つまるところ、すべてが遅れているのだ。

41427番が出荷にはまだほど遠いとわかると、ビルは自ら問題の処理にあたり出した。烈火のごとくわめき散らし、デンプシーにいますぐやれと怒鳴りつけたのだ。しばらくして、必要な部品はほとんどすべて揃っていることがわかった。それも大量にだ。しかし組み立てることができない。サブ・アセンブリーの部品が一つ足りないのだ。それに、まだ通さないといけない工程も残っている。その部品がなければ組み立てることはできない。組み立てることができなければ当然、出荷もできないのだ。

結局、このサブ・アセンブリーの部品はNC工作機械の脇で見つかった。NC工作機械は運転開始を待つばかりだったが、セットアップされていたのはこの問題の部品の組立てではなく、別の「Do It Now」の仕事だった。

ビルは、ほかの仕事などに関心はなかった。41427番を出荷することだけで頭がいっぱいだった。ほかは後回しにして、41427番に必要な部品を組み立てろ――そう、機械工に指示を出せとデンプシーに命じたのだ。指示を受けた機械工はレイやデンプシー、そしてビルの顔を見回すと、手にしていたレンチを床に投げつけ、みんな正気でないと言い捨てた。「Do It Now」だと言われて、アシスタントと一時間半かけてセットアップしたばかりだったのに、それを後回しにしてほかのセットアップをしろと言うのか？　いい加減にしてくれ！　こんなとき、ビルはいつも外交官ばりに相手を脅しにかかる。機械工に歩み寄り、指示どおりしなければクビだと告げたのだ。少しやり取りがあった後、逆に今度は機械工がストライキだと脅した。そこで、組合委員も姿を現した。みんな、気が立っている。とても仕事ができるような状態ではなかった。

「で、ビルはいまどこに？」

「所長の部屋です」デンプシーが答えた。

「そうか。すぐに行くと伝えてきてくれ」

そう頼むと、デンプシーは勢いよく所長室に向かった。私は振り返り、マルチネスと機械工に視線を向けた。誰かをクビにするとか停職にするなどといった話はない、ただの誤解なのだと伝えた。私の言葉にマルチネスは納得していない様子だ。機械工は、ビルから謝罪の言葉が欲しいような口ぶりだ。そこまで私が面倒を見ることもなかろう。マルチネスが自分だけの判断でストライキを起こす権限を持っていないことはわかっていたので、組合が苦情を申し立てるつもりなら、それもしかたないと伝えた。今日の午後遅くなら時間もあるので、組合支部長のマイク・オドネルと話をしてもいいと伝えた。話をすれば、問題はすべてスムーズに解決するに違いなかった。支部長に相談せずにはそれ以上何も判断できないため、マルチネスは渋々私の申し出を受け入れ、機械工と工場に戻って行った。

「みんなを仕事に戻らせてくれ」私はレイに言った。

「わかりました。でも……、どの仕事をやらせればいいのですか。すでにセットアップできているやつですか、それともビルから指示のあったやつですか」

「ビルのやつだ」私はレイに指示した。

「わかりました。しかし、いま準備できているセットアップが全部無駄になりますが」

「だったら、無駄にすればいいじゃないか。ビルがわざわざやって来たということは、何らかの緊急事態に違いない。そうは思わないか」

「ええ、私はただ何をしたらいいのか、お訊きしたかっただけですから」

「そうだな。君はこの騒ぎに巻き込まれただけだからな」レイの気分を取り直そうと私は言った。「できるだけ早くセットアップをすませて、取り掛かってくれ」

「わかりました」

事務所の中に入ると、デンプシーが私の横をすり抜け工場に向かって行った。私の部屋から出てきたばかりだが、早く立ち去らんとばかりの足取りだ。それに首を横に振りながらである。

「覚悟してください」通りすがりに彼が私に言った。

私の部屋のドアは広く開いている。中に入るとビルがいた。私の椅子に座っている。胸は厚く、がっしりとした体格の男だ。髪は濃く、鉄のようなグレーヘアだ。目もこれにお似合いの色をしている。ブリーフケースを下ろす私をビルはじっと見ている。「ロゴ君、君の運命もこれまでだ」と言わんばかりの目つきだ。

「いったい、どうしたんですか」私は訊ねた。

「ちょっと話がある。まあ、掛けたまえ」

「掛けたくても、あなたが私の椅子に座っているので」

余計なことを言ってしまったようだ。

「どうして、私がここに来たか知りたいかね。君の首の皮をつなげに来てやったんだ」

「さっきみんなから話を聞きましたが、私と組合との関係を潰しにでもやって来たのですか」

「ここでなんとかしてくれなければ、組合のことで気苦労する必要もなくなる。心配しなければいけないこの工場がなくなるのだから。ロゴ君、君の仕事だってあるかどうかわからない」ビルは私の目を真っすぐに見つめてそう言った。

「ちょっと待ってください。ちゃんと説明してください。この客のオーダーがいったいどうしたというのですか」

ビルが説明を始めた。昨夜一〇時頃、バッキー・バーンサイドから自宅に電話があったというのだ。バーンサイドといえば、我がユニコ社にとって大手顧客の社長だ。彼の会社からの注文（41427番）が七週間も納期に遅れ、激怒しているというのだ。電話で一時間ほど、あれやこれやとなじられたらしい。

この注文を出す際、別のメーカーに出すよう周囲からは言われたが、それを押し切ってまで我が社に発注し、事ここに至ってつらい立場に追い込まれているというのだ。ビルに電話をかける前、顧客数社と夕食をともにし、その席で彼らから注文のあった製品の出荷が遅れていることで、ずいぶんと責め立てられたらしい。もとはといえば、我が社の責任である。そのようなわけで、かなりご立腹だというのだ。それに酒の勢いも多少あったに違いない。バーンサイドの憤りを静めるために、ビルは自らこの問題に対応し、どんなことがあっても今日中に注文の品を出荷することを約束せざるを得なかったという次第だ。

出荷が遅れたことについては、自分たちの責任であり私が個人的に責任をもって対応すると、私はビルに伝えた。しかし、こんなことで朝早くからわざわざ自ら乗り込んで、工場の中を引っかき回す必要があったのだろうか。

一件落着かと思ったら、今度は昨夜私がどこにいたのかとビルは訊いてきた。私の家に何度か電話を入れたというのだ。この状況では「個人的なことですので」などという言い訳は通じまい。確かに電話が何回か鳴った。最初の二回は、妻と喧嘩の最中だった。その理由というのも、私が妻のことを少しもかまってやらないということだった。三回目に鳴ったときは、わざと取らなかった。今度は、妻とベッドの中だったからだ。

ビルには、ただ帰りが遅くなったと説明した。それ以上突っ込まれはしなかった。だが、自分の工場のことをどうしてちゃんと把握していないのかと問われた。納品が遅れて客から苦情を聞かされるのは、もううんざりなのだろう。なぜ把握できていないのだろうか、私は自問自答した。

「人員二〇パーセント削減の方針に沿って三か月前に二回目のレイオフを実施してからは、とにかく人手が足りないんです。納期どおりに出荷できれば、それこそラッキーです」私はビルに言った。

「アレックス」ビルは静かな口調で私の名を呼んだ。「いいから、早く作って出荷するんだ。わかったか」

「それなら、必要なだけ人をください！」

「人は十分なだけ与えている！　問題は効率だ。もっと改善する余地があるはずだ。人手が足りないなどと私に泣きつくのは、現在いる人間でもっと効率よくできるところを見せてからにしてくれ」

言い返そうとしたが、ビルが手を上げて私の口を塞いだ。彼は立ち上がり部屋の入り口まで行くとドアを閉めた。「まずい」と私は心の中で叫んだ。

ドアの側でビルはこちらを振り返り、「座りたまえ」と私に命じた。

それまで私はずっと立ちっぱなしだったが、デスクの前にある客用の椅子に腰を下ろした。ビルは、デスクの反対側に戻った。

「アレックス、いいか。こんなことで議論するのは時間の無駄だ。君からもらった業務報告書を見れば、全部わかることだ」

「わかりました。バーンサイドからの注文を大至急出荷すればいいわけですね」

その言葉に、ビルは急に怒りだした。「何を言ってるんだ！　問題はバーンサイドのことなんかじゃない。バーンサイドのことはこの工場が抱えている問題の症状の一つにすぎない。納品が遅れただけで、わざわざ私がここまで足を運ぶと思っているのか。そんなに私が暇だとでも思っているのか。私は、君やこの工場のスタッフ全員の尻を叩きにやって来たんだ。単なるカスタマー・サービスとかいった問題ではない。君の工場は赤字なんだ」

そう言い終えるとビルは気を静めようとしているのか、しばらく黙り込んだ。しかし突然、握りこぶしでデスクを叩いたかと思うと、今度は私の顔に向けて指をさした。

「客からの注文を出荷できないと君が言うのなら、どうやったらいいのか私が見せてやろう。それでもできないと言うのなら、君もこの工場ももう用なしだ」

「ビル、ちょっと待ってくれ」

「待ってくれだと」ビルは、声を荒げた。「私には時間がないんだ。これ以上、君の言い訳を聞いている暇なんかないんだ。そんなもの聞く必要もない。結果を出してほしいんだ。客に品物を渡して金をもらうんだ」

「それはわかっています」

「いや、少しもわかっていない。会社始まって以来の赤字なんだ。あまりに悲惨で、そこから抜け出せるかどうかさえわからない。その一番のネックになっているのが君のこの工場なんだよ」

私は、すっかり消沈した。

「わかりました。それで、いったい私に何をしろと？　私がこの工場に来て六か月たちますが、それ以来、確かに業績は良くなるどころか悪化しています。ですが最善は尽くしています」

「アレックス、はっきり言おう。これから三か月の間に、この工場を立て直すんだ」

「三か月？　そんな短い時間で立て直すなんて無理です。そんなことぐらいわかってるじゃないですか」

「だったら、経営会議でこの工場の閉鎖を提案するしかない」

私は座ったまま言葉を失った。ある程度のことは覚悟していたが、まさかこんな最悪の事態を聞かされるとはまったく予想していなかった。だが、考えてみればそう驚くことでもないのかもしれない。私は窓の外にちらっと目をやった。朝のシフトに出勤してきた従業員のクルマで駐車場が埋まり始めている。振り返ると、ビルが立ち上がりデスクの向こうから私に近づいてきた。彼は私の横の椅子に腰を下ろし、私に向かって身を乗り出した。とどめを刺そうというのか。

「アレックス、君がこの工場の所長になったとき、確かにベストの状況ではなかった。ただ君だったら、この工場を負け犬状態から少なくとも多少は利益の出る状態に改善してくれると期待していた。だからこそ、この仕事を任せたんだ。いまだってまだそう思っている。ただし、この会社で生き延びたいのなら、ここで結果を出してもらわないと困る」

「しかし、もう少し時間が必要です」

「すまんが、三か月しか時間はない。さらに状況が悪化するようだったら、三か月だって待てるかどうか……」

私は椅子に座ったままだ。ビルは腕時計に目をやると立ち上がった。話は終わった。

「いまから本社に戻れば、朝一のミーティングを一つ欠席するだけですむ」ビルが言った。

私も立ち上がると、ビルはドアに向かった。

ドアのノブに手をかけると、ビルは振り返り、ニヤリと笑いを浮かべて言った。

「私が悪役になってみんなの尻を叩いてやったんだから、バーンサイドの件は問題なく今日中に出荷してくれるだろうな」

「今日中にやります」私は答えた。

「よし」そう言いながらビルはウィンクし、ドアを開けた。

ビルが出て行ってすぐ、彼がベンツに乗り込みゲートに向かってクルマを走らせるのが窓から見えた。三か月か。私の頭は、しばらくそのことでいっぱいだった。

どのくらい時間が経過したのか、いつ窓の外から視線を移したのかも覚えていない。突然、デスクの上に腰を下ろしボーッとしている自分に気づいた。工場で何が起こっているのか自分の目で確かめようと思った。ドア横の棚からヘルメットと安全メガネを手に取り、部屋を出て秘書の横を通り過ぎた。

「フラン、ちょっと工場に行ってくる」そう、秘書に伝えた。

フランは、タイプしていたレターから目を上げて微笑んだ。

「わかりました」フランが答えた。「ところで今朝、所長の駐車スペースに停まっていたのはピーチ副本部長のクルマでは？」

「そうだ」

「いいクルマですこと」そう言うと、彼女は笑った。「最初見たときは、所長のクルマかと思いましたわ」

私も微笑み返した。フランはデスク越しにこちらに身を乗り出した。

「あんなクルマ、いったいいくらぐらいするんですか」彼女が訊ねた。

「はっきりした値段はわからないが、三万ドルぐらいはするんじゃないかな」

フランは息をのみ込んだ。「冗談でしょう。そんなにするんですか。そんなに高いクルマがあるなんて知らなかったわ。私のシボレーを下取りに出しても、そんな高いクルマは買えそうにないわね」

彼女は笑いながら私に背を向け、またタイプを打ち始めた。

フランは、まあまあの女性だ。正確な年齢は知らないが、ティーンエイジャーの子供が二人いるから、四〇代前半くらいだろう。離婚した亭主はアル中で、子供は彼女が養わないといけない。亭主とはずいぶん前に別れたというが、それ以来、男とは二度と関わりたくないらしい。ただ、まったくというわけではないようだが。この話は、この工場にやって来た二日目に彼女の口から直接聞いたものだ。彼女は好感の持てる女性だ。仕事ぶりもいいし、給料もそこそこ払っている。いまのところは、であるが。彼女も同じく、あと三か月の命かもしれない。

工場に足を踏み入れると、いつもわくわくする。なぜかそんな気分になる。工場の中は、まさに目を見張るような眺めだ。見るたびにいつも感心する。ただ、普通の人はそうは感じないようだが……。

事務所と工場を隔てる二重ドアをいくつか通り抜けると、周りの様子が一変する。頭上には天井の桁からランプが吊り下げられ格子状に並んでいる。工場の中は、全体がオレンジ色の暖色に映し出されている。フロアの一角が金網で大きく囲まれ、部品や材料が入った段ボール箱やケースが床から天井までラックに積み重ねられ、何列にも並べられている。ラックとラックの間の狭い通路には、天井からフォークリフト・クレーンが吊り下げられ、天井の軌道に沿って動いている。中にはクレーンを操縦する男が座っている。フロアでは光沢のあるロール状の鋼材がゆっくりと延ばされながら機械に引き込まれ、数秒ごとに「ガチャン、ガチャン」と音を立てている。

機械だらけだ。工場はまったく大きな部屋のようなものだ。何エーカーものスペースが機械で埋め尽くされている。いくつかのセクションに分けられ、通路で区切られている。ほとんどの機械がオレンジ、紫、黄、青といった派手な色に濃く塗られている。新しい機械は、デジタルディスプレーの番号が赤く光っているのが眩しい。ロボットのアームの動きは、まるで正確にプログラムされたダンスのようだ。

人間は、そこここで機械に見え隠れしているだけだ。私が通りかかると、機械越しにみんなこちらを見る。手を振る者もいる。こちらも手を振り返す。電動カートが唸りをあげて通り過ぎていく。ものすごく太った男が運転している。長テーブルでは女性が色とりどりのコードを手にとって作業している。薄汚れたつなぎを着た男が顔に当てたフェースマスクの位置を直し、溶接バーナーに火をつけている。ガラスの向こう側では、小太りの女性がクリーム色のディスプレーを備えたコンピュータのキーを叩いている。

この光景に交じって聞こえるのが、送風機やモーター、それに換気装置の唸り音だ。和音を低く奏でているようだ。まるで絶え間なく続く息づかいのように聞こえる。時折ドーンと大きな音が聞こえるが、何の音かよくわからない。後ろでは、警告ベルが鳴っている。頭上のクレーンがゴロゴロと音を立てながら天井の軌道を移動しているのだ。サイレンが鳴り響いている。スピーカーからは断続的に、人間ばなれした神のような声が聞こえてくるが、何を言っているのかはっきりと聞き取れない。

そんな騒音のなか、ホイッスルが鳴った。振り返ると、ボブ・ドノバンがこちらに向かって歩いてくる。まだ距離はあるが、見間違えようのない体格をしている。身長一九〇センチ以上ある大男だ。体重はおそらく一一〇キロくらいはあるだろう。大きなビール腹のせいだ。決して見かけのいい男ではない。海兵隊にでも刈り上げてもらったような頭をしている。口ぶりも、それほどさえた奴ではない。しかし、逆にそれがこの男のいいところなのかもしれない。自分ではそのスタイルがそれなりに気に入っているらしい。いい奴には違いない。ここ九年間ずっと製造課長だ。この工場で何かしようと思ったら、ボブに頼めばすむ。できることだったら、すぐにやってくれる男だ。

私もボブに向かって歩き始めた。一分ほどしてようやく顔を合わせたが、近づくにつれ彼に元気がないのがわかった。元気がないのはこっちも同じだ。

「おはようございます」ボブが挨拶した。

「今日は、おはようどころじゃないな。朝から大変な客が来ていたことは知っているか」

「もちろん。工場中、引っかき回して行きましたから」

「それじゃ、41427番を至急出荷しなければいけないことはわかっているな」

そう訊ねると、ボブは顔を真っ赤にして答えた。

「そのことで、話がしたかったのですが」

「何だね」

「もう、耳に入っているかもしれませんが、トニーが今朝辞めました。ピーチ副本部長が怒鳴りつけた機械工です」

「畜生」思わず私はつぶやいた。

「言うまでもありませんが、トニーのような機械工はそう多くはいません。彼の代わりを見つけるのは、けっこう大変です」

「奴を連れ戻すことはできないのか」

「それは、ちょっと考えものかもしれません。あいつ辞める前に、レイから言われたセットアップをして機械の運転を自動設定にしていったのはいいのですが、調整ボルトを二つほどわざと緩く締めておいたらしく、そのせいで工作機械が壊れて破片がフロアに散乱しているんです」

「廃棄しないといけない部品はいくつぐらいあるんだ」

「そんなにたくさんはありません。少ししか運転していませんから」

「オーダーを仕上げるのに、十分な部品はあるのか」

「確認してみなければわかりません。それより機械が壊れて復旧するまでしばらく時間がかかるかもしれません」

「どの機械だ」

「NCX-10です」

私は目を閉じた。誰かにはらわたを握り潰されたような苦い気分だ。あの機械はこの工場に一台しかない。どの程度のダメージか、ボブに質問した。

「わかりません。けっこうバラバラになっているので、いまメーカーに電話で問い合わせているところです」

私は足早に現場に向かった。自分の目で確かめたかったのだ。困ったことになった。ボブのほうを見ると、私の後からついて来ている。

「サボタージュだと思うか」ボブに訊いた。

ボブは、私の質問にいささか驚いた様子だ。「何とも言えません。ただ気が動転して冷静に仕事ができなかっただけかもしれません」

自分の頭に血がのぼってくるのがわかった。腹の中の苦い気分はもう消えていた。ビルに無性に腹が立ち、電話をかけて怒鳴りつけてやりたい気分だった。全部ビルのせいだ。私の椅子に腰掛け、「客からの注文を出荷できないと君が言うんなら、どうやったらいいのか私が見せてやろう」と、偉そうに言っていたビルの姿が頭によみがえった。ようし、それなら見せてもらおうじゃないか。

2

周りのみんなはいつもどおり何も変わっていないのに、自分の世界だけが崩れ去っていく。まったく妙な気分だ。どうして、みんな無関係でいられるのか、なんとも不思議だ。夕方六時半頃、工場を抜け出し、夕食をとりに自宅へ戻った。玄関に入ると、テレビを見ていたジュリーがこちらを見上げた。

「おかえりなさい。どう、私の髪?」

彼女は、頭を振って髪を披露した。濃い茶色でストレートヘアだったのが、ふわふわの巻き毛に変わっている。色も前とは違い、ところどころメッシュを入れている。

「素敵じゃないか」何も考えずに私は答えた。

「こうしたほうが、目元が引き立つって美容師が言うの」そう言いながら、ジュリーは長いまつげの目をパチパチとまばたかせた。彼女の瞳は大きく、きれいなブルーをしている。わざわざ引き立たせる必要もないと思うのだが。

「いいね」私は軽くかわした。

「まあ、ずいぶんと無関心な言い方ね」

「すまない。今日は、いろいろ大変だったんだ」

「かわいそうに。そうだ、いい考えがあるわ。外に食べに行きましょう。そうすれば、嫌なことなんか全部忘れられるわ」

私は、首を横に振った。「今日は駄目なんだ。さっと食べて工場に戻らないといけない」

ジュリーは立ち上がって、腰に手を当てた。彼女が新しい服を着ていたことに、このとき気づいた。

「まあ、それはそれは。子供たちをわざわざ預けてきたというのに」

「ジュリー、緊急事態なんだ。工場で一番高い機械が今朝、故障してしまったんだ。急ぎのオーダーがあって、それに必要な部品を作るのにこの機械が要るんだ。だから、いま工場を空けるわけにはいかないんだよ」そう私は彼女に説明した。

「わかったわ。何も食べるものなんかないわよ。今夜は二人で外で食べるはずだったでしょ。昨日の夜、外に食べに行こうって、あなた言ったじゃない」

そう言われて私はようやく思い出した。ジュリーの言うとおり、喧嘩の後ベッドの中で彼女に約束したのだった。

「ごめん。わかったよ。一時間ぐらいだったら一緒に出られるよ」

「そんなので、ごまかそうっていうの。いいわよ」

「そう言わず、聞いてくれよ。今朝、ビルが突然工場にやって来たんだ。何かと思ったら工場を閉鎖するって言うんだ」

ジュリーの表情が変わった。

「工場を閉鎖するですって？　本当？」

「ああ、うまくいっていないんだ」

「あなたの仕事、次はどこなのか聞いた？」

彼女の質問にあっけにとられたが、一呼吸置いて「いや、それは聞かなかった。僕の仕事場はここなんだ。この町の、この工場なんだよ」と答えた。

「でも工場が閉鎖になるんだったら、次はどこに行くのか知りたくないの？　私は知りたいわ」

「まだ、閉鎖されるかもしれないって話が出ているだけだ」

「そう」

私は彼女を睨みつけている自分に気づいた。「そんなに、この町から出て行きたいのかい」

「私の町じゃないから。あなたはこの町にずいぶん愛着があるようだけど、私にはないわ」と彼女が言い返した。

「ここに来て、まだたった六か月じゃないか」

「それだけ？　まだたったの六か月」ジュリーが言った。「この町には友達もいないし、あなた以外に話をする相手もいないわ。だけど、あなたはほとんど家にいないじゃない。あなたのお母さんはいい人よ。でも、一時間も話の相手をしていたら、気が狂いそうになるわ。だから六か月よりもっと長く感じるわ」

「じゃあ、どうしろって言うんだい。自分から進んでここに来たわけじゃないんだ。会社が僕をここに寄こしたんだ。たまたまなんだよ」

「たまたま？」

「ジュリー、君とまた喧嘩している暇はないんだ」

私の言葉に彼女が泣き出した。

「いいわ。さっさと行きなさいよ。私はここで独りで寂しくしているわ。どうせ毎晩そうなんだから」泣きながらジュリーが言った。

「ジュリー、待てよ」

私はジュリーに近寄り、彼女の肩に手を回した。数分立ったまま沈黙が続いた。彼女は泣きやむと、一歩下がって私の顔を見上げた。

「ごめんなさい。戻らなきゃいけないんだったら、そうして」

「明日は、一緒に外で食べよう」そう私は彼女を誘った。

「いいわ」彼女が答えた。

私は玄関に向かい、振り返ってジュリーに声をかけた「本当に大丈夫かい」

「ええ、冷蔵庫の中のものを適当に食べておくわ」

すでに私は夕食のことなどすっかり忘れていた。「そうかい。僕も途中で適当に何かつまんでいくよ。じゃ、また後で」

私はクルマに乗り込んだ。食欲はすっかりなくなっていた。


ベアリントンに移って来て以来、ジュリーはあまり元気がない。話題が町の話になると、彼女はいつも不平不満を言い、私がこの町の弁護をするのだ。

私はベアリントンで生まれ育った。故郷のこの町だと、落ち着くのは確かだ。道は全部知っているし、いい店も知っている。いいバーも悪いバーも全部知っている。だからまるで自分の持ち物のように感じるし、ほかのどの町よりも愛着がある。この町に一八年も住んでいたのだから。

しかし、だからといって、この町を美化しようとしているわけではない。ベアリントンは工場の町だ。この町を通り過ぎても、特にこれといった光景は目にしない。私はクルマを運転しながら周りを見渡したが、その印象は変わらない。私が住んでいる地域も平均的なアメリカの郊外の町と何ら変わりない。家は比較的新しい。近くにはショッピングセンターがあるし、通りにはファーストフードの店が軒を並べている。フリーウェイ脇には、大きなショッピングモールがある。これまで住んできた町とそれほどの差は見られない。

しかし、町の中心は少々憂鬱な雰囲気だ。道路沿いにはレンガ造りの建物が並んでいるが、煤にまみれて寂れた外観を呈している。通り沿いの店舗は空きになっているところが多く、正面にベニヤ板が打ち付けられているところもある。鉄道の線路も多いが、電車や貨車が頻繁に走っているわけでもない。

メインストリートとリンカーン通りが交わる交差点の一角には、ベアリントンで唯一の高層オフィスビルが建っていて、その姿は唯一空に突き出ている。一〇年ほど前、このビルがまだ建築中だった頃、この辺りでは大変な騒ぎだった。全部で一四階だ。消防署は、最上階まで届く梯子が必要だという理由で、新しい消防車を購入した（それ以来、最上階のペントハウスで火災が発生し、新しい梯子を使う機会を密かに待っているに違いない）。地元の人は、このビルが町の活気のシンボル、古い工場街の復興の旗印だと息巻いていた。しかし二年ほど前、ビルの管理会社が屋上に大きな看板を立てた。赤く太い字で「Buy Me!（買ってくれ）」と書かれている。電話番号も書かれている。フリーウェイから眺めると、町全体がまるで売りに出されているように見える。当たらずといえども遠からずといったところかもしれない。

毎日会社に向かう途中、別の工場の横を通り過ぎる。錆ついた金網のフェンスと有刺鉄線に囲まれ、正面には舗装された駐車場がある。広さは五エーカーくらいだろうか、コンクリートの割れ目からは立ち枯れた雑草が密生している。この駐車場にクルマが入らなくなってから、もう何年もたつ。壁のペンキは、色褪せて白っぽく見える。正面の長い壁の上部には、まだ会社名がうっすらと読み取れる。会社名やロゴがあった位置に濃いペンキの色が残っている。

この工場を所有していた会社は、南部に移転してしまった。ノースカロライナのどこかに新しい工場を建てたのだ。組合との関係が悪くなり、それを避けるためだったらしい。しかし、逃げ隠れできるのも五年くらいで、またいずれ組合につかまってしまう。とりあえず五年間は、支払う賃金は安く、従業員からの突き上げも少ないというわけだ。近代の企業経営計画の観点からみれば、五年という時間は永遠に先のようにも感じられる。というわけで、ベアリントンはまた一つ産業恐竜の残骸を抱えることになり、約二〇〇〇人が職を失ったのである。

六か月ほど前、この工場の中に入る機会があった。近くで安い倉庫を探していたのだ。私の仕事ではなかったが、場所を見に何人かで行ったのだ。この工場に移ってきた当初は、いずれ倉庫スペースを拡張しなければいけないなどと夢のようなことを考えていた。いまとなっては笑い話だ。印象的だったのは、あまりに静かだったことだ。すべてが静まり返っていた。自分の足音が反響して聞こえた。機械はすべて撤去され、馬鹿でかい空間だけが残っていた。

いま、その横をクルマで通り過ぎると、三か月後の自分たちの工場もこうなるのかと考えざるを得なかった。憂鬱な気分になる。

そんなことになるのはご免だ。七〇年代中頃から、この町は一年に一社程度の割合で大手企業の撤退が続いている。倒産するケースもあれば、別の場所に移転して行く企業もある。この傾向はいっこうに終わりそうもない。そして、今度はいよいよ自分たちの番かもしれない。

この工場に所長として戻って来たとき、ベアリントン・ヘラルド紙に私の記事が載った。けっこう、大きな記事だった。しばらくの間、私はちょっとした話題の人物で、近所の子供たちは大騒ぎだった。ハイスクールの子供たちにしてみれば、私はサクセスストーリーの主人公だったのかもしれない。だが今度、私の名前が新聞に載るとき、記事の内容は工場閉鎖かもしれない。なぜか、自分が裏切り者のような気がしてきた。

工場に戻ると、ボブ・ドノバンが神経質なゴリラのような顔をしていた。今日の騒ぎで、二キロくらいは痩せたのではないだろうか。通路をNCX-10に向かう途中、ボブの歩きに目をやった。少し歩いたかと思うと、立ち止まった。突然、別の通路に向かって誰かに話しかけている。かと思うと、さっとどこかへ行って何かをチェックしている。私は指二本をくわえてピーッと甲高く指笛を鳴らしたが、ボブは気づかない。二つほどセクションを通ってやっとボブに追いつき、NCX-10に戻った。ボブは、私を見て驚いた顔をしている。

「どうだ、なんとかできそうか」私はボブに訊ねた。

「努力しているところです」

「それはわかっている。できるのか、できないのか、知りたいんだ」

「最善を尽くしているところです」ボブが言った。

「ボブ、今日中に出荷できるのか、できないのか、どっちなんだ」

「できるかもしれません」

私は振り返り、NCX-10を眺めた。馬鹿でかく、この工場で一番高価なNC工作機械だ。大きいので、眺めるのもけっこう苦労する。光沢のある薄紫色に塗られた姿が目立つ（どうして薄紫色なのかはわからない）。片側には数値制御盤が備え付けられ、赤、緑、黄のランプ、ピカピカのスイッチ、真っ黒なキーボード、テープドライブ、コンピュータ画面が所狭しと並んでいる。ずいぶんとセクシーな外観をした機械だ。特に目立つのが、機械中央のメタル部分だ。万力で鋼（はがね）をつかむ部分だ。切断機からは、削り取られた金属の破片がこぼれ落ちている。青緑色した潤滑剤が一定間隔に振りかけられ、チップが運ばれていく。一応ちゃんと動いてはいるようだ。

今日は幸運だ。最初思っていたほどダメージはひどくなかった。しかし修理が終わったのは夕方四時半で、作業員はすでに二番目のシフトに移っていた。

全員残業して、組立てに残ってもらった。残業は本部の方針に反するが、しかたなかった。残業代はどう処理したらいいのかわからないが、とにかくこの注文を今夜中に出荷することが先決だ。今日は、四本しか電話がなかった。すべてマーケティング部長のジョニー・ジョンズからだった。どうやら彼もビルや部下の営業マン、それに客からもずいぶん突き上げられたようだ。なんとしても、今夜中に出荷しなければならない。

ほかにこれ以上問題が起きないことを願った。部品は出来上がるたびに一つずつ運ばれ、サブ・アセンブリーに組み込まれた。それが終わると、サブ・アセンブリーを一つずつ人間の手で最終アセンブリーに運んだ。効率など問題外だ。従業員一人当たりの部品の生産高なんて、冗談みたいな数字だろう。正気ではない。いったい、ボブはこんなにいっぱい人をどこから集めてきたのだろう。

私はゆっくりと辺りを見回した。41427番と関係ない部署にはほとんど人はいない。ボブは他の部署からも人をかき集めて、このオーダーをやらせているのだ。異例の措置だ。

おかげで、なんとかオーダーは出荷できた。

腕時計を見ると、すでに午後一一時を少し回っていた。搬出ドックの上である。トラックの荷台の扉が閉められるところだ。ドライバーが運転席によじ登った。エンジンをふかしサイドブレーキをはずして、暗闇の中にトラックが走り出していった。

私がボブのほうを振り返ると、彼もこちらを向いた。

「やったな」私は、彼に声をかけた。

「ありがとうございます。でも、どうやってやったかは聞かないでください」

「わかった。聞かないよ。どうだ、夕食でも一緒に」

ボブが笑った。今日初めての笑顔だ。遠くからトラックのギアがチェンジする音が響いた。

二人で近くに停めてあったボブのクルマに乗り込んだ。最初に行った二軒の店は両方とも閉まっていたので、私の言うとおり運転するようボブに指示した。一六番通りを通って川を越え、ベセマーからサウスフラットに抜け、小さな工場のあるところまで来たところで右に曲がり、横道をくねくねとクルマを走らせた。この辺りの住宅は壁の隙間がないほどぎっしりと建てられており、庭もなければ芝生や木もない。道は狭いのにみんな路上駐車ときている。クルマを避けるように運転しなければいけないのにはまいった。そのうちセドニックズ・バー&グリルに着いた。

ボブが店の様子を眺めている。

「ここですか」彼が訊いた。

「ああ、ここだ。さあ行こう。この町で最高のハンバーガーが食える店だ」

店の中に入ると、奥のブース席に腰を下ろした。ウェイトレスのマキシンが私に気づいてこちらにやって来た。しばらく会話を交わした後、私とボブはハンバーガーにフライドポテト、それにビールを注文した。

ボブは店の中をぐるりと見回し、私に訊ねた。「どうして、こんな店知っているんですか」

「ビールを初めて飲んだのが、この店のバーだったんだ。たしか、左端から三番目の腰掛けだった。もうずいぶん前になるがね」

「ここに引越してきてから飲み始めたんですか？　それとも、この町で育ったとか？」

「ここから二つ通りを行ったところで育ったんだよ。親父が角の食料品店をやっていて、いまは兄貴が継いでるよ」

「所長がベアリントン出身だったなんて知りませんでした」

「転勤、転勤でここに戻って来たのは一五年ぶりだ」

ビールが運ばれてきた。

「これはジョーのおごりよ」そう言ってマキシンがテーブルにグラスを置いた。

彼女は、バーの後ろに立っているジョーを指さした。私とボブはジョーに向かって、ありがとうと手を振った。

ボブはグラスを持ち上げ「41427番出荷に乾杯」と声をあげた。

「乾杯」私は自分のグラスをボブのグラスに合わせた。

何杯かビールを飲み干し、ボブはすっかりリラックスしていた。しかし、私はまだ今日起きたことを考えていた。

「今日は大変だったな。優秀な機械工は辞めるし、NCX-10の修理代もけっこうかかるだろうし、それから残業代だ」

「NCX-10が故障している間に時間もずいぶんと無駄にしました」ボブが付け足した。「でも、いったん流れ出したらけっこう順調にいったと思いませんか。いつもこんな具合にいったらいいのですが」

私は笑った。「勘弁してくれよ。こんな日は、今日だけで十分だ」

「いやピーチ副本部長に毎日工場に来てほしいということではなくて、ちゃんと出荷できたということです」

「出荷できたのはよかったが、今夜のようなやり方じゃ駄目だ」

「でも、ちゃんと出荷できたじゃないですか」

「ああ、確かに。だが、たまたまうまくいっただけだ」

「ええ、でもやるべきことはわかっていたので、みんなにその仕事をさせただけです。規則なんか考えている暇などありませんでした」

「ボブ、もし今日みたいなやり方で毎日やっていたら、この工場の効率がどうなるか想像できるかい。一度に一つのオーダーしか処理できないような工場じゃ駄目だ。でなければ、大量生産の経済性の意味が失われてしまう。コストは上がり、いまより悪くなる。勘だけでこの工場をやっていくわけにはいかない」

ボブは黙り込んだかと思うとしばらくして、「若いとき、今日みたいな問題の処理の仕事を担当させられていましたが、もしかしたら間違ったことばかり学んでいたのかもしれません」

「おいおい、今日の君の仕事ぶりは大したものだったよ。本当だ。だが、目的があるからこそポリシーがあるんだ。それはちゃんと覚えておいてくれ。今日はたった一つのオーダーを出荷するのに、ビルにずいぶん無理させられたが、もし工場の効率が改善しなかったら、また月末にやって来て、ああだこうだと言われるに違いない」

ボブはゆっくりとうなずき、「それじゃ、同じことがまた起きたら今度はどうするんですか」と訊ねた。

私はニヤリと笑った。

「まあ、同じことをやるしかないかな」私はそう答えると振り返って「マキシン、こっちにあと二杯頼む。いや、やっぱりでっかいのに入れて来てくれ。そのほうが何回も運ばなくていいだろう」

今日はなんとかトラブルを切り抜けた。ぎりぎりだったが、勝ったのだ。ボブはもう帰り、私のほうもアルコールが醒めてきた。いったい、何を祝っていたのかも覚えていない。遅れていたオーダーを出荷したのだ。やれやれだ。

しかし真の問題は、この工場が危機に瀕していることだ。ビルからもらった猶予期間は三か月。ということは、あとたった二回、いや三回残された月例報告書の中でビルの気持ちを変えるだけの数字を示さなければいけないのか。それができなければ、あとはビルが経営会議でその数字を報告しておしまいだ。会議に出ている連中はみんな、会長の顔色をうかがう。会長が二、三質問して、もう一度数字に目を通す。そして首を横に振る。それで万事休すだ。一度、会長が決定を下せば、それが覆されることはない。

残っている注文を仕上げるくらいの時間は与えられるだろうが、それが終わったら、六〇〇人もの従業員が職を失うのだ。すでにこれまでに解雇された六〇〇人の元従業員と同じ運命をたどるのだ。

我がユニウェア部門は競争力不足で、市場から撤退を余儀なくされるわけだ。客はもはや我々の優れた製品を買うことができなくなる。とはいっても日本のメーカーを打ち負かすには、価格は高い、作るのは遅い、品質は良くない、それに……、まあ力及ばずといったところだ。日本のメーカーだけじゃない。誰に対しても力不足だ。しかし、それが栄えあるユニコ社（会社全体の収益はずっと横ばいだが）における、我が部門の成れの果てなのだ。本部の連中がどうでもいいような会社と合併などやってくれるおかげで、企業年鑑に載るような大した会社にはなった。どうやら最近は、それがこの会社の戦略的計画の真髄らしい。

いったい、この会社はどうなっているんだ。

半年ごとに本部から誰かがやって来て、問題改善のための万能薬だと言っては、新しいプログラムを押しつけていく。効き目がありそうなものもあるが、結局どれも役に立たない。いつも中途半端な状態で、いっこうに良くならない。悪くなる一方だ。

いびりは、このくらいで十分だろう。少し気を静めて、もっと理性をもって考えてみよう。周りには誰もいない。夜もずいぶんと更けてきた。事務所の所長室に私一人、邪魔をする者もいなければ電話も鳴らない。じっくりと状況を分析してみよう。常に品質の高い製品を、競合相手に負けないコストで、納期どおりに出荷できないのはなぜなのだろうか。

何かが間違っている。何だかわからないが、基本的なことが大きく間違っている。何を見落としているのだろう。

この工場も本来はいい工場のはずだ。そうだ、いい工場なのだ。技術はあるし、最高のNC工作機械もある。ロボットもあるし、何でもできるコンピュータも持っている。

有能な人材もいる。ほとんどの部署に優秀な人間が揃っている。一部不足している部署もあるが、この工場をやっていくには十分な人数だ。もちろんもっと有能な人間がいれば、それに越したことはない。組合との問題もそう多くはない。時に厄介なこともあるが、競合会社も組合との問題を抱えていることは同じだ。この間は組合側がいくつか譲歩してくれた。こちらが望んでいたほどではなかったが、まああの合意内容だった。

機械もある。人もいる。必要な資源はすべて揃っている。市場もある。他メーカーの製品がちゃんと売れているのだから。それじゃ、いったい何が悪いんだ。

競争だ。競争に我々がついて行けないのだ。日本メーカーが米国市場に参入して以来、競争は信じられないほど厳しくなった。三年前は、品質と製品デザインで日本メーカーにやられた。ようやく追いついたと思ったら、今度は価格とスピードで負けている。いったい、奴らにはどんな秘密があるのだ。

どうしたら、もっと競争力をつけることができるのだ。

コスト削減はやった。ユニウェア部門で、私ほどコストを下げることに成功した奴はいない。これ以上節約することなどどこにもない。

ビルはああは言うものの、私の工場の効率はなかなかのものだ。もっと効率の悪い工場がほかにもあるはずだ。ただ、私のところが抱えているような競争はない。もう少しなんとか効率を上げればいいのか。しかし、どうやって。もうすでに全速力で疾走している馬に、さらに鞭をいれるようなものだ。

とりあえずは、納期に遅れているオーダーをなんとかしなければいけない。この工場では、誰かが何かを言うまでオーダーは出荷されない。工場の中は在庫の山だらけだ。材料はスケジュールどおりにラインに投入されるが、製品が予定どおり仕上がってこない。

別に珍しいことではない。私の知っている工場には、どこでも問題処理班がいる。アメリカの工場でうちと同じくらいの規模だったら、工場の中には同じくらい仕掛品の在庫が溜まっているはずだ。どういうことかはよくわからない。この工場はこれまで見てきた工場と比較しても特に悪いわけではない。というより、いいほうだろう。だが損を出している。

納期に遅れている製品を出荷さえできれば、なんとかなるのだが。ときどき、小さな魔物がこの工場に潜んでいるように思えることがある。やっとうまくいき始めたかと思うと、誰も見ていないシフトの交代時間中に忍び込んで、機械をいじったり、設定を変えたりしてしまうのだ。そうだ、こいつらの仕業に違いない。

それとも、単に私の能力が足りないのか。しかし、大学ではエンジニアリングを勉強したし、MBA（経営学修士号）だって持っている。私にその能力がないと思ったら、ビルは私をここに寄こしたりはしなかっただろう。ということは、私が原因ではないということか。

生産管理の仕事に就いてから、もうどのくらいたっただろう。何でも知っている優秀な若者だった。もう一四年、それとも一五年もたとうか。今日のような長い日はどのくらいあっただろうか。

当時は、一所懸命働けば何でもできると思っていた。私は、一二歳になった日から働いている。学校から帰ると父の経営する食料品店で働き、ずっと高校まで続けた。高校のときは、夏の間は近くの工場で働いた。一所懸命働けばいずれ報われると、いつも言われた。本当だろうか。兄は長男ということで、楽な道を選んだ。いまは寂れてしまった所で食料品店を経営している。私はどうだ。ずっと一所懸命働いてきた。エンジニアになるために、学校を苦労して卒業して、大企業でいい仕事に就いた。だが妻と子供とは他人みたいな生活だ。それに会社からはとんでもないお荷物を背負わされた。そして「人手が足らない。もっとくれ」と悲鳴をあげているのだ。三八歳にして、しがない工場長か。なんと楽しいことか。

もう、そろそろ帰らないといけない時間だ。今日は、ずいぶんと楽しませてもらった。

3

目を覚ますと、ジュリーが私の上に覆い被さっていた。残念ながら、私に抱きついているわけではないようだ。ベッド脇のナイトテーブルの上に置かれた目覚まし時計に手を伸ばしている。時計の針は、朝六時三分を指している。三分間も目覚ましのブザーが鳴りっぱなしだったのだ。ジュリーが目覚ましのボタンを叩きつけるようにブザーを止めた。ため息をつくと、彼女はゴロリと私の上から転がり降りた。しばらくすると、ジュリーから寝息が聞こえてきた。また眠ってしまったようだ。さあ、またこれから新しい一日の始まりだ。

それから四五分後、私はクルマを車庫から出していた。外はまだ暗いが、道のはるか先は空が明るくなり始めている。町まで半分ほど来ると、太陽が昇った。しかし私は考え事で忙しく、最初はそんな外の様子にも気がつかなかった。運転しながら横をちらっと眺めると、太陽が木々の上に浮かんでいる。他の多くの人もそうなのだろうが、いつも忙しすぎて周りで起こる日々の奇跡に目をやる暇もない。そんな自分が、ときどき情けなくなる。朝日をゆっくりと眺める代わりに、道路に目をやり、ビルのことで頭を悩ましている。彼が本社での会議を召集したのだ。彼に報告義務のある人間、つまり各工場の所長とそのスタッフが全員集められた。会議は朝八時ちょうどに開始すると連絡を受けていた。でも妙なことに、会議の内容については何も知らされてはいない。重大な秘密でもあるのだろうか。きっと戦争か何か大変なことでもあるのだろう。これまでの報告書やレポート、それに関連データを持って八時に集合するようにとしか連絡を受けていない。報告書やレポートは、ユニウェア部門の状況を徹底的に評価するのに使うらしい。

しかし、何のための会議かはみんなもうわかっていた。少なくとも、大まかな見当はついていた。ビルがユニウェア部門の第1四半期の業績がいかに悲惨なものかをぶちまけ、各工場ごとに新たな目標などいろいろと要求を突き付けるらしい。だから資料を持って八時きっかりに集まれということらしい。朝早く集合ということで我々に規律と緊迫感を与えようと、ビルは考えたに違いない。

ただ皮肉なことに、朝八時では出席する人間の半分は前日の夜のうちに現地に入らなければならないため、その分ホテル代や食事代が余計にかかる。あと一、二時間集合時間を遅らせればいいものを、いかに業績が悲惨なものかを知らせるために、わざわざ余計な経費がかかってしまう。

どうやら、ビルは苦戦しているようだ。負けるとか何だのということではないのだが、ただ最近ビルはすべてにおいて過剰に反応しているように思える。まるで、負け戦を戦っている将軍のようだ。勝たんがために死に物狂いになるあまり、戦略をすっかり忘れている。

数年前のビルは違っていた。自信に満ちあふれていた。部下に責任を任せることを恐れず、結果さえ出せる人間であれば自由に仕事をさせていた。賢明なマネジャーになることを目指し、新しいアイディアにはオープンだった。「従業員の生産性を向上させるためには、まず従業員が自己の仕事に対して喜びを感じる必要がある」と唱える者がいれば、熱心に耳を傾けていただろう。しかし、それは売上げが多く予算も十分にとれていたときの話だ。

いまだったら、いったい何と言うだろうか。

「従業員が喜んだから、どうだっていうんだ。少しでもコストが上がったら、こっちは払う気はまったくないぞ」とでも言うのだろうか。

従業員が運動できるフィットネス・センターを作ったらどうかと、誰かがビルに提案したことがあった。健康な従業員は幸福感が増し、そのためにいい仕事ができるというのがその理由だった。しかし、そのときのビルの台詞が確かそんなだった。ビルはその提案をした奴を自分の部屋から叩き出したそうだ。

そのビルが顧客満足向上の名のもとに、今度は私の工場に足を踏み入れ荒らしまくっている。ビルと口論をしたのは、今度が初めてではなかった。これまでも何度かあったが、昨日ほどではなかった。以前はそんなビルと私もそれなりに仲が良かったのだから、いまはなんとも釈然としない。友人だと思っていた時期もあった。私が彼のスタッフだった頃、仕事が終わってから事務所でよく二人で何時間も話し込んだものだ。時には、一緒に酒を飲みに行ったこともあった。みんなは私がビルに媚びを売っていると思っていたらしいが、私が媚び入るような人間ではなかったからこそビルは私のことを気に入ってくれていたのだと思う。私は彼のためにいい仕事をしたいだけだった。お互い、うまくやっていた。

かつてアトランタで年次販売会議があったときに夜、乱痴気騒ぎをしでかしたことがある。ビルと私、それにマーケティングの連中何人かでホテルのバーからピアノを盗み出しエレベーターに運び込んで、そこで歌いまくった。エレベーターを待っていた他の泊り客は、ドアが開くと、そこにピアノと我々がいたのだから驚いたに違いない。ビルがピアノを弾き（ビルはピアノがとても上手だった）、アイルランドの酒飲み歌を歌った。一時間ほどして、ようやくホテルのマネジャーにつかまったのだが、それまでには人だかりもずいぶんと増え、エレベーターでは手狭になったのでホテルの屋上に場所を変えて、街全体に向かって歌声を披露した。騒ぎを止めさせようとホテルのマネジャーが寄こした奴二人と喧嘩が始まったので、私はビルをそこから連れ出した。まったく、なんという夜だったのだろう。その夜の明け方、ビルと私は街の外れでオレンジジュースで乾杯をした。

この会社に自分の将来があると気づかせてくれたのはビルだった。ただ一所懸命に働くことしか知らない一介のプロジェクト・エンジニアだった私を見出してくれたのも彼だった。本部の仕事に引き抜いてくれたのもビルだった。MBAを取るために、ビジネススクールに入れるように取り計らってくれたのもビルだった。

その彼といま、いがみ合っているのだ。信じられない。


七時五〇分、ユニコ本社ビルの地下駐車場にクルマを入れた。ビルの部署はこのビルのフロアを三つ使っている。私はクルマから降り、トランクからブリーフケースを取り出した。今日は報告書やコンピュータで印刷した書類やらでブリーフケースの中はいっぱいだ。重さも五キロ近くはあろうか。今日は、いい日になるなどと少しも期待していない。しかめ面でエレベーターに向かって歩き始めた。

「アレックス」誰かが後ろから呼びかけた。

後ろを振り返ると、ネイサン・セルウィンがこちらに向かって歩いてくる。私は彼を待った。

「やあ、元気かい」彼が訊ねた。

「ああ、久しぶりだな」そう答えながら、二人で一緒に歩き始めた。「ビルのスタッフになったんだって。メモを見たよ。おめでとう」

「ありがとう。まあ、いまの状況では部署としてベストかどうかはわからないがね」

「どうしてだい。夜中まで仕事をさせられるのかい」

「いや、そうじゃないが」そう言うと、彼はしばらく黙って私を見た。

「まだ、聞いてないのか」

「聞いてないって、何を」

彼は急に立ち止まり、辺りを見回した。周りには我々のほか誰もいない。

「ユニウェア部門のことだよ」彼は低い声で言った。

私は、肩をすくめた。彼がいったい何のことを話しているのか見当がつかなかった。

「ユニウェア部門全体が売りに出されるかもしれないそうだ。一五階の連中はみんな戦々恐々としているよ。ビルが会長から一週間前に言い渡されたらしいんだが、年内に業績を改善しないといけないらしい。さもないと部門全体が売却されることになるそうだ。それに、これは確かではないんだが、もし売却となったらビルも一緒に売却先に行くことになるらしい」

「本当かい」

ネイサンは、首を縦に振って「もちろん、まだはっきりと決まったわけではないがね」と付け加えた。

私とネイサンはまた歩き出した。

最近、ビルの様子がどうもおかしいのもこれで説明がつく。彼がこれまでに築いてきたものすべてが危ういのだ。他社に売却されれば、ビルは仕事さえ失うだろう。買収した側としてみれば、身ぎれいなほうがいいわけで、となれば、まずはトップから処分されるのが常道だ。

私はどうなるのだ。仕事はあるのだろうか。この話を聞くまで、工場が閉鎖されても別の仕事があると思っていた。そう考えるのが当たり前だ。もちろん自分が気に入る仕事ではないかもしれない。新たにマネジャーを必要としているユニウェアの工場などないことはわかっている。だから、以前の仕事に戻してくれるものと期待していた。しかし、その仕事もすでに代わりの人間がいるし、ビルも彼の仕事には満足しているようだ。考えてみれば、私も昨日、仕事を失うかもしれないとビルに脅されたのだった。

畜生、俺も三か月たったら失業者になるかもしれない。

「アレックス、聞けよ。もし誰かに聞かれたら、俺から聞いたなんて絶対に言わないでくれ」ネイサンが言った。

彼は立ち去ってもういない。気がつくと、一五階の廊下に一人で立っていた。エレベーターに乗ったことさえ覚えていない。上に上がる途中、ネイサンが私に話しかけていたのをうっすらと覚えているだけだ。みんな職探しで履歴書をあちこちに送っているとかどうとか言っていた。

辺りを見回した。間が抜けた感じだ。自分がいったいいまどこにいるのだろうと思った瞬間、会議のことを思い出した。私は急いで会議室に向かった。廊下の先で会議室に何人か入って行くのが見えた。

私も会議室に入り席に着いた。ビルはテーブルの反対端に立っている。彼の前にはスライド・プロジェクターが置かれている。彼が話し始めた。壁の時計は、きっかり八時を指している。

私は周りの連中を見回した。およそ二〇人ほど集まっただろうか。ほとんどみんなビルに視線を送っている。その中で一人、ヒルトン・スミスは私を見ている。彼も工場の所長だが、どうしても好きになれない奴だ。まず彼のやり方が気に入らない。新しいことをやるのが好きで、それをいつも周りに宣伝するのだが、実のところは、みんなのやっていることと大差ない。とにかく、奴は何かをチェックするかのように私をじっと見つめている。私が動揺しているようにでも見えるのだろうか。それとも何か知っていることでもあるのだろうか。私が睨み返すと、ヒルトンはビルのほうへ視線をそらした。

ようやくビルの話に耳を傾けることができると思ったら、話はすでにビルから経理部長のイーサン・フロストに移っていた。細身で、しわの多い顔をしている。少しばかりメークアップを施せば、死神でも通用しそうな風貌だ。

話は経理部長ならではの内容だ。第１四半期が終わったばかりだが、その業績は悲惨で、ユニウェア部門の資金繰りはまさに危機的な状態だ。支出を切り詰めなければいけない。

イーサンの話が終わると、またビルが立ち上がり、どのようにこの危機に立ち向かわなければいけないのかと深刻な話を始めた。私は彼の話に耳を傾けようとしたが、最初の一言、二言聞いてすぐに集中力を失った。後は断片的に聞こえてくるだけだ。

「……これ以上のリスクは、なんとしても避けなければ……」

「……現在のマーケティング体制では……」

「……戦略的な面での経費は削減することなく……」

「……犠牲が必要だ……」

「……全部署において、生産性の改善が……」

スライド・プロジェクターからはスクリーンに次々とグラフが映し出されている。ビルとみんなとの間で、業績評価について容赦ない応酬が延々と続いている。私も努力するが、どうしても集中できない。

「……第１四半期の売上げは、前年同期に比較し二二パーセントの減少……」

「……総原材料費が増加し……」

「……一時間当たりの直接作業費は、ここ三週間で最悪……」

「……総生産時間数を標準時間数と比較すると、一二パーセントも効率が落ちている……」

なんとか話に集中するように自分に言い聞かせ、メモを取ろうと上着のポケットのペンに手を伸ばした。

「答えは簡単だ」ビルの声が聞こえる。「我々の将来は、生産性を向上できるかどうかにかかっている」

しかし、ペンが見つからないので、もう一方のポケットにも手を伸ばした。出てきたのは葉巻だった。じっと眺めた。もう禁煙してずいぶんになるので、この葉巻がどうやってポケットに紛れ込んだのか考えた。

しばらくして、ようやく思い出した。

The Goal
II
恩師との邂逅

4

二週間前、今日と同じスーツを着ていた。その頃はまだ、すべてがうまくいくと考えていた。出張の途中、シカゴの空港で飛行機を乗り継ごうとしたときのことだった。少し時間があったので、航空会社のラウンジに向かった。ラウンジの中は、私のようなビジネスマンでいっぱいで、席を探そうと、辺りを見回した。細い縦じまのスリーピース姿の男、地味なブレザーを着た女性などいろいろいる。そのとき、ユダヤ教のスカルキャップをかぶったセーター姿の男性に目が止まった。ランプの隣に腰掛け、本を読んでいる。片手に本を、もう一方に葉巻を持っていた。彼の隣の席がちょうど空いていたので、そこに席を取ることにした。腰を下ろそうとした、そのときだった。見たことがある顔に気づいた。

世界一混雑した空港で、知り合いに会うとはまったくの驚きだ。最初は確信がなかったが、昔世話になった物理の教授のジョナによく似ていた。腰を下ろそうとすると、彼は本から視線をそらしてこちらを見上げた。私の顔を見た彼も同じことを思ったのだろう、表情からそれが読み取れた。

「ジョナ先生?」私は声をかけた。

「ええ」

「アレックス・ロゴです。覚えていませんか」

すぐには思い出せなかったようだ。

「ずいぶん前のことですが、あなたの学生でした。研究資金をもらって先生の取り組んでいた数学モデルを勉強させていただいたことがあります。覚えていらっしゃいませんか。当時は、あごひげを伸ばしていたのですが」

ようやく思い出したのか、ジョナの表情が変わった。「ああ、もちろん覚えている。『アレックス君』だったね」

「はい」

ウェイトレスが飲み物の注文を取りにやって来た。私はスコッチのソーダ割りを注文した。ジョナもどうかと訊ねたが、断られた。すぐに行かなければならなかったからだ。

「それで、最近はどうされているのですか」私は訊ねた。

「忙しくしているよ。すごくね。君は」ジョナが言った。

「こちらも同じです。これからヒューストンに行くところです。先生はどちらまで」

「ニューヨークだよ」

ジョナはこんな雑談には乗り気ではないようで、早く話を終わらせたいといった顔をしている。一瞬、沈黙があった。こうしたとき、いいのかどうかはわからないが、私はいつも自分から話題を提供する性分だった。

「面白いものですね。昔は研究者になろうとずいぶん真剣に考えたのに、いまはビジネスマンです。ユニコ社の工場で所長をやっています」

ジョナがうなずいた。少しは興味が湧いてきたようだ。葉巻をふかしている。私は話を続けた。話を提供するのは特に苦にならない。

「これからヒューストンに仕事で行きます。うちの会社が参加しているメーカー団体から、年次総会のパネルディスカッションでロボット工学について話をしてくれないかと依頼があって、会社からその役が私に回ってきたんです。ロボットについては、私の工場が一番経験があるので」

「ほう、話は技術的な内容かい」ジョナが訊ねた。

「技術的というより、ビジネス的な内容にするつもりです」

「そうそう……」私は、彼に見せるものがあることを思い出した。

ひざの上に置いてあるブリーフケースを開け、送られてきたプログラムを取り出した。

「これです。『ロボット工学：八〇年代米国生産性危機への対応策……工業ロボットが米国製造業に与える影響についてロボットユーザー、専門家が討論』」

しかしジョナを見ると、あまり興味はなさそうだ。彼は学者なので、ビジネスはわからないのだろう。

「君の工場では、ロボットを使っているのかい」ジョナが訊いてきた。

「ええ、二、三の部署で使っています」

「ロボットを使って、工場の生産性は本当に上がったのかね」

「もちろんです。うちの工場では、えーと……」と言いかけ、天井を眺めながら数字を思い出そうとした。

「二つの部署では、三六パーセントアップしたはずです」

「本当かい。三六パーセント？」ジョナが訊ねた。「ロボットを導入しただけで、君の工場からの収益が三六パーセントも増えたというのかい。すごいじゃないか」

私は、ニヤリとせずにはいられなかった。

「いや、そういうわけでもないんです。そう簡単にいけばいいとみんな思っているのですが、もう少し複雑です。三六パーセントアップしたのは一部署だけですから」

ジョナは葉巻をじっと見ていたかと思うと、灰皿に押しつけてその火を消した。

「ということは、実際には生産性は向上しなかったわけか」彼が言った。

私は、自分の笑顔が凍りつくのがわかった。

「どういう意味ですか。よくわからないのですが」私は答えた。

ジョナは陰謀話でもするように、私に体を寄せて言った。「訊きたいことがあるんだが、ここだけの話だ。ロボットを導入した部署で生産性が向上した結果、一日当たりの製品の出荷量は以前より一つでも増えたのかい」

私は口ごもった。「それは、調べてみないとわかりませんが……」

「従業員の数は減らしたのかね」ジョナが訊ねた。

椅子に座っていた私は、後ろにもたれてジョナを見た。いったい、何を言いたいのだろうか。

「ロボットを導入して、人をクビにしたかっていうことですか」私は訊き返した。「いいえ、生産性が向上しても人員解雇は行わないという組合との合意があるので、人は別の部署に異動させました。ただ、もちろん景気が悪くなれば従業員を解雇することもあります」

「ということは、ロボットを導入しても、人件費の削減にはつながらなかったということだね」彼が言った。

「はい」私は認めた。

「じゃ、聞くが、仕掛りなどの在庫は減ったかね」ジョナが訊ねた。

私は、呆れて軽く笑った。

「先生、いったい何がおっしゃりたいのですか」

「いいから、答えてくれ。仕掛りは減ったのかい」

「いますぐにはわかりませんが、特に減ってはいないと思います。ただ、詳しいことは調べてみないとわかりませんが……」

「よかったら、調べてみたまえ。もし仕掛りも人件費も減っていなくて、製品の売上げも上がっていなかったら……もちろん製品の出荷量が増えていなければ、売上げが伸びないのは当たり前だが……もしそうだとしたら、ロボットを導入して生産性が上がったなどとは言えない」

私は、まるでエレベーターに乗ったときのようなズシリと重い感覚を腹に感じた。

「先生のおっしゃっていることはわかりますが、効率はアップし、コストは下がりました」私は答えた。

「そうかい?」そう言うと、ジョナは本を閉じた。

「ええ、実際平均九〇パーセントを超す効率を示しています。部品一つ当たりのコストも大幅に下がりました。効率アップとコスト削減のために最大の努力をしなければ、いまの時代、競争に勝つことはできませんから」

私の飲み物が運ばれてきた。ウェイトレスが脇のテーブルに置き、私は五ドルを渡してお釣をもらった。

「そんなに高い効率では、ロボットを常に動かしていないといけないのでは」ジョナが訊いた。

「もちろんです。常に動かしていないと、部品一つ当たりのコストが高くなってしまいます。効率もダウンするでしょう。ですが、これはロボットに限ったことではありません。他の生産資源にも当てはまります。効率性と低コストを維持するには、常に生産している必要があります」

「本当かい」ジョナが言った。

「もちろんです。別にこれで問題なしと言っているわけではありませんが」

「そうか」そう言うとジョナは、微笑んだ。「本当のことを言ったらどうだい。在庫は、ずいぶん増えたんじゃないのかね」

私はジョナの顔を見た。どうして、そんなことがわかるのだろう。

「仕掛りのことですか……」

「仕掛りだけじゃない、在庫全部のことだよ」彼が言った。

「それは、部署によります。増えた部署も確かにありますが」

「で、すべてがいつも遅れている。予定どおりには何も出荷できない。そうじゃないのかね」

「納期に遅れることが多いのは確かです。最近、顧客との間でずいぶんトラブルになっていますから」

ジョナは、まるで予言したとおりとばかりに、うなずいた。

「でも、ちょっと待ってください。どうしてそんなことがわかるのですか」私はジョナに訊いた。

彼は、また微笑んだ。

「ただの勘だよ。それに、メーカーにはよくあることだからね。君の工場だけじゃない」

「でも、あなたは物理の先生じゃないですか」

「私は科学者だよ。いまは組織の科学について研究しているとでも言っておこうか。特にメーカーの組織についてね」

「そんな科学があるのですか」

「いま、作ったんだよ」

「何をいま研究されているかは知りませんが、もしご迷惑でなければ、私の工場のことで少し話を聞いてもらえませんか。どうして……」

そう言いかけて私は話を止めた。ジョナがヘブライ語で何かつぶやいている。ズボンのポケットに手を入れたかと思うと、古い腕時計を取り出した。

「アレックス、すまないが、急がないと飛行機に乗り遅れてしまう」

彼は立ち上がり、コートを手に取った。

「そうですか、残念です。先生が言ったことで、もっとお聞きしたいことがあるのですが」

ジョナは、しばらく考え込んだ。

「そうだね。いま話したことをもう一度よく考えてくれれば、君の工場を危機から救い出すことができるかもしれない」

「ちょっと待ってください。言い方が悪かったのかもしれませんが、多少の問題はあっても工場が危機だなどとは言っていません」

そう言い返した私の目をジョナは真っ直ぐ見つめた。彼には心を見透かされているようだ。

「私のほうはまだ時間が少しあるので、そちらの搭乗ゲートまでご一緒させてもらってかまいませんか」

「ああ、かまわないが。でも、少し急がせてもらうよ」

私は立ち上がり、コートとブリーフケースを手に取った。注文した飲み物はそのままだった。急いで少しだけ軽く喉に流し込み、あとはそこに残した。ジョナはすでにラウンジの出口まで行っていた。私が追いつくのを待っている。二人でラウンジの外に出ると、通路は人でいっぱいだった。ジョナは足早に歩き始めた。彼について行くのは大変だ。

「教えてもらいたいのですが、どうして私の工場に問題があると思われたのですか」

「君が、そう言ったじゃないか」ジョナが答えた。

「私は、そんなことは言っていません」

「アレックス。思っているほど効率よく工場が動いていないことぐらい君の話を聞けばすぐわかるよ。その反対で、君の工場は非常に非効率のはずだ」

「でも、データでは効率がいいと出ていますが。報告の仕方に問題があるとでも言うのですか。それとも報告に嘘があるとでも」

「いいや。嘘の報告をしているとは思わない。ただ、評価の仕方には間違いなく問題がある」

「ええ、確かに数字をいじったりすることもありますが、そんなこと誰でもやっていることでは」

「そういうことじゃない。君は、自分の工場が効率的に動いていると思っている。その考えが間違っているんだ」

「私の考えのどこが間違っているのですか。ほかのマネジャーも同じ考え方ですよ」

「ああ、そのとおりだ」

「どういう意味ですか」私は訊ねた。まるで侮辱されているような気分だった。

「アレックス、もし自分がほかのみんなと同じだと言うのなら、自分で考えたり質問することなどもなく、何でも当たり前のことだと受け入れているということなのかね」

「そんなことはありません。私はいつもいろいろ考えています。それが私の仕事ですから」私は言い返した。

ジョナは首を振った。

「アレックス、もう一度説明してくれ。どうしてロボットを導入したことがそんなにすごい改善だと思うのか」

「生産性が向上したからです」私は答えた。

「では、生産性とはいったい何なのかね」

生産性の定義を思い出そうと、私はしばらく考え込んだ。

「私の会社の定義では……一定の計算方法があって、確か『従業員一人当たりの付加価値イコール……』」

ジョナが、また首を振った。

「君の会社の定義がどうであれ、そんなのは本当の生産性なんかじゃない。計算方法がどうとかは少し忘れて、君自身の言葉で君自身の経験で言ってくれ。生産的とはいったいどういう意味なんだね」

私たちは通路の角を急いで曲がった。前方には金属探知機のゲートがあり、警備員が立っている。そこで彼とは別れるつもりでいたが、ジョナは足取りを緩めない。

「言ってみたまえ、生産的であるとはいったいどういう意味なんだね」ジョナはゲートをくぐりながら再び質問してきた。ゲートの向こう側から私に話しかけている。「君個人にとって、どういう意味があるんだね」

私はブリーフケースをベルトコンベアの上に置き、彼に続いた。私は考えた。ジョナは、いったいどんな答えを期待しているのだろうか。

少し離れたところにいるジョナに向かって私は言った。「何かを成し遂げることでも意味しているのでしょうか」

「そのとおり。でも、どういう観点で成し遂げたかどうかを測ったらいいと思うかね」

「目標（ゴール）……でしょうか」私は答えた。

「そのとおり」ジョナが言った。

彼はセーターの下に着ているシャツのポケットに手を入れ、葉巻を取り出して私に手渡した。

「私からの褒美だ。生産的であるということは、自己の目標と照らし合わせて何かを達成したということなんだよ。違うかい」

「ええ」コンベアから流れてくるブリーフケースを手に取りながら、私はそう答えた。

私たちは足早に搭乗ゲートの前をいくつも通りすぎた。私はなんとかジョナのペースについて行った。

「生産性とは目標に向かって会社を近づける、その行為そのものだ。会社の目標に少しでも会社を近づけることのできる行為は、すべて生産的なんだよ。その反対に目標から遠ざける行為は非生産的だ。わかるかね」

「ええ、でも……それは単なる常識では」

「その単純な論理こそが、重要なんだ」

私たちは立ち止まった。ジョナはゲートのカウンター越しに係員にチケットを渡している。

「でも、その考え方はあまりに単純すぎるのでは」私は彼に訊いた。「それだけでは何もわかりません。自分の目標に向かっているのであれば生産的で、そうでなければ生産的でない。だから、どうだと言うのですか」

「君に言いたいのは、生産性なんてものは目標がはっきりわかっていなければ、まったく意味を持たないっていうことだ」

ジョナはチケットを受け取り、搭乗ゲートに向かって歩き始めた。

「わかりました。それじゃ、こういう考え方はどうですか。我が社の目標の一つは効率を上げること。だから効率を上げることができれば、生産的であると。論理的では」

ジョナは足を止めた。そして振り返って私を見た。

「君は自分の問題が、何だかわかっているかね」

「ええ、効率を上げることです」

「いや、違う。そんなのは問題ではない。君の問題は、目標が何なのかよくわかっていないことだ。それから、どんな会社であっても目標は同じだ。一つしかない」

その言葉に一瞬、私は足取りが鈍った。ジョナは再びゲートに向かって歩き始めた。他の乗客はすべて搭乗済みのようだ。ゲートには私たち二人だけしかいなかった。私は彼の後を追った。

「ちょっと待ってください。目標がわかっていないとは、いったいどういう意味ですか。ちゃんとわかっているつもりです」

いつの間にか、飛行機のドア近くまで来ていた。ジョナは振り返った。機内乗務員が私たち二人を見ている。

「本当かい。では、言ってみてくれ、君の会社の目標とは何だね」

「できるだけ効率的に製品を作ることです」

「違う。そんなのは目標じゃない。本当の目標は何だかわかるかね」

私は、ぼんやりとジョナを見つめた。

乗務員がドアから身を乗り出している。

「どちらか、この便に乗られるのですか」

「少し待ってくれ」ジョナは彼女にそう言うと、こちらを振り返った。「アレックス、本当の目標はいったい何なんだ。早く言ってみたまえ。わかっているなら言ってみたまえ」

「権力」私は、試しに言ってみた。

ジョナは驚いた顔をしている。「ああ、悪くはないが、ただ何かを作っただけで力が得られるわけじゃない」

乗務員が呆れた表情をしている。「この便にお乗りにならないのでしたら、ターミナルまでお戻りください」冷たい口調で彼女が言った。

ジョナは、彼女の言葉を無視して続けた。「アレックス、目標がわからなければ、生産性の意味は理解できない。目標がわからなければ、ただ数字や言葉で遊んでいるにすぎない」

「わかりました。マーケット・シェアです。マーケット・シェアが目標では」

彼は機内に足を踏み入れた。

「教えてください」私はジョナに呼びかけた。

「自分で考えたまえ。アレックス、自分の頭で考えるんだ」

ジョナは乗務員にチケットを渡すと、私のほうを振り返って手を振った。私も手を振り返した。手にはジョナがくれた葉巻をまだ握っていた。それをスーツの上着のポケットにしまい込んだ。再び顔を上げると、ジョナの姿はもうなかった。ゲート係が苛立たしそうに「ドアを閉めます」と私に告げた。

5

いい葉巻だ。

スーツのポケットに数週間放りっぱなしだったのだから、煙草にうるさい人には、少し乾きすぎているかもしれない。ビルとの会議の最中、この葉巻をゆっくりとふかした。頭の中では、ジョナとの会話を思い出していた。何とも妙な再会だった。

この会議も普通ではない。目の前では、ビルが細長い棒でグラフの中央を軽く叩きながら指している。ゆっくりと立ちのぼる煙が、スライド・プロジェクターの光の中にゆらゆら映し出されている。テーブルの向かい側では、電卓を熱心に叩いている者もいる。私以外全員、真剣にビルの話に聞き入っている。メモを取っている者もいれば、熱心に発言している者もいる。

「……継続的な……不可欠だ……利点マトリックスが……利益前の回復を重点的に……業務指数……付随的な立証を……」

何の話をしているのか、私はまったくついていけなかった。まるで外国語を聞いているようだ。正確には外国語というより、昔自分がしゃべっていた言葉で、いまはうっすらとしか覚えていない言語と言ったほうがいいかもしれない。一つひとつの言葉は聞き覚えがあるのだが、意味がはっきりと理解できない。ただの音にしか聞こえてこない。

数字や言葉で遊んでいるだけじゃないか。

シカゴでは、ジョナの言葉に熱心に耳を傾けた。なぜか、彼の言葉は理に適っているように聞こえた。いくつかポイントを押さえていたが、まるで別世界の人間と話しているような気分だった。そのときはそれだけで終わった。ヒューストンに行かなければいけなかったので、飛行機に乗り遅れるわけにはいかなかったのだ。

そのときは疑わなかったものの、いま改めて考えてみれば、いったいジョナはどこまで本当のことがわかっているのだろうか。周りの連中の顔を見ても、自分のやっていることが本当にわかっている奴など一人もいないような気がする。まるで絶滅寸前の部族が、悪魔払いの儀式で煙に巻かれて踊っているようだ。本当のゴール――目標とは何なのか。そんな基本的なことを、ここにいる連中は一人として考えたことがないだろう。ビルは相変わらずコスト機会やら生産性目標などといった言葉を繰り返している。ヒルトンは、ビルが何か言うたびに、そのとおりとばかりに大きくうなずいている。いったい、我々がいま何をしているのか、本当に理解している人間などいるのだろうか。

午前一〇時になった。休憩だ。私以外は、みんな会議室を出て行った。トイレに行ったり、コーヒーを飲みに行ったのだろう。全員いなくなるまで、私は座ったままだった。

こんなところで、私はいったい何をしているのだろう。この部屋に座っていて、いったい何の役に立つというのか。私だけじゃない、みんなも同じだ。こんな会議で一日時間を費やして、工場の競争力が上がるというのか。私の仕事を救ってくれるとでもいうのか。いったい誰の役に立つのだ。

わけがわからない。もはや、生産性が何なのかもわからない。こんな会議は時間の無駄以外の何物でもない。気づくと、私は書類をブリーフケースの中にしまい込んでいた。カバンを閉じ、静かに席を立って退室した。

　運良くエレベーターまでは、誰にも声をかけられなかったが、エレベーターを待っていると、ヒルトンが近づいて来た。

「まさか、抜け出そうっていうんじゃないだろうな、アレックス」彼が言った。

　しばらくは彼の問いを無視していたが、もしかしたらビルに告げ口でもされるのではないかと思い答えた。

「行かないといけないんだ。どうしても、工場に戻らないといけない事情があるんだ」

「緊急事態かい」

「まあ、そんなところだ」

　エレベーターのドアが開き、私は乗り込んだ。ヒルトンは、不審そうな表情で私を見つめ立ち去った。ドアが閉まった。

　会議を途中で抜け出したことで、ビルにクビを切られるかもしれないという不安が一瞬脳裏を横切ったが、どうせ工場が閉鎖されるのなら三か月が少しばかり早くなるだけだと、駐車場のクルマに向かいながら思った。

　すぐに工場には戻らず、しばらくクルマをあちらこちら流した。同じ道をずっと運転し、飽きたら別の道に方向を変えた。二時間ほどたっただろうか。どこにいるのか、そんなことはどうでもよかった。ただ外に出ていたかった。自由というのは飽きるまでは気分がいいものだ。

　運転中、仕事のことは考えず、頭の中を空っぽにしようと努力した。天気も良く、太陽が燦々と照って暖かかった。雲ひとつない青空だ。草木はまだ枯れ色のままで、早春の様相を呈している。絶好のアイスホッケー日和だ。

工場のゲートをくぐる直前に腕時計に目をやると、午後一時ちょっと過ぎを指していた。ゲートを過ぎ、曲がろうとスピードを落としたときだった。どう表現していいのかわからないが、まだ戻るには早すぎると感じた。気がつくと、アクセルを再び踏み込みUターンしていた。腹が減っているのに気づき、昼飯を食べに行かないといけないと思った。

しかし本当の理由は、まだ誰にも会いたくないということだったのだと思う。もっと考える時間が欲しかったのだが、事務所に戻ればそんな時間が取れるはずもなかった。

工場から一・五キロほど行くと、小さなピザ屋が開いていたので、クルマを停めて中に入った。私は大食漢ではない。ミディアムサイズのピザにダブルのチーズ、トッピングにはペパロニ、ソーセージ、マッシュルーム、ピーマン、ホットペッパー、ブラックオリーブ、オニオンを、それからアンチョビを少しかけてくれと注文した。待っている間、レジ脇のスタンドに置かれたスナックに目がいき、我慢できずについ注文してしまった。店を経営しているシシリア人の店主にビアナッツ二袋、タコチップ、それに午後のスナックにとプレッツェルも頼んだ。精神的にまいっているときは、食欲が増すものだ。

しかし、ソーダでビアナッツは喉に流し込めない。ビールが必要だ。そう思ったとたん、冷蔵庫の中のビールが目に飛び込んできた。もちろん、普段は昼間にアルコールは口にしない。しかし、冷えた缶ビールが飲んでくださいとばかりに、ライトに照らし出されているではないか。

「まあ、たまにはいいだろう」

私は、ビールを取り出した。

合計一四ドル六二セントを払って店を出た。

工場に着く手前のハイウェイの反対側に、低い丘に登る砂利道がある。八〇〇メートルほど先のサブステーションに通じる道だ。私は衝動的にハンドルを切った。クルマは上下に揺れながら、ハイウェイから砂利道へと駆け降りた。ピザがフロアに落ちないように、すばやく手で押さえた。頂上まで登りながら、クルマは砂ぼこりを巻き上げている。

頂上に着いてクルマを停めた。シャツのボタンをはずし、ネクタイとコートも取った。そして、ランチを開けた。ハイウェイの向こう側の少し先に工場が見下ろせる。まるで広い土地に、窓もない灰色をした大きな鉄の箱が置かれているようだ。中では、昼のシフトの従業員四〇〇人ほどが働いている。従業員のクルマが駐車場に見える。搬入口では、二台のトラックの間に別のトラックがバックで着けようとしている。トラックが運んできた材料を使って、中の人間や機械が物を作るのだ。その反対側では、工場で作った物がどんどんトラックに積み込まれている。私の仕事はその工場を管理運営することだ。

缶ビールを開け、ピザを食べ始めた。

この工場は、この辺ではずいぶんと目立つ。いい道標だ。まるで、ずっと昔からここにあったかのような風貌だ。そして、これからも未来永劫ずっとここに居座るかのような様相を呈している。だが、できたのはほんの一五年ほど前だ。それに、この先ずっと存在し続けるのかどうかもわからない。

それで、いったい目標とは何なんだ。

この工場で、いったい何をしなければいけないんだ。

何のために、この工場を動かしているんだ。

ジョナは、目標は一つしかないと言った。そんなことがどうしてあり得るのか。毎日仕事でたくさんのことをやるが、どれもみんな重要なことばかりだ。全部とは言わなくても、ほとんどはそうだ。でなかったら、やる意味がない。どれも全部、目標にしていいじゃないか。

たとえばメーカーだったら、まず原材料を購入するだろう。物づくりには欠かせない。それをできるだけ安く仕入れなければいけない。低コストで仕入れることはとても重要だ。

話は変わるが、このピザは最高だ。二枚目をかじっているときだった。頭の中から、自問自答する小さな声が聞こえてきた。それが目標なのか。低コストで仕入れることが、工場が存在する理由なのかと。

私は笑いをこらえ切れなかった。もう少しで喉が詰まるところだった。

ああ、そのとおり。購買担当の馬鹿連中は、あたかも安く仕入れることが目標であるかのように懸命だ。低コストで仕入れて、材料を保管するためにわざわざ高い倉庫を借りている。いったい、いまどのくらい原材料の在庫を抱えているのだ。三二か月分の銅線？　七か月分のステンレス鋼板？　それだけではない。奴らが安い値段で買い込んでくれた原材料のおかげで、何百万ドルもの金が眠っているのだ。

いや、違う。安く仕入れることは目標ではない。

他に工場でしていることといったら、何があるだろうか。人を雇う、それも何百人もだ。会社全体では何万人にもなる。人は会社にとって最も貴重な財産だ。広報の連中がアニュアル・レポートの中でそう書いていた。そんなことはどうでもいい。ただ、いろいろな技術や知識を持った優秀な人間がいなくては、会社が機能しないのは確かだ。

個人的には、仕事が与えられて感謝している。ただ、毎月給料をもらうのもそんなに楽ではない。だが、人に仕事を与えるために、この工場が存在しているわけではないことは確かだ。考えてみれば、これまでいったい何人の従業員を解雇してきたのだろうか。

たとえ、日本企業のように終身雇用制を実施したとしても、仕事を与えることが目標とは言えないだろう。あたかも雇用が目標のようなことを言っている連中も多くいるが、それは違う。政治家や企業を大きくすることしか頭にない経営者連中だ。しかし人に給料を払って、何かをやらせるために工場を作ったわけではない。

それじゃ、もともと何のために工場を建てたのだ。

製品を作るために建てたのだ。それが目標ではまずいのだろうか。ジョナは違うと言った。だが、どうしてそれが目標であってはいけないのだろう。我々はメーカーだ。メーカーとは何かを作るということではないのか。何かを作る、それが一番重要なことではないのか。他に何のためにここにいるのか。

最近、よく耳にする言葉がある——品質だ。

品質は、どうだろうか。

これかもしれない。品質の高い製品を作らなければ、結局、最後には金を無駄遣いして失敗するだけだ。質の高い製品を作り、顧客のニーズに応えなければいけない。さもなければ、すぐに仕事がなくなってしまう。我がユニコ社にもその経験はある。

自らの苦い経験を通してその重要性はよくわかっている。品質改善のために、これまでもずいぶん努力を重ねてきた。それなのに、なぜ工場の将来は安泰でないのか。もし品質が真の目標であるならば、ロールスロイスのような会社が、なぜ倒産寸前まで追い込まれたのか。

品質だけでは、目標にはならないのだ。大切なことではあるが、それ自体は目標にはならない。なぜだ。コストのせいなのか。

低コストの生産が重要なら、効率が答えのような気がするのだが。そうか……この両方を合わせたものが目標なのかもしれない。品質と効率。この二つは、相互関係が強い。間違いが少なければ少ないほど、作業のやり直しも少ない。その結果コストも下がる。ジョナが言っていたのは、このことかもしれない。品質の高い製品を効率的に作る。それが目標に違いない。耳ざわりもいい。「品質と効率」両方とも立派な響きだ。

私は後ろに背をもたれ、ビールをもう一缶開けた。ピザの味は、かすかに残っているだけだ。わずかの間、私は満足感に浸っていた。

だが、しばらくして座り心地が悪くなってきた。昼食の消化具合が悪いということだけではなさそうだ。効率良く品質の良い製品を作るというのは聞こえはいいが、それだけで工場を維持できるのだろうか。まだ、頭にひっかかることがあった。もし質の良い製品を効率的に作ることが目標なら、フォルクスワーゲンは、どうしてビートルをもう生産していないのか。あれは品質もいいし、それに生産コストも低いはずだ。もっと遡れば、なぜダグラスはDC-3型機の製造をやめてしまったのか。みんな、あの飛行機はすばらしいと言っていたではないか。あのままDC-3の生産を続けていれば、いまのDC-10型機よりもずっと効率的に製造できていたはずだ。

きっと質の良い製品を効率的に作るだけでは十分ではないのだ。目標は何か別にあるはずだ。

しかし、いったい何だろう。

私はビールを飲みながら、手にしたアルミ缶の滑らかに仕上げられた表面をじっと見つめた。大量生産の技術とはまったく大したものだ。考えてみれば、このビールの缶もついこの間までは地中のただの岩だったのだ。だが、技術と機械装置が発展し、いまではその岩から軽い金属を作り出し自由に形を作ることができるようになった。それに何度も繰り返し利用できる。まったく大したものだ。

ちょっと待てよ。私はまた考えた。そうだ。

技術、これだ。我々は常に新しい技術についていかなければならない。企業にとっては不可欠なことだ。新しい技術についていくことができなければ、我々は終わりだ。だから、技術が目標だ。

でも、もう一度よく考えてみると、どうもこれも正しくない。もし、メーカーの真の目標が技術だとすれば、なぜ研究開発の連中にもっと重要なポジションが与えられていないのか。これまで見てきた企業の組織図の中で研究開発がいつも一番端にあるのはなぜだ。もしすべての機械が最先端のものであれば、それで工場を救えるのだろうか。いや、そんなことはない。技術は確かに重要だが、目標にはなり得ない。

もしかしたら、目標は効率と品質、それに技術を何らかの形で組み合わせたものかもしれない。しかしそうなると、重要な目標がたくさんあると言ったのと同じことになってしまう。何でも目標になると言っているわけではないが、しかしジョナの言っていることとは矛盾してしまう。

私は、行き詰まってしまった。

丘の下を見下ろした。大きな鋼鉄の箱のような工場の手前にはガラス張りの小さなコンクリートの箱が見える。中は事務所だ。私の部屋は、前方左端にある。目を凝らすと、電話のメッセージが山積みになっているのが見えてきそうだ。

やれやれ。私はビールをぐいっと一気に飲んだ。頭を上げると、今度は倉庫が目に入った。

工場の向こう側にある長細い建物二棟がそうで、中には部品や売れ残った商品が荷降ろしされずに天井までぎっしりと詰まっている。二〇〇〇万ドル相当の完成品の在庫だ。最新技術を駆使した品質の高い製品だ。すべて効率的に生産されたものばかりで、プラスチックカバーに包まれ、保証書、それにこの工場の空気と一緒に箱詰めにされている。全部誰かが買ってくれるのを待っているのだ。

この倉庫をいっぱいにするために、工場を動かしているわけではないことは明らかだ。目標は販売だ。

だが、もし売ることが目標なら、どうしてジョナはマーケット・シェアを目標として認めてくれなかったのだろう。マーケット・シェアのほうが、目標としては販売より重要ではないのだろうか。もしマーケット・シェアが一番なら、業界では一番の売上げのはずだ。シェアを獲得すれば、売上げも伸びる。そうじゃないのか。

たぶん違う。以前聞いた言葉を思い出した。「損はしても量で補う」企業はコストぎりぎりの少ない利益や時には損を出しても売ることがある。我が社も在庫を掃き出すために、そうしてきたことがあったではないか。大きなマーケット・シェアを獲得することはできても利益がなければ、いったい何の意味があるのか。

お金。そう、もちろんお金は大切だ。工場に金がかかりすぎているから閉鎖もするのだろう。だから会社の損を減らす方法を考えればいいわけだ。

しかし、ちょっと待てよ。たとえすごいアイディアを思いついて、損を食い止め、ブレイクイーブン（損益がプラスマイナス・ゼロ）になったとしても、それでいったい工場が救われるのだろうか。長期的には無理だ。ブレイクイーブンすることを目的に工場を建てたわけではない。わが社は、ブレイクイーブンが目的でこの事業をやっているのではない。会社は、お金を儲けるために存在するのだ。

そうか、やっとわかったぞ。

企業の目標はお金を儲けることだ。一八八一年、故J・バーソロミュー・グランビー社長がこの会社を起こし、改良石炭ストーブを売り出したのは、それ以外に何の目的があったというのか。ただ、作るのが好きだったからなのか。大勢の人に暖かさと安らぎを与えようと、度量の大きいところを世間に見せたかったからなのか。そんなことはない。大儲けしようと思って始めたのだ。そして成功した。当時、ストーブは大人気を博した商品で、投資家たちは大きな儲けを期待して、バーソロミューにさらに多くのお金を投資し、彼も莫大な利益を得ることができたのだ。

しかし、儲けることだけが目標だろうか。それでは、いままで考えてきたことはいったい何だったのか。私はブリーフケースに手を伸ばし、黄色いノートを取り出した。コートのポケットからはペンを取り出した。ノートに目標として考えられるすべての候補を書き出した。低コストで仕入れること、人を雇うこと、最先端の技術、製品を製造すること、品質の高い製品を製造すること、品質の高い製品を売ること、マーケット・シェアを獲得すること。これ以外にもコミュニケーションや顧客満足なども付け足した。どれも事業をうまく運営するには不可欠だが、いったい、何の役に立つのだろうか。会社がお金を儲けるために必要なのだ。だが、一つひとつは目標ではない。目標を達成するための手段なのだ。

本当にそうだろうか。

わからない。いや、まったくわからないわけでもない。だが、メーカーの目標を「お金を儲けること」とするのは悪くない仮定だ。リストアップした候補の中で、会社が儲かっていなくても意味があることなどひとつもないからだ。

しかし、会社が儲かっていなければいったいどうなるんだ。製品を作って売る、アフターサービスを行う、資産を売却する、その他、何でもいい……とにかく何らかの形でお金を作らなければ会社はおしまいだ。機能不能になる。お金が目標に違いない。他に代わるものはない。これも候補の一つに入れておこう。

もし目標がお金を作ることであれば、お金を作るためにする行為は生産的だ。ジョナも、きっとそう言うに違いない。その反対にお金を作ることから遠ざかる行為は非生産的だ。この一年余りの間、私の工場はその目的に近づくどころか逆に遠ざかっていた。だから工場を救うには、もっと生産的にしなければいけない。私の工場で会社のためにもっとお金を作れるようにしなければいけないのだ。現状分析としては、簡単すぎるかもしれないが、間違ってはいない。少なくとも出発点としては理論的にかなっている。

フロントガラスの外の景色は、明るいが寒そうだ。日差しは、ますます強さを増してきている。私はまるで長い昏睡状態から覚めたように辺りを見回した。見慣れた光景だが、なぜか新鮮に見える。残っているビールを最後に飲み干した。突然、会社に戻らなくてはという気持ちにかられた。

6

工場の駐車場にクルマを停めた。腕時計の針は、午後四時半を指している。今日成功したことといえば、うまく事務所を抜け出したことだけだ。ブリーフケースを手に取りクルマを降りた。前方のガラス張りの事務所は死んだように静まり返り、まるで誰かを待ち伏せてでもいるかのようだ。みんな、私のことを待ち構えていて、中に入ったらすぐにつかまってしまうだろう。しかしそうはいかない。とりあえずまずは工場に向かうことにした。新鮮な気持ちで、もう一度眺めてみたかったのだ。

工場の入り口に向かい、さっそく中に入った。ブリーフケースの中からいつも持ち歩いている安全メガネを取り出した。壁際のデスク脇には棚があり、ヘルメットが並んでいる。一つ手に取り、頭にかぶって中に入った。

作業場に足を踏み入れると、作業員が三人ベンチに腰掛け新聞を読みながら雑談していたところだった。突然私が現れて、驚かしたようだ。一人が私を見て、仲間をつついている。さっと新聞をたたみ込むと、平然とした顔で三人それぞれ別々の方向に立ち去った。

普段だったら、特に気にもしなかっただろうが、今日はむかっ腹が立った。こん畜生、こいつらだってこの工場が危ないことを知っているくせに。ずいぶんクビを切ってきたから、そのくらいのことは承知だろう。普通だったら、工場を救うために一所懸命働こうって気になるものだ。なのに、あいつらさぼりやがって。時給一〇ドルから一二ドルくらいはもらっているだろう。それで、ただ座っているだけか。私は無性に腹が立ち、彼らのスーパーバイザーを探した。

スーパーバイザーをつかまえ、三人が何もせずに座っていたことを伝えた。ノルマで忙しいだの、部品を待っていたのだのと言い訳をするので、私は「もしやらせる仕事がないんだったら、連中をよそに回すぞ。いいから仕事をさせろ。使わないんだったら、いただいていく。わかったか」と言い渡した。

肩越しに通路の先を見ると、先ほどの作業員に早速、通路の片側から反対側に何か材料を運ばせている。思いつきの仕事だろうが、まあいいだろう。とりあえずは働かせているようだ。もし私が何も言わなかったら、いつまであやって座っていたことか。

そのとき、ある疑問が心に生じた。確かにあの三人はいま働いている。でもあんな思いつきの仕事をさせたところで、お金を儲けることの役に立つのだろうか。はたして生産的なのだろうか。

スーパーバイザーのところに戻ってちゃんと何かを作れと言ってみてはどうかとも考えた。しかし……おそらくいまは作業する仕事がないのだろう。たとえ別の場所に回して実際に何かを作らせたとしても、それが本当にお金を儲けることに役立つのかどうか、いったいどうやったらわかるのだろう。

妙な考えばかりが頭に浮かんでくる。

人を働かせることとお金を儲けることは同じことだと考えてもいいのだろうか。これまではそう考えていた。常に人を働かす、製品を作って出荷する、やる仕事がなかったら仕事を作る、やる仕事を作れなかったら人を別の場所に移す。それでも仕事をさせることができなかったら、クビにする。それがこれまでの基本ルールだ。

辺りを見回すと、みんな忙しそうに何か作業をしている。例外的に手を休めている者も所々にいるが、たいていの人間はほとんどいつも何かの作業をしている。しかし儲からない。

頭上のクレーンに登るジグザグの階段が壁際にある。天井まで半分くらいのところまで登り、途中の踏み台から工場の中を見渡した。

眼下では常に何かが動いている。目にするもののほとんどすべてが可変的だ。じっと見ていると、この工場の複雑さに圧倒されてしまう。メーカーの工場というのは大概そうで、作業フロアの状況は常に変化している。いったいどうやってこれをコントロールしたらいいのだろうか。お金を儲けるためにどの作業が生産的でどの作業が非生産的か、いったいどうやったらわかるというのだ。

答えはこのブリーフケースの中にあるはずなのだろう。手にずっしりと重みを感じた。中には報告書やコンピュータのプリントアウト、それにルーが会議のために用意してくれた書類がぎっしり詰まっている。

評価するための指標はたくさんある。それを見れば、生産的かどうかはわかることになっている。しかし中身は、給料を払った分従業員がちゃんと働いたかどうか、一時間当たりの生産量が標準の生産量と比較してどうか、それに製品コスト、直接作業の変動とかいったことばかりだ。しかし、自分たちがやっていることがお金を儲けることにつながっているのか、それともただ数字を並べているだけなのか、どうやったらわかるのだろうか。どこかに関連があるはずだが、どう定義したらいいのだ。

私は階段を駆け下りた。

勤務時間中に新聞を読むのは罪悪なのだと綴ったメモでも張り出そうか。だが、それで黒字になるのか。

ようやく事務所に戻ったときは、すでに午後五時を過ぎていた。私のことを待っていたであろう連中も、もうほとんどいなくなっていた。真っ先に帰ったのはフランに違いない。しかし、メッセージはきちんと残してくれていた。メッセージのメモで電話が埋もれている。メッセージの半分はビルからのようだ。途中でいなくなったのがばれたのだろう。

気は進まないが、彼の電話番号を回した。しかし天の恵みか、二分ほど鳴らしても誰も出ない。静かに息をついて、受話器を置いた。

椅子にゆったりと腰掛け、窓越しに金色に輝く夕方の風景を眺めながら、私は考えをめぐらせた。評価指標、つまり自分たちの仕事の出来を評価する方法や生産スケジュールどおりに作業すること、それに納期、在庫の回転率、総売上げ、総経費などについてだ。もっと簡単にお金が儲かっているのかどうか、知る方法はないのだろうか。

誰かが静かにドアをノックした。

振り返ると、ルーが立っていた。

ルーはこの工場の経理課長だ。太鼓腹の年配男で、あと二年ほどで定年だ。昔ながらの経理マンで、鼈甲フレームの遠近両用メガネをかけている。高いスーツを着てはいるが、なぜかいつも少し地味だ。二〇年ほど前、本社からやって来た。髪は真っ白で、楽しみといったら公認会計士のコンベンションに行って羽目をはずすことくらいだろう。普段はとても温和な男だが、無理なことを押し付けようとすると性格が変わる。

「所長」彼がドアから声をかけた。

私は、部屋に入るように手招きをした。

「午後、ピーチ副本部長から電話があったことだけ、お伝えしようと思いまして。今日は、彼のところで会議ではなかったのですか」

「ビルは、何だって」ルーの質問を無視して、私は訊き返した。

「アップデートした数字が必要だと言っていました。所長は、ここにはいませんと言ったら、少しご立腹のようでした」

「彼には、必要な数字は送ったのか」

「ええ、だいたい送りました。明日の朝には届くと思います。ほとんど、所長にお渡ししたものと同じですが」

「残りは」

「ちょっとだけですが、これから用意します。明日にはできると思います」

「送る前に、私に見せてくれ。ちょっと確認だけしておきたいんだ」

「ええ、わかりました」

「ところで、ちょっと時間あるかな」

「ええ、何でしょうか」ルーが訊ねた。私とビルの間で何があったのか、私が説明でもすると期待しているのだろうか。

「まあ、掛けてくれ」私は彼に言った。

ルーが椅子を引いて、腰を下ろした。

私は間違った言い方をしないようにと、しばらく頭の中で言葉を選んだ。ルーは期待しながら待っている。

「これは、簡単で基本的な質問なんだが……」私は言った。

ルーが微笑んだ。「私も、そういうのが好きです」

「この会社の目標は、お金を儲けることだと言っていいと思うかね」

ルーが急に笑い出した。

「ご冗談ですか。それとも何か引っかけようっていうんですか」彼が訊ねた。

「いや、そういうつもりではない。いいから答えてくれないか」

「もちろん、お金を儲けるためです」彼が答えた。

「そうか、会社の目標はお金を儲けることなんだな。そうだな」私は繰り返し問うた。

「ええ、もちろん製品も作らなければいけませんが」

「よし、でもちょっと待ってくれよ。製品を作るのは目標を達成するための手段じゃないのか」

私は、その考えの理由を簡単に彼に説明した。彼は黙って私の話を聞いている。ルーはけっこう頭の切れる男なので、いちいち全部説明しなくても理解してくれる。説明し終わると、彼は私の言ったことに全部同意してくれた。

「それで、いったい要点は何なのですか」ルーが訊ねた。

「お金が儲かっているのかどうか、どうすればわかるのかだ」

「まあ、たくさん方法はあるでしょうが……」

そう言うと、ルーは総売上げやマーケット・シェア、利益率、配当やらについて長々と説明し始めたので、私は降参とばかりに手を上げた。

「こう考えてみれくれ。もし教科書を書き直すとしたらどうする。いま君が説明してくれたことも何もまだ存在していない。最初から全部作り上げなければいけないとしたら。会社がお金を儲けているかどうかを知るために、最低いくつ評価指標が必要なのか」

ルーは指を顔の横にあて、目を細くして遠近両用メガネの奥から自分の足元を見つめている。

「まあ、何らかの絶対的な指標が必要でしょうね。ドルでも円でも、何でもいいのですが、いくら儲かったのかを知るための何かが必要でしょう」

「純利益みたいなものか。そうかね」私は訊ねた。

「ええ、純利益です。でも、それだけでは足りないでしょう。絶対的な指標だけではよくわかりませんから」

「ほう、どのくらいお金が儲かったかがわかれば、それ以外に何を知る必要があるのかね。質問の意味がわかるかね。儲かったお金を全部足して、それから経費を差し引けば純利益が得られる。それ以外に何を知る必要があるんだね。たとえば一〇〇〇万ドル、いや二〇〇〇万ドル、いやいくらでもいい、儲かったとしよう」

その瞬間、私を見るルーの目が光った。子羊を狙う狼のような目だ。

「いいですか。計算して純利益が一〇〇〇万ドルだったとしましょう。一〇〇〇万ドルは絶対的な評価指標です。一見大金のように見えます。ずいぶん大儲けしたように見えます。でも最初にどれだけ投資したのですか」

私の反応を待っているのか、ルーはしばらく間をおいた。

「わかりますか。一〇〇〇万ドル作るのにどれだけお金が必要だったのですか。一〇〇万ドルですか。それだったら投資したお金の一〇倍になったわけですから、大したものです。でも一〇〇億ドル投資したとしましょう。それで儲けがたった一〇〇〇万ドルだったら、これはひどいものです」

「わかっている、わかっている。ただ確認しようと思っただけだ」

「だから相対的な指標も必要なのです。投資収益率といった投資した金額と儲かった金額を比較した何かが必要です」

「そうか。ということは、その二つがあれば、会社が全体的にどのくらいうまくいっているのかわかるわけだな。違うかね」

「そうですね……」彼がつぶやいた。「ですが、純利益があって投資収益率が良くても、会社は潰れることがあります」

「資金繰りに失敗した場合かね」

「そのとおりです。倒産する会社の多くは、キャッシュフローが原因です」

「ということは、キャッシュフローを三つ目の指標にする必要があるということかね」

ルーがうなずいた。

「そうか、しかし一年間毎月、経費を支払うのに十分なキャッシュが入ってくるとする。現金が十分あれば、キャッシュフローは関係なくなる」

「しかし、逆にキャッシュが入ってこなければ、ほかがみんな意味がなくなります。生き残れるかどうかの指標ですから。一定のラインより上であれば大丈夫ですが、それ以下になったらおしまいです」

私とルーは顔を見合わせた。

「まさにいま、この会社で起こっていることでは?」

私はうなずいた。

ルーは、目をそらし黙り込んだ。

「いずれそうなるとわかっていました。時間の問題だと思っていました」ルーがぼそりと言った。

しばらく間をおいてルーがまた私の目を見た。

「この工場はどうなるのですか。ピーチ副本部長は何か言っておられませんでしたか」

「工場の閉鎖を考えているようだ」

「どこかに統合されるのですか」

ルーが本当に知りたいのは、自分の仕事がどうなるかだ。

「ルー、正直なところまだ何もわからない。ほかの工場や部門に移される奴もいるだろうが、そういったことについては詳しく話をしなかった」

ルーはシャツのポケットから煙草を一本取り出し、椅子のひじ掛けに煙草の先をトントンと叩いた。

「あと、定年まで二年だというのに」

「ルー、君の場合、最悪でも定年が少し早くなるだけですむ」

「まいったな」彼がぼやいた。「早めの定年なんてまっぴらです」

しばらく二人とも座ったまま黙り込んだ。ルーは煙草に火をつけている。

「おい、私はまだ諦めていないぞ」私は言った。

「所長、もしピーチ副本部長がこの工場はおしまいだと言っているのなら……」

「そうは言っていない。まだ時間はある」

「どのくらいですか」ルーが訊ねた。

「三か月だ」

ルーが呆れた顔をして笑った。「駄目です。私たちには無理です」

「私は、まだ諦めていないと言っているんだ。わかるか」

しばらくルーは返事をしなかった。諦めないとは言ったものの、本当にそう思っているのかどうか、私自身確信はなかった。これまでの成果といえば、この工場の目的がお金を儲けることだということがわかっただけだ。いいだろう、それじゃいったいどうやればいいのだ。ルーが煙草を大きくふかした。

「わかりました。所長、私にできることは何でもします。しかし……」そう言うルーの声には諦めの気持ちが混じっていた。

ルーは言いかけたまま、手を横に振った。

「ルー、君の助けが必要だ。とりあえず、このことは当分ここだけの話にしておいてくれ。もしこの話が漏れたら、みんなに協力してもらうのが難しくなる」

「わかりました。でも、そう長くは隠しておけませんよ」

彼の言うとおりだ。

「それで、どうやってこの工場を救う計画なのですか」ルーが訊ねた。

「まずは、生き残るために何をしなければいけないのか、状況をはっきりと把握しようと思う」私は答えた。

「評価指標がどうのこうのというのは、そのためだったのですね。でも所長、そんなことに時間をかけるのはやめたほうが賢明です。システムはあくまでシステムでしかありませんから。それより何が問題なのかを知るほうが大切では」

そう言うとルーは説明を始めた。一時間ほど彼の話は続いた。聞いたことのある話ばかりだ。「すべて組合に責任がある」、「もう少しみんなが一所懸命働いてくれたら」、「誰も品質なんか気にしていない」、「日本のメーカーを見ろ――連中は何をすべきかわかっている、我々は忘れてしまった」などなどだ。自己鍛錬のためにいかに自らに鞭打たなければいけないかまで説明してくれた。彼の話のほとんどは、うっぷん晴らしだ。ちょうどいい機会なので、思う存分話をさせてやった。

ルーは確かに頭の切れる奴だ。彼も私も頭は悪くない。会社には学歴のある優秀な人材がたくさんいる。ルーの言っていることは全部もっともらしく聞こえる。しかし現実はどうだ。この工場は一刻一刻と破滅へ向かっている。なぜだ。頭がいい奴が揃っていて、どうしてなんだ。


日が沈み、しばらくしてルーは帰ったが、私はそのまま会社に残った。ルーが去った後、私は机に向かい、黙って座っていた。机の上にはノートが置かれている。ノートに三つの評価指標を書き出した。純利益、投資収益率、それにキャッシュフロー。会社がお金を儲けているかどうかを知るために必要な指標だ。ルーも賛成してくれた。

この三つの指標のうち目標を達成するために、他の二つを犠牲にしてまで必要なものがあるのだろうか。会社のトップ連中が数字をいじくり操作しているのはわかっている。たとえば、研究開発費を削り、来年以降の利益を犠牲にして、今年の純利益を増やしたりといったことだ。三つの指標のうちどれか一つだけを故意によく見せることだってできる。そんな意思決定をノーリスクで行えるのだ。だがその一方で残り二つの指標は犠牲にされる。それだけではない。会社の都合で三つの指標間の比率も変わってしまう。

私は背すじを伸ばして椅子にもたれた。

もし自分がこの会社の社長で自分の支配権が安泰であったなら、そんな遊びはしないだろう。指標を一つだけ上げ、残りを無視するようなことはしない。純利益も投資収益率もキャッシュフローも全部一緒に増えることを望む。常に継続して増えていくことを望むだろう。

考えてもみるんだ。もし指標が全部一緒にそれも永遠に増え続けたなら、それこそ本当にお金が儲かっている証拠だ。

やっぱり、これが目標だ。

純利益、投資収益率、キャッシュフロー、この三つを同時に増やすことによってお金を儲ける。

私はノートにそう書き記した。

なんだか乗ってきたぞ。全部うまく噛み合っている。明確な目標が一つ見つかり、その目標達成への進捗状況を評価する関連指標も三つ見つけた。この三つの指標を同時に増やすことが、我々の成し遂げなければいけないことなのだ。初日にしてはまずまずの成果だ。ジョナもきっと驚くだろう。

問題はこれからだ。私は自問自答した。いったいどうやってこの三つの指標と工場を関連づけたらいいのだろうか。もし日々の作業と会社の全体的な業績の間の論理的な関係を見出すことができたなら、自分たちのやっていることが生産的か非生産的かを知る根拠ができる。目標に向かっているのか、あるいは遠ざかっているのかだ。

私は窓際に立ち、外の暗闇を眺めた。

三〇分ほど考えたが、頭の中は外の暗闇同様、真っ暗だった。

頭に浮かぶのは利益マージンや設備投資、それに直接作業などといったことばかりだ。どれもこれまでと変わらない考えだ。一〇〇年間みんながずっと守ってきた基本的な考え方だ。もし私もこれと同じ考え方をするなら、みんなと同じ結論に達するはずだ。要は、いま自分が理解している以上のことは、何も真実を理解できないということだ。

私は行き詰まった。

窓から視線をそらした。デスクの後ろには本棚がある。本を一冊取り出し、パラパラとめくり、元の場所に戻した。また別の本を取り出し、めくってはまた戻した。

もうずいぶん遅い。今日は、このくらいで十分だろう。

腕時計を見て驚いた。すでに一〇時を回っている。ジュリーに夕食は家でとらないとまだ電話を入れていないことに突然気づいた。ひどく怒っているに違いない。電話を入れないと、いつもそうだ。

受話器を持ち上げ番号を回した。ジュリーが電話に出た。

「やあ。ひどい一日だったよ」

「そう、それで。偶然ね、私もひどい一日だったわ」

「そうか。じゃ、お互い様か。もっと早く電話しなくてすまなかった。大事な仕事があったんだ」

長いこと沈黙が続いた。

「まあ、いいわ。こっちもベビーシッターが見つからなかったし」

彼女の言葉に、私はハッとした。一緒に外に食べに行くのを、今夜に延ばしてもらっていたのだった。

「すまない、ジュリー。本当にすまない。すっかり忘れてしまっていた」私は彼女に詫びた。

「食事作っておいたわ。でも二時間待っても帰って来なかったから、あなた抜きでみんなで食べたわ。食べるんだったら電子レンジに入れてあるから」

「ありがとう」

「娘のこと覚えている？　あなたのことがお気に入りの女の子よ」ジュリーが訊ねた。

「皮肉はやめてくれよ」

「遅くなって、寝かせるまでずっと窓際であなたが帰って来るの待っていたのよ」

私は目を閉じた。

「どうして」

「あなたに何か見せたいものがあるって。驚かせたかったのよ」

「これから一時間ぐらいで帰るから、いいかい」

「急がなくてもいいわ」

ジュリーはそう言うと、私の言葉を待たずに電話を切った。

確かに、こうなったらいまさら無理して早く帰る必要もない。私はヘルメットと安全メガネを手に取って工場に向かった。二番シフトのサブ・スーパーバイザーのエディーに、どんな調子か様子を訊こうと思った。

現場に着くと、エディーは部屋にいなかった。作業場で何か仕事をしているようだったので、スピーカーで呼び出した。ようやく作業場の端から彼がこちらに向かってくるのが見えた。私は彼が歩いてくるのを眺めていた。五分ほど待った。

なぜかエディーにはいつもいらいらさせられる。仕事はちゃんとできる男だが、特に優れているというわけではない。まあまあだ。彼の仕事ぶりがいらいらの原因ではない。何か別のことだ。

私はこっちに向かってくる彼の足取りをじっと眺めていた。一歩一歩、一定のペースで歩いている。そうか、これが原因だ。彼の歩き方がいらつくんだ。歩き方が彼の性格を表している。少し内股で狭い所を真っ直ぐにしか歩けないといった感じだ。手は体の前で堅苦しく交差させ、手の先はそれぞれの足を指している。歩き方はこうなんだとどこかのマニュアルで読んだような堅苦しい歩き方をする。何をするにしてもそうだ。

彼がようやく近づいてきた。頼まれない限り、きっとこれまで一度も間違ったことをしたことのない奴なのだろう。

いま作業中のオーダーがどうとかこうとか言っている。いつものことだが、すべてがちゃんと管理できていない。だが無論、エディーにはそんなことはわかっていない。彼にしてみれば、すべてがいつもどおりだ。いつもどおりであれば正しいのだ。

今夜の作業内容を彼が詳細に説明してくれた。「純利益の観点から、今夜の作業がどうなのか定義してみろ」とでも試しに言ってやりたい気分だ。

「エディー、この一時間の投資収益率への影響はどうだった。ところで君のシフトではキャッシュフローを改善するために何をしたのかね。お金は儲かっているのかね」とでも訊いてやろうか。

エディーがこうした用語を聞いたことがないと言っているのではない。ただ、彼には無関係なのだ。彼にとって重要なのは、一時間当たりの部品の生産個数、作業時間、出荷オーダー数といったことだ。作業標準、廃棄率、作業時間、出荷日といった言葉はちゃんと知っているが、純利益、投資収益率、キャッシュフローなどは本社の連中から聞かされる言葉だ。この三つの言葉でエディーの世界を測れるのではと考えるのは馬鹿げたことだ。エディーにしてみれば、彼のシフトの作業と会社がいったいどれだけお金を儲けているかには、ぼんやりとした関係しかないのだ。たとえエディーの視野をもっと広げてやることができたとしても、彼の現場での価値観と本社の連中の価値観とをはっきりと関連づけるのは難題だろう。違いすぎるのだ。

説明しながら、私の様子がおかしいと思ったのか、エディーが私に訊ねた。

「何か、問題でも」

7

家に着くと、電気が一つ灯っているだけで、あとは真っ暗だった。できるだけ物音を立てないように静かに家の中に入った。ジュリーは言ったとおり、電子レンジに食事を残しておいてくれた。どんな料理かと開けてみると、そのとき背後で音がした。振り返ると、娘のシャロンがキッチンの端に立っている。

「おやおや、オバケさんですか」私はわざと驚いたようなふりをして話しかけた。「元気かい?」

彼女は笑って答えた。「そうねえ、まあまあよ」

「どうして、こんな遅くまで起きているの」

私がそう訊ねると、彼女が近寄ってきた。手には大きな封筒を持っている。私はキッチンの椅子に腰を掛けて娘をひざに乗せ、封筒を受け取った。

「私の成績表よ」彼女が言った。

「本当かい」

「見てちょうだい」

私は封を開け成績表に目を通した。

「オールAじゃないか」

私は、彼女をぎゅっと抱きしめキスをした。

「すごいじゃないか、シャロン。よく頑張ったね。父さん、とってもうれしいよ。こんなに成績がいいのは、きっとクラスで一人だけじゃないか」

彼女がうなずいた。いろいろ話したくてしょうがなかったようなので、黙って話を聞いてやった。三〇分もすると、もう眠くて目を開けていられない様子だったので、彼女を抱き上げベッドに運んだ。

私も疲れているが、どうも眠れそうにない。すでに一二時を過ぎているが、キッチンに腰掛け食事をとった。小学二年の娘はオールAだというのに、私は仕事で落第しそうだ。

もう諦めたほうがいいのかもしれない。時間を無駄にしないで、別の仕事を探したほうが無難かもしれない。本部の連中は、みんなもう職探しをしているとネイサンが言っていた。私も無理をすることはないだろう。

ヘッドハンティングの会社に電話してみるべきだと、自分で自分を納得させようと考えていた。しかし、やはりいま辞めることはできない。ほかの会社に勤めたら、この町から出て行けるし給料もいいだろう。仕事だっていまよりずっとましかもしれない（しかし現実はそう甘くはないだろう。プラント・マネジャーとしての私の経歴はそれほど輝かしいものではないのだから）。結局、辞めることができないのは、負け犬になりたくないからだ。それだけは、どうしてもできない。

この工場や町や会社に特に義理があるわけではないが、ただ責任は感じている。それだけではない。これまで自分の人生の多くをユニコ社に投資してきたのだから、それなりの見返りが欲しいのだ。最後のチャンスとして三か月与えられたのだから、何もないよりはましだ。

残り三か月、私はでき得る限りの努力をしようと決心した。

そうは決心したものの、大きな疑問が残っている。いったい、何ができるのだろうか。これまでも自分の知識を駆使し全力を尽くしてきた。同じことを繰り返しても意味がない。

学校に戻って理論を勉強し直す時間などもない。自分のオフィスに山積みになっている報告書や書類、雑誌などを読む時間さえないのだ。コンサルタントを雇って調査などしている時間も予算もない。たとえ時間とお金があっても、そんなことをしていまよりいい考えが思いつくとも思えない。

でもまだほかに、考えたこともないような何かがあるはずだ。もしこの工場を救いたければ、すべてを当たり前だと考えてはいけない。物事の基本を注意深く観察し、よく考えなければならない。焦らず一歩ずつ進むのだ。

自分が使えるのは、自分自身の目、耳、手、声、それに頭以外にはないのだ。もちろん能力に限界はある。しかし、それだけしかないのだ。自分自身しかないのだ。しかし、それだけではもしかしたら不十分なのではという不安が押し寄せてきた。

そうしているうちに私は、ようやくベッドに潜り込んだ。ジュリーはシーツの下でじっとしている。朝出かけたときと同じ格好で眠っている。私は彼女の傍らに横になったが、なかなか寝つけず、暗い天井をじっと眺めていた。

ジョナともう一度話をしてみよう。そのときそう決心した。

The Goal
III
亀裂

8

夜が明けた。ベッドから抜け出したものの体が重い。シャワーを浴びながら、自分が窮地に追い込まれていることを思い出した。三か月しかない。疲れたからといって、時間を無駄にしている暇はないのだ。私はジュリーと子供たちが起き出す前に工場に向かった。特にジュリーと今朝話すこともない。子供たちは、父親の様子がいつもと違うことくらいは気づいているだろう。

工場に向かう途中、どうやってジョナと連絡を取ろうか、私はずっと考えていた。アドバイスを請うには、まず彼を見つけ出さなければいけない。

事務所に着いたらまず秘書のフランに指示して、ドアにバリケードを張り、誰も部屋に入れさせないようにしよう。そう考えながら部屋に入り椅子に腰掛けようとしたときだった、フランから呼び出しのブザーが鳴った。ビルからの電話だ。

「まいったな」私はぼやきながら受話器を取った。

「おはようございます」

「二度と俺の会議を勝手に抜け出すようなマネはするな。わかったか」ビルが怒鳴った。

「わかりました」

「勝手に消えてくれたおかげで、君とはもう一度話をしないといけない」

ビルから何を質問されるかわからないので、手伝ってもらおうと、私はルーを部屋に呼んだ。しばらくして、彼がやって来た。電話の向こうでは、ビルもイーサンを呼び、四人で電話会議が始まった。

その日、会社では、これ以後ジョナのことを考える時間はなかった。ビルとの話が終わると、五、六人が私の部屋に押しかけてきた。先週から会議をいくつか延期したままだったのだ。

窓に目をやると、太陽は沈み外はもう暗かった。私はまだ今日六つ目の会議の最中だ。書類の整理はみんなが帰ってからした。クルマに乗って家に向かったのは、夜七時を過ぎていた。

途中、信号待ちでクルマを止めると、ふと朝のことを思い出した。ジョナに連絡を取らなければと、このときようやく思い出した。しばらく運転していると、古いアドレス帳のことを思い出した。

ガソリンスタンドにクルマを入れ、ジュリーに電話をかけた。

「もしもし」ジュリーが出た。

「やあ、僕だ。ちょっと聞いてくれ。ちょっと探しものがあって、おふくろの家に行かないといけない。どのくらい時間がかかるかわからないから、先に食べていてくれ」

「今度、家で夕食を食べるときは……」

「ジュリー、勘弁してくれ。大切なことなんだ」

しばらくの沈黙の後、電話がプツッと切れた。

昔住み慣れた所に戻るのは、いつも妙な気分だ。目にするものすべてに何らかの思い出がある。角を曲がったここは、昔ブルーノと喧嘩をした場所だ。もう少し行くと、毎年夏に野球をやっていた所だ。あの通りでは、アンジェリーナと初めてキスをした。電柱を通りすぎた。父親のクルマのフェンダーをぶつけた電柱だ（おかげで修理代を払うために二か月間、父親の店でただ働きさせられた）。いろいろあった。母親の家に近づくにつれ、頭に浮かぶ思い出も増えてくる。それに温かい気持ちと同時に、心地悪い緊張感も増してくる。

ジュリーはここに来るのが嫌いだ。この町に越して来た当初は、毎週日曜になると、母親と兄のダニーと彼の奥さんのニコルに会いによくここに来たものだった。しかしジュリーが来たがらないので、最近はすっかり足が遠のいてしまった。

クルマを母の家の前に停めた。周りの家と同じ細長いレンガ造りの家だ。すぐ行った角が父親の店で、いまは兄が経営している。兄は店を六時に閉めるので、店の灯りはすでに消えている。私はクルマを降りた。スーツにネクタイ姿はどうも場違いな気分だ。

母が玄関のドアを開けている。

「あら、まあ」彼女はそう言うと、胸に手を当てた。「誰かのお葬式？」

「誰も死んでないよ、母さん」

「ジュリーでしょ。出て行っちゃったの」

「まださ」

「そう。それじゃ……母の日でもないし……」

「ちょっと探し物があって来ただけだよ」

「探し物？　何を」彼女はそう訊ねながら、私を家に招き入れてくれた。「さあ、さあ、早く入って。中が冷えてしまうわ。まったく驚いたわ。もう会いに来てくれないのかと思っていたら、急に現れるんだから。いったい、どうしたの。私のことが心配になったの」

「いや、そういうわけじゃないんだ。仕事がずっと忙しくてね」

「忙しい、忙しい」そう言いながら、キッチンに向かう彼女の後に続いた。「お腹すいてない？」彼女が訊ねた。

「いや、ちょっと聞いてほしいんだ。面倒はかけないから」

「面倒なんかじゃないわ。残り物があるから、温めてあげるだけよ。サラダも食べる？」

「いや、いや、そうじゃないんだ。コーヒーだけでいいから。昔のアドレス帳を探しに来たんだ。大学のときに使ってたやつだよ。どこにしまってあるか知らないかな」

母と私はキッチンに入った。

「昔のアドレス帳？」コーヒーを注ぎながら、彼女は考え込んでいる。「ケーキはどう。ダニーが店の売れ残りを持って来てくれたの」

「いや、いいよ」私は答えた。「昔使っていたノートや大学時代の物と一緒にしまってあると思うんだけど」

彼女は、私にコーヒーカップを手渡しながら言った。「ノート……」

「そう、ノートだよ。どこにあるか思い出した？」

彼女は、目をまばたかせながら考え込んでいる。

「そうねえ……、覚えていないわ。でも、そういうものは全部屋根裏に上げたわ」

「わかった。じゃ、上を探してみるよ」

コーヒーを手に持ったまま、私は二階と屋根裏に通じる階段に向かった。

「いや、もしかしたら地下かも」彼女が言った。

小学一年のときに描いた絵、飛行機の模型、兄がロックスターになると言って弾いていた楽器、学校の年鑑、父の店の領収書が詰まったトランク、古いラブレター、写真、新聞、昔のものがいっぱいだ。ほこりをかぶりながらかき分けて三時間ほど探したが、アドレス帳はまだ見つからない。屋根裏にはどうもなさそうだ。母は、まだ私の腹具合を心配している。次は地下室だ。

「あら、見て！」母が言った。

「見つかった？」

「違うの。ポールおじさんが、横領で警察につかまる前の写真よ。ポールおじさんのこと、話したことあったかしら」

それからまた一時間ほどかけてくまなく探した。ついでにポールおじさんの話を延々と聞かされた。アドレス帳はいったいどこにあるんだ。

「さっぱり見つからないわね。あなたが昔使っていた部屋になければ、もうわからないわ」

母と私は、昔兄と私が一緒に使っていた二階の部屋に上がった。部屋の角には机がある。私が子供のとき、勉強していた机だ。一番上の引き出しを開けてみた。するとどうだ、そこにアドレス帳があった。

「母さん、電話借りるよ」

母の家の電話は、一階から二階に上がる途中の踊り場にある。一九三六年、父親の店がうまくいき始めて余裕ができたときに設置した電話機をまだそのまま使っている。私は階段に腰を下ろし、足元にはブリーフケースを、ひざの上にはノートを置いた。受話器を持ち上げた。泥棒が入ってきたら、殴りつけてぶちのめすことができそうな重量感だ。ダイヤルを回した。ジョナを見つけ出すまで、いったい何本電話をかけないといけないのだろうか。

もう夜中の一時だ。電話の相手は、地球の裏側イスラエルだ。向こうの昼と晩はこっちと反対だから、夜中の一時でも電話をかけるにはそんなに悪い時間ではない。

何本か電話をかけ、大学時代の友人に連絡が取れた。ジョナの消息を知っていそうな奴だ。彼はここにかけてみろと、別の番号を教えてくれた。二時になった。ひざの上は書き取った電話番号のメモの山だ。ようやくジョナと仕事をしているという連中に電話が通じた。ジョナの連絡先を教えてくれと頼んだ。そして夜中の三時、ジョナ本人の居場所がようやくわかった。彼は現在ロンドンにいる。会社か事務所かわからないが、何回かあちこち電話を回された後、ジョナが来たら、後で彼のほうから電話をかけさせると伝えられた。あまり当てにならないが、電話の脇でうとうとしながら待った。四五分後、電話が鳴った。

「アレックスかい」

ジョナの声だ。

「そうです」私は答えた。

「君から電話があったとメッセージがあったんだが」

「ええ。空港での話、覚えていらっしゃいますか」

「ああ、もちろん覚えている。何か、私に言うことがあるんじゃないのかね」

私は一瞬体がこわばった。すぐに、例の質問のことを言っているんだと思った。目標とは何なのかだ。

「ええ」私は言った。

「そうか」

私は躊躇した。私の答えは、あまりに単純すぎる。間違っているに違いない。ジョナに笑われるかもしれないと急に不安になった。だが、思いきって言ってみた。

「メーカーの目標は、お金を儲けることです」私はきっぱりと言った。「それ以外のすべては、その目標を達成するための手段です」

ジョナは笑っていない。

「よくできた、アレックス。よくやった」彼は、静かに言った。

「ありがとうございます」私は、ほっとして答えた。「でも、今日電話したのは、空港での話にちょっと関係があるのですが、少し質問させていただきたいことがありまして」

「何だね」彼が訊ねた。

「会社がお金を儲けるのに、私の工場が役に立っているかどうかを知るためには、評価するための指標が必要です。違いますか」

「そのとおりだ」

「会社の本部では、純利益、投資収益率、キャッシュフローといった指標を使って、会社全体にこれを適用し、目標への進み具合をチェックしています」

「続けたまえ」ジョナが言った。

「ですが、私の工場レベルでは、こうした指標はあまり意味がありません。それに工場で使っている指標にしても……確信はないのですが、あまり役に立っているようには思えないのですが」

「君の言っていることは、よくわかる」

「ですから、私の工場の中で起こっていることが生産的なのか、非生産的なのかをどうやったら知ることができるのかと思って……」

しばしの間、電話の向こう側が静かになった。側にいる誰かに話をしているのだろう。「この電話が終わったらすぐに行くからと伝えておいてくれ」というジョナの声が遠くに聞こえた。

用件が済んだらしく、またジョナが話しかけてきた。

「アレックス、君はとても重要なことに気づいたね。少ししか話す時間がないから、ヒントをあげよう。きっと役に立つはずだ。目標を表す方法は一つだけではない。わかるかね。目標は同じでも、違う方法でこれを表すことができる。『金を儲ける』という言葉と同じことを意味する方法でね」

「ええ、わかります。ということは、目標は純利益を増やし、同時に投資収益率とキャッシュフローを増やすことだ、と言えるわけですね。目標はお金を儲けることであると言っているのと同じ意味ですから」

「そのとおり。物の表現の仕方には裏表があって、どちらも同じことを意味するんだ。君もわかっているように、昔からいろんな評価指標を使って目標を表してきたんだが、どれもメーカーの現場での毎日の仕事にはあまり役に立たない。事実、それが理由で私は別の指標を開発した」

「どんな指標ですか」私は訊ねた。

「お金を儲けるという目標を完璧な形で表すことができ、なおかつ工場を動かすための作業ルールの設定を可能にした指標だ」彼が言った。「指標は三つあって、それぞれ『スループット』、『在庫』、『作業経費』と呼ぶことにした。在庫とは完成品だけでなく、仕掛品や原材料、作りかけの部品なんかも含まれる。いわゆるインベントリーというやつだ」

「聞き慣れた言葉ですね」私は答えた。

「ああ、そうだ。だが、三つの定義は従来のものとは違う。書き取っておくといい」

私はペンを手に取り、ノートをめくり新しいページを出してから、ジョナに用意ができたことを伝えた。

「スループットとは、販売を通じてお金を作り出す割合のことだ」

私は、彼の言葉をそのまま書き取った。

その後で質問をした。「生産を通じてではないのですか。もう少し正確に言ったら……」

「いや、『販売』を通じてだ。生産ではない。生産しても売らなければ、それはスループットじゃないんだ。わかるかね」

「ええ、自分がプラント・マネジャーなので、つい生産に置き換えることができるかと……」

ジョナが、私の言葉をさえぎった。

「アレックス、聞きたまえ。この定義は簡単すぎるように聞こえるかもしれないが、実はとても正確な表現なんだ。正確でなければならない。正確に定義されていない指標など、まったく無意味だからだ。だからその定義を考えるときは、指標全部をグループとして一緒に考えるようにしなさい。もし一つの指標の定義を変えるときは、残りの指標のうち少なくとももう一つの定義も変えなければいけない」

「わかりました」私は慎重に答えた。

「次の指標は、在庫だ。在庫とは、販売しようとする物を購入するために投資したすべてのお金のことだ」

これも書き取った。しかし、少し当惑した。これまでの在庫の定義とはずいぶんと異なるからだ。

「最後の指標は」私は訊ねた。

「作業経費だ。作業経費とは、在庫をスループットに変えるために費やすお金のことだ」

「はい」私は書き取りながら言った。「しかし、在庫に投資した労働はどうなるのですか。先生の話を聞いていると、労働は作業経費のように思えるのですが」

「定義に沿って判断しなさい」彼が答えた。

「ですが、直接作業によって製品に付加された価値は在庫の一部では」

「そうかもしれない。だが、そうでなければならないということもない」

「どうしてですか」

「簡単に言えば、付加価値を考慮しないほうがベターと判断したから、こう定義しただけだ。使ったお金が投資なのか、経費なのか混乱を防ぐことができる。だから、在庫と作業経費の定義はいま言ったようになる」

「なるほど」私はうなずいた。「わかりました。ですが、この三つの評価指標を私の工場にどう当てはめたらいいのですか」

「君が工場で管理しているすべてのことは、この三つの指標で測ることができるはずだ」彼が言った。

「すべて?」私は訝った。彼の言葉を完全には信じられない。「前の質問に戻りますが、生産性を測るのにこれらの指標をどう使ったらいいのですか」

「そうだな、指標を使って目標を表さなければいけないことははっきりしている。アレックス、ちょっと待ってくれ」そう言うと、電話の向こうで「すぐに行くから」と誰かに言うジョナの声が遠めに聞こえた。

「それで、どうやって目標を表したらいいんですか」私は訊ねた。ジョナが忙しいのはわかっているが、なんとかもう少し話を続けたかった。

「アレックス。すまないが、もう行かなければいけない。君は頭がいいから、自分の頭で答えを見つけることができる。一所懸命考えればわかるはずだ。ただ、これは常に組織全体についての話だということは頭に入れておいてほしい。製造部門だけや一工場、あるいは工場の一部署だけの話じゃない。部分的な最適化には興味ないんだ」

「部分的な最適化」私はジョナの言葉を繰り返した。

ジョナがため息をついている。「また、いつか説明する」

「ですが、先生。これだけではわかりません。この三つの指標で目標を定義できたとしても、工場を動かすのに必要な作業ルールをどう導き出したらいいのですか」

「君の連絡先の電話番号を教えてくれ」彼が言った。

私は事務所の番号を教えた。

「わかった、アレックス。本当にもう行かなければならない」

「わかりました。どうも……」

そう言いかけると、電話がプツッと切れる音が聞こえた。

そのまま階段に腰を下ろしたまま、私はジョナに教えられた三つの指標のことを考え込んだ。いつの間にか目をつぶっていた。次に目を開けたときは、下のリビングの絨毯に朝日が射し込んでいた。私は体を引きずるように階段を上がり、子供のときに使っていた部屋のベッドに倒れ込んだ。でこぼこになったマットレスにうまく体をはめ込むように、その朝はそこで眠った。

五時間後、目が覚めた。

9

目を覚ますと、すでに一一時だった。驚いて飛び起き電話に向かった。みんなに職場放棄したと思われては大変だ。フランに電話を入れなくてはいけない。

「所長室です」フランが電話に出た。

「やあ、私だ」

「あらまあ、珍しいこと。もうそろそろ病院でも捜索しようかと思っていたところですよ。今日は、いらっしゃるのですか」

「ああ、行く。母のところで急な用事ができてね。ちょっとした緊急事態が起こったんだ」

「そうですか。大丈夫ですか」

「ああ、もう大丈夫だ。そっちは、何かなかったかね」

「そうですねえ……、ちょっと待ってください」と言いながら彼女は私宛ての伝言をチェックしているようだ。「G列の検査機械が二台故障しています。それからボブが検査なしで出荷してもいいかどうか知りたいとのことです」

「絶対に駄目だと言っておいてくれ」

「わかりました。それからマーケティング部の人から出荷が遅れているオーダーについて電話がありました」

まだあるのか、まったく目が回る。

「それから昨日の夜、二番目のシフトで殴り合いの喧嘩がありました……、それとルーがピーチ副本部長に提出する資料のことでお話がしたいと言っています……新聞記者から工場がいつ閉鎖されるのか、今朝問い合わせがありました。所長と話してくださいと言っておきました……、生産性とロボットについてのビデオを作るから、その収録をグランビー会長がこの工場に来て行うと、本社広報の女性から電話がありました」

「グランビー会長？」

「そう言っていました」フランが答えた。

「彼女の名前と連絡先は？」

フランが名前と電話番号を読み上げた。

「わかった。ありがとう。じゃ、また後で」

すぐに本社広報のこの女性に電話を入れた。会長がこの工場に来るなんて信じられない。何かの間違いだろう。会長がビデオの収録に来る頃には、この工場はなくなっているかもしれないのだ。

だが、確認してみると間違いではなかった。来月中旬頃に、この工場で撮影したいとのことだ。

「適当なロボットを背景に、会長が話しているところを撮りたいのですが」彼女が言った。

「でも、なぜこの工場で」私は訊ねた。

「ディレクターがそちらの工場のスライドを見て色が気に入ったようです。そこだったら、グランビー会長の映り具合もいいだろうと言っています」

「そうですか、わかりました。ピーチ副本部長には、この件についてもう話をされましたか？」

「いいえ、特にそんな必要があるとは思いませんでしたので。どうしてですか。何か問題でも？」

「一応、彼にも話を通しておいたほうがいいと思いますよ。何かあるかもしれませんから。でも判断はそちらにお任せします。とりあえず正確な日にちが決まったら連絡をください。組合に連絡して、それから収録現場を片づけないといけないので」

「わかりました。また追って連絡します」

私は電話を切り、階段に座ったまま「そうか、色が気に入っているのか」とつぶやいた。

「いまの電話、誰だったの」母が訊ねた。キッチンに母と二人で腰掛けると、出かける前に何か食べて行きなさいと母がしきりに私に食事を勧めた。

会長がやって来ることを母に言うと、「すごいじゃないの。一番偉い人でしょ。名前、何だったかしら」と興奮気味だ。

「グランビーだよ」

「わざわざ遠くから、あなたの工場に会いに来るなんて、すごく名誉なことじゃないの」

「ああ、そういう考え方もできるね。でも本当は、うちの工場にあるロボットとビデオを撮りに来るだけなんだ」

母が、驚いた顔をしてまばたきした。

「ロボット？　宇宙からやって来るやつ？」

「いやいや、宇宙からのじゃなくて、産業用ロボットだよ。テレビに出てくるようなロボットじゃないよ」

「あら、そうなの」彼女は、また目をまばたかせた。「顔はあるの」

「いや、まだない。腕はあるけどね。腕を使って溶接をしたり、物を積んだり、それからペンキをスプレーしたりするんだ。コンピュータで動かして、プログラムするといろんな作業をさせることができるんだ」

母はうなずいてはいるものの、想像がつかなくて困った顔をしている。

「それで、どうして顔もないロボットと一緒にビデオを撮らなきゃいけないの」

「ロボットが最新技術だからかな。会社のみんなに、ロボットを使おうとでも言いたいんだろう。そうしたら……」

そう言いかけて、私はしばらく視線を遠くにやった。葉巻をくわえて座っているジョナの姿が頭に浮かんだ。

「そうしたら、何なの」母が訊ねた。

「そうしたら、生産性を向上することができるから……」私は脳裏に浮かんだジョナに手を振るかのようにぼそっと言った。

ロボットを使って工場の生産性は本当に上がったのか、とジョナが訊く。もちろんです、と私が答える。一つの部署では三六パーセントアップしました。ジョナが葉巻をふかしている。

「どうかしたの」ボーッとしている私に母が声をかけた。

「ちょっと思い出したことがあってね」

「何を？　何か悪いこと？」

「いや、昨日の夜、電話で話をした人との会話を思い出しただけさ」

母が私の肩に手をおいた。

「アレックス、いったいどうしたの。いいから言ってごらんなさい。何かあることは、あなたの様子を見ればわかるわ。突然ここに来て、一晩中あちこち電話するんですもの。いったい何なの」

「実は……工場があまりうまくいっていなくてね。少しも儲かっていないんだ」

母は眉をひそめた。

「あんな大きな工場が、少しも儲かっていないですって？　でも会長が来るとか、ロボットがどうのこうのとか、いい話をしていたじゃない。それなのにお金がちっとも儲かっていないですって？」

「そうなんだ」

「ロボットがちゃんと動かないの？」

「母さん……」

「もし、動かないんだったら、お店に引き取ってもらったら？」

「母さん、ロボットは関係ないんだよ！」私は声を少し荒げた。

母が肩をすぼめ、詫びるように言った。「ただ、力になってあげたかっただけなのよ」

私は母に手を伸ばし、軽く肩を叩いた。

「ああ、わかってるよ。ありがとう。心配してくれて本当にありがとう。さあ、もうそろそろ行かないと。仕事がいっぱい残っているんだ」

私が立ち上がってブリーフケースを取りに行くと、母が後からついて来た。腹ごしらえは十分だろうか、何かスナックでも持って行って後で食べようか、そう思っていると母が私の袖を引っ張った。

「私の話を聞いて、アレックス。何か問題があるのかもしれないけど、いいえ、問題があるのはわかっているわ。でも、そんなに忙しくしたり、一晩中起きていたら体に良くないわ。余計な心配事はやめなさい。何の役にも立たないから。父さんが、心配事ばかりしてどうなったかわかってるでしょ。死んじゃったじゃない」

「母さん、父さんはバスにひかれて死んだんだよ」

「そうよ。もし、あんなに心配事で忙しくしていなかったら、道を渡る前にちゃんと見てから渡っていたわ」

私はため息をついた。「そうだね、母さん。確かにそうかもしれない。でも、母さんが考えているよりずっと複雑なんだ」

「私は真剣よ。心配事はやめなさい！」彼女が言った。「それに、そのグランビーとかいう会長だけど、あなたを困らせるようなことをしたら、母さんに言うのよ。その人に電話して、あなたがどんなに優秀な社員か言ってあげるわ。誰よりも母親の私が一番わかっているんだから。グランビーのことは、私に任せておきなさい。私がなんとかしてあげるから」

私は笑って、腕を彼女の肩に回した。

「そうだね、母さんだったら安心だ」

「そうよ、私に任せるの」

電話の請求書が来たら、すぐに電話するよう母に言った。すぐに来て払うからと。別れ際に、彼女を軽く抱きしめ頬にキスをした。昼の日差しの中、外に停めてあったクルマに乗り込んだ。最初はすぐに事務所に行くつもりだったが、よく見るとスーツはしわだらけで、あごは不精ひげが伸びている。家に戻って、まずは身だしなみを整えることにした。

自宅へ向かう途中、ジョナの声がずっと頭から離れなかった。「ロボットを導入しただけで、君の工場からの収益が三六パーセントも増えたというのかい。すごいじゃないか」そのときの私は内心笑っていた。製造とは何か、わかっていないのはジョナのほうだと思っていた。いまは自分が愚か者のように思える。そうだ、目標はお金を儲けることだ。ジョナ、あなたの言うことは正しい。ロボットを導入しただけで、三六パーセントも生産性はアップしていない。はたして少しでもアップしたのだろうか。ロボットのおかげで、儲けが少しでも増えたのだろうか。いまの私に真実はわからない。私は自然と首を横に振っていた。しかし、どうしてジョナにはわかったのだろう。生産性が上がっていないことが、すぐにわかったようだ。いろいろ質問された。

運転しながら私はジョナの質問を思い起こした。まず、ロボットを導入して製品がもっと売れるようになったかどうか訊かれた。二つ目は従業員の数を減らしたかどうか、三つ目は在庫が減ったかどうかだった。三つとも基本的な質問だ。

家に着くと、ジュリーのクルマがなかった。いつものように、どこかに出かけているのだろう。私のことを怒っているに違いないが、いまはいちいち彼女に説明している暇はない。

家に入り、いま思い起こした質問を書き取ろうとブリーフケースを開けると、昨夜ジョナに教えてもらった評価指標のリストが目に入った。その定義をもう一度見直してすぐにわかったが、ジョナが教えてくれた指標と、いま思い起こした質問は内容が一致している。

そうか、だからジョナにはわかったんだ。ロボットを導入した効果を確かめるために、あの指標を使って簡単な質問をしたわけか。もっと製品が売れるようになったかどうか（つまりスループットが向上したかどうか）、従業員を減らせたかどうか（作業経費が減ったかどうか）、それから彼の言葉そのままだが、在庫が減ったかどうかだ。

注意深く考えてみると、ジョナに教えてもらった指標を使って、目標をどう表したらいいのか、すぐにわかった。しかし、彼の定義にはまだ少し当惑している。だが、どの企業もスループットを向上させたいのは当たり前だ。それに在庫と作業経費を下げたいのも当然だろう。この三つを同時に実現できれば理想的だ。ルーと一緒に考えた三つの指標も同じだ。

ということは、目標を表す方法とはこれでいいのか。

在庫と作業経費を同時に減らしながらスループットを増やす。

つまり、ロボットの導入でスループットが上がり、あとの二つが下がれば、もっとお金が儲かったということなのだ。でも実際はどうだろうか。

スループットに効果があったのか、あったとしてもいったいどんな効果があったのかまったくわからない。わかっていることといえば、ここ六、七か月の間に在庫が増えたことくらいだ。ただ、ロボットのせいかどうかは確かではない。ロボットで増えたのは減価償却だ。新しい機械だからだ。しかし、ロボットのせいで作業員が減ったということはない。ただ人の配置換えをやっただけだ。ということは、逆にロボットのせいで作業経費が増えたということか。

そうか、しかしロボットのおかげで効率は向上した。少なくともそれが救いだ。効率が上がれば、部品一つ当たりのコストは下がるはずだ。

しかし、コストは本当に下がったのか。作業経費が上がったのに、どうして部品一つ当たりのコストが下がるのだ。

工場に着いたのは、すでに午後一時だった。しかし、まだ満足できる答えは見つかっていない。事務所のドアをくぐるときもまだ考え込んでいた。事務所に入ると、まずルーの部屋に顔を出した。

「ちょっと時間あるかい」私は訊ねた。

「もちろんです。午前中ずっと所長のことを探していたんですよ」

ルーは机の角に山積みになっている書類に手を伸ばした。本部に送らないといけない報告書だろう。

「待ってくれ。その話は後だ。もっと重要な話がある」

ルーの眉毛がつり上がった。

「ピーチ副本部長に送る報告書よりも重要なことですか」

「ずっと重要だ」

回転椅子に座っていたルーが背を反らせて首を横に振り、どうぞ座ってくださいと私を手招きした。

「それで、どんな話ですか」

「作業場のロボットだが、ラインに投入してから売上げはどうなった」私はいきなり訊ねた。

つり上がっていたルーの眉がもとに戻った。身を乗り出し、遠近両用メガネの奥から目を細めて私の顔を覗き込んだ。

「いったい、どういう意味ですか」

「大切な質問なんだ。ロボットが売上げに影響したかどうか知りたいんだ。特に生産ラインに導入してから、売上げが増えたかどうかを知りたい」

「増えたかですか？　いや売上げは去年からずっと横ばいか、逆に少し減っています」

その答えに、私は少し苛立った。

「そうか。すまないが、ちょっと確認してくれないか」私はそうルーに指示した。

「ええ、わかりました。時間はいくらでもありますから」まいりましたとばかりに両手を上げながら、ルーがそう答えた。

さっそくルーは机の引き出しを開け、ファイルをいくつかかき分けて報告書やチャート、グラフなどの書類を取り出した。二人で、その書類に目を通した。しかしロボットを使って部品を作った製品の売上げは、一つの例外もなく増加が見られなかった。その気配すらない。ついでに工場からの出荷量も調べたが、こちらも増えていなかった。増えたのは納期に遅れたオーダーの数だけだった。ここ九か月で急増している。

ルーは、グラフから視線を上げ私の顔を見た。

「いったい、何を確認しようというのですか」ルーが訝るように言った。「ロボットを導入すれば売上げが上がり、工場を救えるなどというシナリオを考えておられるのでしたら、ご覧のとおり、実証するものは何もありません。データではその反対の結果しか出ていませんから」

「心配していたとおりだ」私はため息をついた。

「どういう意味ですか」

「後ですぐ説明するから、その前に在庫の量も見てみよう。ロボットで作った部品の仕掛りの量がどうなったか知りたいんだ」

ルーは、今度こそまいりましたとばかりの顔をしている。

「それは、ちょっと私にはわかりません。部品番号ごとの在庫データは何もありませんから」

「わかった。それじゃ、ステーシーを呼ぼう」

ステーシー・ポタゼニックは、この工場の資材マネジャーだ。ルーがステーシーに電話をして、別の会議から呼び出してくれた。

ステーシーは四〇代前半の女性で、長身で細身、動作はてきぱきとしている。白髪交じりの黒髪で、大きな丸いメガネをかけている。いつもジャケットにスカート姿で、レースやリボン、フリルがついたブラウスなどを着ているのは見たことがない。彼女のプライベートについては、ほとんど知らない。指輪はしているが、彼女から夫の話を聞いたことはない。この工場のこと以外、自分のプライベートな生活については滅多に話をしない。ただ、働き者であることは間違いない。

彼女が部屋に来ると、ロボットを導入したエリアを通過する部品の仕掛りについて訊ねた。

「正確な数字が必要ですか」彼女が言った。

「いや、だいたいの傾向がわかればいい」私は答えた。

「でしたら、資料がなくてもわかります。部品の在庫量は増えています」

「最近の話か」

「いえ、去年の夏の終わり頃からの傾向です。第3四半期の終わり頃からです。でも、私を責めないでください。みんな私を責めますけど、これでも私もずいぶん努力しているんですから」

「どういう意味かね」

「覚えていませんか。もしかしたら、所長がこの工場にいらっしゃる前のことかもしれません。レポートを見ていただけたらわかりますが、溶接ロボットの効率は確か三〇パーセントぐらいでしたし、他のロボットの効率も大差なかったと思います。もちろん、それでいいと思っていたわけではありません」

私が遠目にルーの顔を見ると、ルーが弁解を始めた。

「なんとかしなければいけなかったんです。黙っていたら、私だってイーサンに何を言われていたかわかりません。新品のロボットでコストもずいぶんかかっていましたし。三〇パーセントでは、当初予想していた期間内に投資を回収するなんてことは無理でしたから」

「わかった、ちょっと待ってくれ」そうルーに言うと、私はステーシーのほうを振り返った。「それで、何をしたんだね」

「何をしたかですか？　ロボットを使っているすべてのエリアで、材料の投入量を増やしたことぐらいです。生産量を増やせばロボットの効率も上がりますから。でもそれ以来、月末はいつもロボットで作った部品が余るようになりました」

「でも、効率は上がりました」ルーが横から口を挟んだ。何か前向きなことを言わなければとでも思っているのだろう。「そのことで、誰も責めることはできないと思います」

「そうかな。ステーシー、どうして余剰部品が発生するんだ。作った部品をどうしてもっと使わないんだ」

「作った部品を必要とするオーダーがないからです。それにオーダーがあったとしても、その部品だけで仕上げることができるわけではありません。製品を組み立てるにはほかにも部品が必要ですし、そっちのほうが足りないこともありますから」

「どうしてだ」

「それは、ボブに聞いてもらわないとわかりません」ステーシーが答えた。

「ボブを呼んでくれ」私はルーにそう言った。

さっそくボブが部屋にやって来た。白いシャツは、大きなビール腹の辺りが油で汚れている。入ってくるなり自動検査機械が故障したからどうとかこうとかと口を休めることなく話し始めた。

「ボブ、そのことは後でいいから」と私は声をかけた。

「何かほかに問題でも」彼が訊ねた。

「ああ、みんなでロボットの話をしていたんだが」

いったい何の話をしていたのだろうかと詮索でもするような顔をして、ボブがみんなの顔を見回した。

「ロボットがどうかしたのですか。いまは、ちゃんと動いていますが」

「本当にそうかね。ステーシーによると、ロボットで作った部品がずいぶん余っているそうじゃないか。その一方で、ほかの部品が足りなくてオーダーを組み立てられずに出荷できないこともあるそうだが」

「いえ、部品が足りないということではないんです。必要なときに足りないと言ったほうが適切だと思います。ロボットで作る部品によくあることです。たとえばCD-50ですが、何か月もずっと山積みにされたまま、制御ボックスが来るのを待っているんです。しかし制御ボックスが来て、いざ組み立てようとするとほかの部品が足りない。ようやく、足りない部品が手に入ってから組み立てて出荷するんです。ですが、そうすると今度はCD-50が一つもない。CD-45やCD-80はたくさんあっても、CD-50がないんです。CD-50が入ってくるときには、今度は制御ボックスがなくなっているんです」

「その悪循環が延々と続く」ステーシーが言った。

「しかし、ステーシー。君は、まだオーダーも入っていない製品の部品をロボットがたくさん作っていると言わなかったかね。ということは、必要のない部品を作っているということじゃないか」

「みんな、そのうち必要になるからと言っています。どこでも、そうしているのではないのですか。効率が下がったら、将来の予想に合わせて作っておいて、仕掛品や部品の在庫を溜めておく。予想を下回ったら、もちろんずいぶんコストがかかることになりますが。でも、それがいまのこの工場の現状です。今年に入ってからずっと在庫を増やしてきましたが、市場からの需要が少しも増えていません」

「わかっている、ステーシー。そのことはちゃんとわかっている。君や誰かほかの人間を責めようっていうんじゃないんだ。ただ、頭の中を整理してちゃんと理解したいだけなんだ」

どうも気持ちが落ち着かないので、私は立ち上がり部屋の中をゆっくり歩き回った。

「要するに、こういうことだ。ロボットをもっと働かすために材料の投入量も増やした」

「その結果、在庫が増えた」ステーシーが私に続いて言った。

「その結果、コストが上がった」また私が言った。

「ですが、部品のコストは下がりました」今度はルーだ。

「そうかね。在庫の維持コストは増えたんじゃないのかね。在庫の維持コストは作業経費だ。もしそれが増えたとしたら、部品のコストがどうして減るんだね」

「それは、量によります」ルーが答えた。

「そのとおり。販売量……、重要なのは販売した量だ。製品に組み立てることのできない余分な部品があったり、逆に部品が足りなかったり、あるいはオーダーがなくて売ることができないと、コストは増える」

「所長」ボブが私に向かって言った。「ロボットが問題の原因だと言われるのですか」

私は、またゆっくりと腰を下ろした。

「目標に沿っていない」私はつぶやいた。

ルーが私を見た。「目標？　今月の目標のことですか」

私は、みんなの顔を見回して言った。「どうやら、みんなに説明しなければいけないようだな」

10

それから一時間半がたち、一通りみんなへの説明が終わった。場所を会議室に移した。ホワイトボードが必要だったからだ。私はホワイトボードに目標を図にして描いた。三つの評価指標の定義も書いた。

みんな黙っていたが、しばらくしてルーが口を開いた。「いったい、どこでこの定義を教わったのですか」

「大学時代の物理の先生からだよ」

「えっ、誰ですか」ボブが訊ねた。

「物理の先生？」ルーが言った。

「ああ、そうだ」私は身構える口調で言った。「それが、どうかしたかね」

「それで、彼の名前は」ボブがまた訊ねた。

「それとも彼女？」ステーシーも訊ねた。

「彼の名前はジョナ。イスラエル人だ」

「スループットを測るのにどうして『販売』なのですか。我々はメーカーなのですから、販売は関係ないんじゃないですか。それはマーケティングの仕事です」ボブが言った。

私は肩をすぼめた。確かに私も同じ質問を電話でジョナにした。ジョナによると、この定義は完璧で正確なのだが、それをどうやってボブに説明したらいいのかわからない。私が窓の側に近づくと、そのとき、ある光景が目に入った。

「ちょっと来たまえ」私はボブに言った。

ボブが近くに来ると、私は彼の肩に手をあて、窓の外を指さした。「あれは何かね」

「倉庫です」彼が答えた。

「何のための」

「完成品をしまっておくためのです」

「もし、あの倉庫をいっぱいにすることが目的で物を作っているとしたら、会社は生き延びることができると思うかね」

「はい、はい」ボブがおずおずと答えた。私の言わんとしていることがわかったらしい。「お金を儲けるために物を売らなければいけないと、おっしゃりたいわけですね」

ルーは、まだホワイトボードをじっと見つめている。

「面白いですね。三つの定義に全部『お金』という言葉が含まれている」彼が言った。「スループットは、入ってくるお金。在庫は、現在製造プロセスの中に溜まっているお金。作業経費は、スループットを実現するために支払わなければいけないお金。入ってくるお金、中に溜まっているお金、それから出ていくお金、それぞれに指標があるわけですか」

「投資したお金が形を変えていま工場の中にあるわけだから、そう考えれば、在庫がお金であるという考え方は筋が通っていると思います」ステーシーが言った。「ただ、気になるのですが、直接作業で材料に付加された価値はどう考えたらいいのですか。先生はどう扱っているのですか」

「実は、私も同じことを考えたよ。ジョナが言っていたことだったら、そのままなら説明できるが」私はそう答えた。

「それで、何と?」

「彼は、付加価値を考慮しないほうがベターだと言っていた。何が投資で何が経費なのか、混乱を避けることができるからだと言っていた」

私の説明を聞いて、ステーシーもほかのみんなもしばらくの間じっと考え込んだ。部屋の中はまた静まり返った。

しばらくしてステーシーが言った。「おそらく先生は、直接労働が在庫に加えられるべきではないと考えているのでしょうね。従業員の労働時間を売ろうとしているのではないわけですから。ある意味では、我々は従業員から時間を買っていますが、その時間をお客に売っているわけではありません。もちろんサービスは別ですが」

「ちょっと、待ってくれ」そこでボブが口を挟んだ。「もし製品を売るのなら、製品に投資した時間も売るっていうことじゃないのか」

「そうかな。それじゃ、アイドルタイム、つまり作業していない時間はどうなるんだ」私は訊ねた。

今度は、ルーが割って入った。「所長、もし私の理解が正しければ、これは会計を別の方法でやろうということですね。従業員の時間は、直接労働であれ間接労働であれ、アイドルタイムであれ、作業している時間であれ、すべて作業経費だということですね。方法は違っても、ちゃんと計算には入っている。ただ、先生の考え方のほうが簡単で、いろいろと遊ぶ必要もない」

ルーの話を聞いて、ボブが大きく息を吐いた。「おいおい、遊びだって?　我々、製造の現場の人間は一所懸命まじめに働いて、遊んでいる時間などないよ」

「ほう、そうかね。鉛筆を舐め舐めペーパー上、アイドルタイムをプロセスタイムに変えるのに忙しくしているんじゃないのかね」ルーが答えた。

「それとも、プロセスタイムを在庫の山に変えるのに忙しいのかも」ステーシーがちゃかした。

みんな冗談交じりにしばらくの間、盛り上がっていた。しかし、ただ簡単だからという理由だけでなく、ほかにも何か理由があるのではと、私はそのとき独り考え込んでいた。ジョナは、投資と経費を混同しないようにとも言っていたが、この二つはそんなに混同しやすいのだろうか。そう考えているとき、ステーシーの声が突然耳に飛び込んできた。

「でも、どうしたら完成品の価値がわかるのですか」

「まず、製品の価値を決めるのは市場だ」ルーが答えた。「企業がお金を儲けるためには、その製品の価値、つまり我々が受け取る価格が、在庫に投資した金額と売る製品一つ当たりの総作業経費の合計より大きくなくてはいけない」

ボブは納得していないようだ。顔を見ればわかる。何が気になるのか、私はボブに訊ねた。

「馬鹿げている」ボブが異議を唱えた。

「なぜだい」ルーが訊ねた。

「こんなので、うまくいくはずがない。工場の中のすべてを、どうやってこんな三つの指標だけで説明できるんだ」

「そうかな」ルーはホワイトボードを見ながら、「この三つの指標のどれかで説明できないことがあったら言ってみてくれ」とボブに言った。

「生産設備、機械……」ボブは、指で数えながら言った。「……この建物、それにこの工場全部だ」

「ここに、みんな入っているよ」ルーが答えた。

「どこに」ボブがルーに詰め寄った。

「いいかい、そういったものは分けることができる。たとえば機械の場合、その減価償却は作業経費だ。それから投資した価値が機械に残っていれば、これを売ることもできるわけだが、それは在庫になる」

「在庫？　在庫は、製品や部品などのことじゃないのか。何か売るものだよ」

ルーが微笑んだ。「ボブ、この工場全部が投資なんだ。売ることだってできる。適正な価格で適正な状況が揃っていればこの工場だって売れるんだ」

もしかしたら、すぐにそうなるかもしれないと私は心の中で思った。

「ということは、投資と在庫は同じことなのね」今度はステーシーが訊ねた。

「それじゃ、機械に潤滑油を塗るのはどうなんだ」ボブはなかなか引き下がらない。

「それは、作業経費だ」今度は私が答えた。「その油は、客に売るわけではないから」

「じゃ、スクラップは」また、ボブが訊ねた。

「それも作業経費だ」

「そうですか。後で廃棄業者に売れるものもあるのでは」

「その場合は、機械と同じだ」ルーが答えた。「失ったお金はすべて作業経費で、売ることのできる投資はすべて在庫になる」

「在庫の維持コストは、作業経費ですね」ステーシーが言った。

ルーも私もうなずいた。

知識やノウハウなどはどうなのだろう。ビジネスにはつきもので、コンサルタントから得た知識、自己の研究開発の結果として得た知識などだ。どれに分類したらいいのだろう。みんなの意見を訊いてみよう。知識のためのお金。これは、しばらく私たちの頭を悩ませた。結局、簡単ではあるが、その知識が何に使われるのかによるのだという結論に達した。たとえば、新しい製造プロセスを可能にする知識を得たとしよう。それが在庫をスループットに変えることのできるものであれば、それは作業経費だ。特許や技術ライセンスなどのように、売るための知識であれば在庫になる。しかし、その知識が製品、たとえばユニコ社が作る製品などの一部として付随しているものであれば、機械と同じだ。つまり、お金を作るための投資で時間の経過とともに価値が償却していく。繰り返しになるが、売ることのできる投資は在庫、減価償却は作業経費だ。

「一つあります。どれにも当てはまらないものが。会長の運転手です」ボブはまだ諦めていないようだ。

「運転手?」

「黒いスーツを着て、グランビー会長のリムジンを運転しているあの年寄りですよ」

「彼は、作業経費だ」ルーが答えた。

「馬鹿な、会長の運転手がどうやって在庫をスループットに変えるのか教えてくれないか」今度こそルーも答えられないだろうと誇らしげな顔をして、ボブはみんなの顔を見回した。「彼はきっと、在庫やスループットなんて言葉さえも知らないよ」

「私たちの秘書の中にも、知らない人はいるでしょうね」ステーシーが言った。

「在庫をスループットに変えるためだからといって、なにも直接、製造に関わっている必要はないんだ」ルーではなく、私が答えた。「ボブ、君は毎日、現場で在庫をスループットに変える仕事をしている。でも現場の人間にしてみたら、君のやっていることはただ歩き回って、みんなの仕事をややこしくしているようにしか見えないかもしれない」

「ええ、誰にも感謝されない仕事ですから」そう言いながらボブはふくれっ面をした。「でも、だからといって運転手がどう当てはまるんですか」

「そうだな、たぶん、会長があちこち移動する間に、もっと考える時間や客に対応する時間を作るのを手伝っているんだろう」私はそう答えた。

「ボブ、今度会長と二人でランチでもして、ご本人に聞いてみたら」ステーシーがまたちゃかした。

「そんな冗談を言っている場合じゃないぞ。今朝、聞いたばかりだが、ロボットのビデオを撮影しに、会長がこの工場にやって来るそうだ」私はみんなにそう告げた。

「会長が、ここに来るんですか」ボブが驚いた顔をして訊ねた。

「もし会長が来るんだったら、きっとピーチ副本部長やほかにもいっぱい人がついて来るわね」ステーシーが言った。

「ちょうどいい」ルーがぼやいている。

ステーシーが、「どうして、所長がロボットのことでこんな質問をしているのかわかる？　会長が来るから、ちゃんと準備をしておかないといけないのよ」とボブに向かって言った。

「準備はできているよ」ルーが言った。「ロボットの効率も悪くはない。ロボットとビデオに出ても恥をかくようなことはないよ」

「おい、みんな何を言っているんだ」私は声を荒げた。「会長やビデオのことなんかどうでもいい。それに、本当に来るかどうかもわからない。とにかくそんなことはどうでもいいんだ。問題は、みんなが（いまのいままで私もそうだったのだが）ロボットを導入して生産性が大きく改善していたと信じ込んでいたことなんだ。でも、いまの話でわかったと思うが、目標に照らし合わせて考えてみると、生産性は少しも上がっていない。これまでのやり方では、逆に生産性を抑えることにしかならないんだ」

みんな、黙り込んだ。

しばらくしてステーシーが口を開いた。「わかりました。要するに、目標に沿った形でロボットの生産性を上げなければいけないわけですね」

「いや、それだけでは不十分だ。聞いてくれ。すでにルーには伝えたが、君たちにも言っておいたほうがいいだろう。いずれ、耳にすることだろうから」私は、ステーシーとボブに向かってそう言った。

「何の話ですか」ボブが不安そうに訊ねた。

「実は、ビルから最後通告があった。三か月で工場を立て直さないといけない。できなければ、この工場は閉鎖される」

しばらくの間、二人とも唖然としていた。すぐに今度は彼らの質問攻めにあった。知っていることはすべて彼らに話した。ただし、部門全体が売却されるかもしれないという話だけは避けた。彼らをパニックに陥らせたくなかったからだ。

最後に私は付け加えた。「時間が足りないと思っているだろうが、実際そのとおりだ。しかし、私はここから追い出されるまで諦めないつもりだ。君たちがどうしたいのか、それは君たちの判断に任せる。もし辞めたいのなら、いますぐ辞めたほうがいい。これから三か月間は、君たちにはこれまで以上に働いてもらわなければいけない。もし、この工場を改善できる可能性がわずかでもあって、時間を少しでも多くくれるなら、ビルのところに行って何でもするつもりだ」

「本当にできると思いますか」ルーが真剣な表情で私に訊ねた。

「正直に言って、わからない。しかし、いままで自分たちがやってきたことで何が間違っていたのか、少なくとも一つはわかったつもりだ」

「それで、どうしようと考えているのですか」ボブが訊ねた。

「ロボットに無理に材料を流すのはやめて、在庫を減らしてみたらどうですか」ステーシーが提案した。

「私も、在庫を減らすことには賛成です」ボブが言った。「だけど、作ることを減らせば効率は下がって、元に逆戻りです」

「努力したのに、結果は効率が下がっただけなどということになったら、それこそビルは二度とチャンスをくれないでしょう。彼の考えは、効率は高くないといけない。低くては駄目なんです」ルーが言った。

私は手を頭にあて、指で髪を梳いた。

「もう一度、その人、ジョナ先生に電話をしてみたらどうですか。よくわかっていそうですもの」ステーシーがそう提案した。

「そうですね。とりあえず、彼の意見を聞いてみたらどうですか」ルーも賛成意見だ。

「ああ、彼とは昨夜電話で話をした。いま説明したことも、全部彼から教わったんだ」ホワイトボードに書いた定義を指さしながら私は言った。「彼のほうから、また電話をくれることになっているのだが……」

そう言いながら、私はみんなの顔を見回した。

「わかった、わかった。もう一度電話をしてみる」そう言って、私はブリーフケースに手を伸ばした。ロンドンの電話番号を調べるためだ。

私は会議室から電話をかけた。テーブルの周りでは、みんながそわそわしながら私の話に聞き耳を立てている。しかし、ジョナはもうそこにはいなかった。代わりに、誰かの秘書が電話に出た。

「はい、ロゴさん。先ほどジョナのほうから電話をかけたのですが、秘書の方に会議中だと言われたようです。ロンドンを発つ前に話をしたかったようですが、残念ながら、もうここにはおりません」

「次はどこへ」私は訊ねた。

「コンコルドで、ニューヨークに行きました。おそらく、ホテルに電話すればつかまると思いますが」

私はホテルの名前を書き取り、彼女に礼を言った。それから、番号案内でニューヨークのホテルの電話番号を探し出した。おそらくジョナは部屋にはおらずに、メッセージしか残せないだろうと思いながら、電話をかけてみた。交換が電話をつないでくれた。

「もしもし」眠そうな声だ。

「先生ですか。アレックスです。起こしてしまいましたか」

「ああ、寝ていたよ」

「どうもすみません。できるだけ短く話しますから。ですが、どうしても話がしたかったんです。本当は、昨日の夜のことでもっと詳しく話をうかがいたいのですが」

「昨日の夜？　そうか、君のほうの時間では昨日の夜か」

「できれば一度、私の工場に来ていただいて、私と私のスタッフたちにも会っていただきたいのですが」

私はそう提案した。

「そうだね、でもこの先三週間はずっと予定が入っていて、その後はイスラエルに戻る予定なんだ」

「そうですか。しかし、そんなに長くは待てません。どうしても解決しなければいけない大きな問題があって、それに時間も少ししかありません。ロボットと生産性について先生がおっしゃっていたことの意味はわかったのですが、いったい次に何をしたらいいのかわからないのです。それに、もう少し説明させていただければ……」

「アレックス、助けてあげたいのだが、いまは寝かせてくれないか。すごく疲れているんだ。どうだろう、もし君の都合が許せば、明日の朝こっちで会わないか。私のホテルで朝七時、朝食でもどうだい」

「明日ですか」

「ああ、そうだ。一時間ぐらいなら時間が取れるから、そのとき話そう。それが駄目なら……」

私は、みんなの顔を見た。みんな興味津々の顔をして私を見ている。私はジョナにちょっと待ってくださいと伝えた。

「明日、ニューヨークに来てくれと言っている。行ってはいけない理由でもあるかな」

「あるわけないじゃないですか」ステーシーが言った。

「行ってください」ボブも賛成だ。

「駄目でもともとです」ルーも同じだ。

私は、受話器を押さえていた手をはずしジョナに言った。「行きます」

「よかった」ジョナが安心した声で言った。「じゃ、それまでは寝かせてもらうよ」

自分の部屋に戻ると、フランが仕事をしていた手を休めて驚いた顔で私を見上げた。

「ようやく戻っていらっしゃいましたね」そう言うと、彼女はメッセージを書いたメモに手を伸ばした。

「この方がロンドンから二度ほど電話をかけてきました。大切な用事かどうかはおっしゃっていませんでした」

「頼みたい仕事がある。今夜中にニューヨークに行く方法を探してくれ」私はフランにそう言った。

11

やはり、ジュリーはわかってくれない。

「前もって教えてくれて、ありがとう」彼女が言った。

「もっと早くわかっていれば、ちゃんと言っていたよ」私は訴えるように言った。

「最近、あなたにはいつも驚かされることばかりね」

「出張のときは、わかっていれば、いつも前もってちゃんと君に言っているじゃないか」

ジュリーは寝室のドア近くに立ち、苛立った顔をしながら、私が一泊分の荷物をベッドの上に置かれた出張用バッグに詰め込んでいるのを眺めている。今夜はジュリーと私の二人だけだ。娘のシャロンは近所の友達の家に遊びに行き、息子のデイブはバンドの練習だ。

「いつまで、こんなこと続くの」彼女が訊ねた。

私はタンスの引き出しから下着を取る手を休めた。彼女の質問に、私もいらついてきた。同じことを五分前に話し合ったばかりだ。なぜわかってくれないんだ。

「わからないよ。解決しないといけない問題が山ほどあるんだ」

ジュリーは、ますますいらついている。とにかく気に入らないらしい。もしかしたら私の言うことを信用していないのではないだろうか。

「ニューヨークに着いたら、すぐ電話するから。いいかい」

彼女は私に背を向け、部屋から出て行く素振りを見せた。

「いいわ、電話して。でも、いないかもしれないわ」

私は、また手を止めた。

「いないかもしれない？」

「どこかに出かけているかもしれないってことよ」

「そうか。わかった。でも、とりあえず電話してみるよ」

「ご勝手に……」そう言い残すと、彼女は部屋を出て行った。すっかり怒っているようだ。

私はもう一枚シャツを取ると、引き出しをバタンと叩きつけるように閉めた。荷物の用意ができ彼女を探しに行くと、ジュリーはリビングにいた。彼女は窓際に立ち親指をくわえている。私は彼女の手を取り、その親指にキスをして彼女を抱き寄せようとした。

「聞いてくれ。最近、僕が当てにならないことはわかっている。だけど、これはとても大切なことなんだ。工場のためなんだよ」

彼女は首を横に振りながら後ずさりした。ジュリーをキッチンまで追うと、彼女は私に背を向けて立っていた。

「何でも仕事のためなのね。そのことしか頭にないのね。夕食だって一緒にできるかどうか当てにできないわ。子供たちも、どうしてって訊くのよ」

彼女の目に涙が浮かんでいた。近寄り、拭いてあげようとする私の手を彼女は払いのけた。

「いいわよ。飛行機に乗って、どこでもいいから行きなさいよ」

「ジュリー……」

彼女は、私から逃げるようにその場を去ろうとした。

「ジュリー、フェアじゃないよ」私は彼女に怒鳴った。

その言葉に彼女が振り返った。

「ええ、そうよ。あなたもフェアじゃないわ。私にも子供たちにも」

彼女は階段を駆け上がっていった。こちらを振り返りもしない。しかし、いまの私には彼女と仲直りしている時間はない。もう出かけなくてはいけない。さもなければ飛行機に乗り遅れてしまう。私はバッグを肩にかつぎ、手にブリーフケースを持って玄関に向かった。


翌朝七時一〇分、ホテルのロビーで、私はジョナを待っていた。約束の時間はすでに少し回っている。足元はみごとな絨毯張りのフロアだが、いまの私はそんなことに関心はない。頭の中はジュリーのことでいっぱいだ。彼女のことだけでなく、私たち夫婦のことが心配だ。昨夜ホテルにチェックインして、すぐに家に電話をしてみたが、誰も出なかった。子供さえ電話に出なかった。部屋の中を三〇分ほど歩き回っただろうか。いらいらしながら足元に転がっているものをいくつか蹴飛ばした。それからしばらくして、また電話をしてみたが、誰も出ない。その後も夜中の二時まで一五分おきに電話をかけたが、やはり誰もいない。いっそ帰ろうかと思い、航空会社に電話してフライトがあるかどうかも調べたが、もちろんそんな遅い時間にフライトはなかった。そうしているうちに私も、うとうとと眠ってしまった。しかしモーニングコールで朝六時に目を覚ますと、部屋を出る前にまた二度ほど電話をかけてみた。二度目は、五分ほど呼び出し音を鳴りっぱなしにした。しかし、それでも誰も出ない。

「アレックス」

振り返ると、ジョナがこちらに向かって歩いてきた。白いシャツ姿だが、ネクタイもジャケットも着けていない。スラックスは地味な無地だ。

「おはようございます」握手をしながら、私はジョナに挨拶した。彼の目は少し腫れぼったい。寝不足のときの目だ。おそらく私の目も同じだろう。

「遅れて、すまない。昨夜、連れと夕食をしたのだが、話が長引いて……そうだな朝の三時ぐらいまで話していたかな。とりあえず、席に着いて朝食でもどうだい」

彼と一緒にレストランに入ると、白いクロスのかかったテーブルに案内された。

「電話で教えた評価指標だが、役には立ったかな」席に着くと、いきなりジョナが訊ねてきた。

私もさっそく頭を仕事の話に切り替え、まずは、ジョナに教えてもらった指標を使って、どう目標を表したかを説明した。ジョナは満足げな表情だ。

「すばらしい。よくやった」

「そうですか。ありがとうございます。ですが、工場を救うためには目標と指標だけでは不十分です」

「工場を救う？」

「ええ……実は、そのために会いに来たのです。一般論を話し合いたくて、わざわざ電話したわけではありません」

ジョナが軽く微笑んだ。「ああ、そんなことはわかっている。アレックス、話してみてくれ」

「これは、まだ正式には発表されていないことなのですが」と前置きしてから、工場の現状と工場が閉鎖されるまであと三か月しかないことを私はジョナに説明した。ジョナは注意深く私の話に耳を傾けている。

話が終わると、ジョナは後ろに背をもたれた。

「それで、私に何を」

「まだよくわからないのですが、工場と従業員を救う方法を探すのを手伝っていただけないかと思いまして」

ジョナは、しばらく視線を遠くにやった。

「ちょっと問題があるな。スケジュールが詰まっていて、すごく忙しいんだ。だからわざわざ、こんなとんでもない時間に間に合わせのように会わなければならない。すでに予定がずっと先まで入っているから、コンサルタントのように時間をとって助けてほしいということだったら、まず無理だな」

がっかりして私はため息をつき、「わかりました。そうですか、お忙しいのなら……」と言いかけた。

「ちょっと待ってくれ。話はまだ終わっていない」そうジョナが私の言葉を遮った。「だからといって、君が工場を救えないとは言っていない。君に代わって、君の問題を解決してあげる時間が、私にはないと言っているだけだ。それに、私が助けてあげるのがベストの方法とは限らないし……」

「どういう意味ですか」

「まあ、最後まで私の話を聞くんだ。君の話を聞いたところでは、君でも自分で問題を十分解決できると思う。私が基本的なルールを教えるから、それを応用してみるんだ。頭を使ってこのルールに従えば、工場が救えるはずだ。それでどうかな」

「ですが、先生、たった三か月しかないんです」

「そんなことはわかっている」ジョナがうなずいた。「三か月もあれば、十分成果を上げられる。ただし、君たちが一所懸命努力すればの話だが。努力しなければ、何をやっても無駄だ」

「全力を尽くすことだけは保証します」私はきっぱりと言った。

「それじゃ、やってみるかね」

「ほかにどんな手段があるのか、正直言って、皆目見当がつきません」そう言いながら私は照れ笑いした。

「それよりいったいどのくらいお支払いしたらいいのですか。決まったフィーか何かあるのでしょうか」

「いや、特に決めていない……。こうしたらどうかな、君が私から学んだことの価値の分だけ支払ってくれればいい」

「どうやって決めればいいのですか」

「うまくいったら、そのときいくら払ったらいいのか見当がつくはずだ。逆にもし工場が閉鎖されたら、私から学んだことは価値がなかったことになるわけだから、そのときは何も払わなくていい。だが、もし私から学んだことのおかげで何十億ドルも儲かったなら、そのときはそれなりに払ってくれよ」

私は思わず微笑んだ。何も失うものはない。やってみるか。

「わかりました。いいでしょう」私は快く答えた。

ジョナと私は、テーブル越しに握手を交わした。

そのとき、ウェイターが注文を取りにやって来た。考えてみると、ジョナも私もまだメニューを開いてさえいなかった。結局、二人ともコーヒーだけ飲むことにしたが、最低五ドルのテーブル・チャージがかかるとウェイターが言うので、二人それぞれにポットとミルクを持ってくるようにジョナが言った。ウェイターは冷たい眼差しで二人を眺めてその場を去った。

「それで……どこから始めたらいいかな」ジョナが言った。

「まずは、ロボットから始めたらどうかと思うのですが」

ジョナが首を横に振った。

「アレックス、ロボットのことはしばらく忘れるんだ。ただのオモチャみたいなものなのだから。もっと基本的なことで心配しなければいけないことがあるはずだ」

「しかし、ロボットが我々にとってどれだけ重要なものなのか、それも考慮しないといけないのでは……私の工場で一番高価な機械ですから、なんとか生産性を高く保たなければ……」

「生産性？　どの観点から見た生産性かね」

「そうですね、忘れていました。目標に沿った生産性でなければいけないのでしたね。しかし、ロボットに投資したお金を回収するには高い効率が必要ですし、そのためにはロボットを動かして部品を作るしかないのでは」

ジョナは、また首を振っている。

「アレックス。空港で話をしたとき、君は工場の効率が非常にいいと言っていなかったかい。効率がそんなにいいのなら、どうして君の工場は危機に陥っているのかね」

ジョナはシャツのポケットから葉巻を取り出し、その端を噛み取った。

「ええ、確かに。効率のことを心配しているのは、ただ会社の経営陣がうるさいからです」

「アレックス。会社の経営者にとって、効率とお金のどちらが大切なんだ」

「もちろんお金です。でも、お金を儲けるには高い効率が必要なのでは」

「いや、ほとんどの場合はその逆で、効率を高めようとすればするほど目標から遠ざかる」

「よく理解できません」私は首をひねった。「たとえ私に理解できたとしても、会社の経営陣には理解できないと思います」

ジョナは葉巻に火をつけ、ふかしながら言った。「そうか。それじゃ君が理解できるかどうか、簡単な質問をして試してみよう。まず最初の質問だ。作業員の一人が、何もすることなく立っていたとしよう。それは会社にとって良いことなのか、それとも悪いことなのか」

「もちろん、悪いことです」私はすぐさま答えた。

「いつもかね」

私をひっかけようとしているのだろうか。

「そうですね、保守作業などもしないといけないですから……」

「いや、いや、私が言っているのは製造工程の作業員のことだ。作る製品がなくて、何もしていない作業員のことだ」

「それだったら、悪いはずです」

「どうして」

私は軽く笑った。「当たり前のことだし、お金の無駄遣いだからです。どうしろとおっしゃるのですか。人に給料を払って、何もさせないでおくのですか。アイドルタイムを許しておく余裕などないし、そんなコストは容認するわけにはいきません。どんな方法で評価したとしても、非効率的だし生産性も悪くなります」

何か大変な秘密でも耳打ちするかのように、ジョナがこちらに身を乗り出した。

「面白いことを教えてあげよう。作業員が手を休めることなく常に作業している工場は、非常に非効率なんだ」

「何ですって」

「非効率的なんだよ」

「どうやって、そんなこと証明できるのですか」

「すでに君の工場で実証済みじゃないか。君には見えていないだけだよ」

今度は、私が首を振った。「先生、ちゃんと話が通じていないのじゃないかと思うのですが……私の工場には余分な人間などいません。全員が常に一所懸命働いていなければ製品は出荷できません」

「それでは教えてくれ、アレックス。君の工場には、仕掛品や部品などの余剰在庫はないかね」

「もちろんあります」

「たくさんかね」

「ええ、まあ……」

「たくさん、かなりたくさんかね」

「ええ、けっこうたくさんあります。でも、いったい何がおっしゃりたいのですか」

「余剰在庫の原因は一つしかない。人が多すぎるんだよ。わかるかね」

私は、ジョナの言葉をしばらく考え込んだ。きっとジョナの言っていることは正しい。機械が自分でセットアップして動くはずがない。余剰在庫を作るのは人間なのだ。

「それで、私に何をしろと？　もっと人を解雇しろとでも言うのですか。人が足りなくて、もうまるで骸骨みたいにすかすかです」

「いや、従業員を解雇しろとは言っていない。まずは工場の生産能力をどう管理しているのか、現状を調べてみる必要がある。目標に沿った方法ではないはずだ」

ジョナと私の間にウェイターがエレガントな銀のポットを二つ置いた。ポットの注ぎ口からは湯気が立ちのぼっている。ジョナはミルク入れを横に置き、コーヒーを注いだ。その間、私は窓の外をじっと眺めていた。しばらくすると、ジョナが手を伸ばして私の袖を引っ張った。

「つまり、こういうことだ。君たちが作った製品に対して市場には一定の需要しかない。君の会社には、この需要を満たすためにさまざまな資源、つまりリソースが用意されているが、それぞれ一定の生産能力しかない。ところで話を進める前に、『バランスがとれた工場』の意味がわかるかね」

「生産ラインのバランスをとるということですか」

「『バランスがとれた工場』とは、世界中のメーカーが目指している工場のことなんだが、つまり、すべてのリソースの生産能力が市場の需要と完璧にバランスがとれている工場のことなんだ。どうして世界中のメーカーがこれを目指しているか、わかるかね」

「それは……、もし生産能力が十分でなければ、潜在的なスループットを逃してしまうことになるし、逆に必要以上に能力があれば、お金を無駄にすることになってしまうからでは？　作業経費を減らす機会を見逃しているわけですから」

「そうだ。みんなまったく同じことを考えている。だから普通は、減らすことができる能力を減らして、使われていないリソースがないようにしようとする。みんなが常に働いているようにするためだ」

「ええ、そのとおりです。おっしゃることはわかります。私の工場でも同じことをしていますから。事実、私がこれまで見てきた工場ではどこでもそうしています」

「でも、そんなことをして本当にバランスのとれた工場ができると思うかね」

「できる限りのバランスはとれるのでは？　もちろん動いていない機械もありますが、それはたいていもう古くなった機械ですから。人について言えば、私の工場ではもう限界まで能力を減らしています。しかし、やはり完全にバランスがとれた工場なんて存在しないと思います」

「面白いな。私も完全にバランスがとれた工場など見たことがない。それじゃ、どうしてこれまで誰もバランスのとれた工場を実現したことがないと思うのかね。みんな時間を費やして努力してきたはずなのに」

「理由はいろいろあると思います。一番大きな理由は、いつも条件が変化していることだと思います」

「いや、それは一番の理由ではないな」

「いいえ、それが一番の理由のはずです」私は異議を唱えた。「毎日、工場ではいろんなことが起こって悪戦苦闘しています。たとえば、急ぎのオーダーを作っているときに、部品メーカーから送られてきた部品に欠陥が見つかったり、それから従業員は欠勤するし。連中は、品質なんかまったく気にしていませんから。それから市場。市場は常に変化しています。ですから、製造の現場で部分的に生産能力が余ったり、足りなくなったりするのは当たり前のことです」

「アレックス。バランスのとれた工場を実現できない本当の理由は、君がいま言ったことよりももっと基本的なことなんだ。いま、君が説明してくれたことは、それに比べれば、実はそれほど大した問題ではないんだ」

「大した問題でない？」

「本当の理由は、バランスのとれた工場に近づけば近づくほど、倒産に近づくからなんだ」

「よしてください。冗談はよしてください」

「生産能力を縮小する場合を考えてみよう。この脅迫観念を目標に照らし合わせて考えてみようじゃないか。たとえば、人を解雇したら販売は増えるかね」

「いいえ、増えません」

「在庫は減るかね」

「いいえ、人を減らしただけでは……人を減らしてできるのは経費削減です」

「そのとおり。一つの指標しか改善できない。つまり作業経費の削減しかできない」

「それでは、不十分なのですか」

「アレックス、目標は作業経費の削減そのものではない。指標をどれか一つ改善することではないんだ。目標はスループットを増やしながら同時に作業経費と在庫を減らすことなんだ」

「確かに。しかし、在庫とスループットが変わらなくても、経費を減らすことができれば少しはましなのでは」

「ああ、もしも在庫が増えずスループットも減らなければだが」

「ええ、そうですね。しかし生産能力と需要をバランスさせただけでは、いずれにも影響は及ぼさないのでは」

「ほう、そうかな。どうしてわかるのかね」

「いま、先生がそうおっしゃったのでは……」

「そうは言っていない。君に訊いているんだ。君は、市場の需要に合わせて生産能力を縮小しても、スループットや在庫には影響しないと考えている。しかし、その考えは完全に間違っている。一般的には正しいと考えられてはいるがね」

「どうして、間違っているとわかるのですか」

「まず、数学的に実証することができる。生産能力を市場の需要に一〇〇パーセント合わせて縮小すると、スループットは減り、在庫が大きく増えることが実証できるんだ。それに在庫が増えるから在庫の維持コスト、これは作業経費なのだが、これが増える。だから改善しようとしていた指標、つまり全体的な作業経費の削減も達成できるかどうか疑問になってくる」

「でも、どうしてそういうことに」

「どの工場にも二つの現象があって、その組み合わせによるんだ。一つは、『従属事象』と呼ばれる。この言葉の意味がわかるかね。一つの事象、あるいは一連の事象が起こるためにはその前に別の事象が起こらなければならないという意味だ。後から起こる事象はその前に起こる事象に依存している。わかるかね」

「ええ、もちろん。ですが、それがいったいどうだというのですか」

「この従属事象ともう一つの現象、『統計的変動』と呼ばれるんだが、この二つの組み合わせが重要なんだ。統計的変動とは、何のことだかわかるかね」

私は肩をすぼめた。「統計上の変動……ということですか」

「こう言ったほうがわかりやすいかな。情報には正確に定めることのできるものがある。たとえば、このレストランの収容能力が知りたければ、椅子の数を数えればわかる」

ジョナは周りを指さした。

「しかし、逆に正確に予測できない情報もある。たとえば、ここのウェイターが勘定書きを持ってくるまで何分かかるのか、あるいはシェフがオムレツを作るのにどのくらい時間がかかるのか。それから、厨房で今日卵が何個必要なのかなどだ。こうした情報は、その時々によって変わってくる。つまり、『統計的変動』を受けるんだ」

「ええ、でも経験でだいたいどのくらいになるか見当をつけることはできるはずです」

「しかし、一定の範囲内でだ。この間、ウェイターは勘定書を五分と四二秒で持ってきた。その前は、たったの二分だった。今日は？　わからない。三時間、四時間かかるかもしれない」辺りを見回しながら彼が言った。「ところで、いったいウェイターはどこに行ったんだ」

「ええ、でも宴会を開くとして何人、ひとが来るのかわかっていて、それに全員オムレツを食べるとわかっていれば、卵が何個必要になるかはわかります」

「正確に？」ジョナが訊ねた。「もし、卵を床に落としたとしたらどうなるかね」

「それじゃ、余分に何個か用意しておけばいい」

「つまり工場をうまく運営していくための重要な要因のほとんどは、前もって正確に決めることはできないということなんだ」

そのとき、ウェイターの手が二人の間に割って入り、テーブルに勘定書を置いた。私は、さっとこれを取って自分の近くに置いた。

「そのとおりだと思います。しかし、毎日同じ仕事をしている作業員だったら、その変動も一定の期間内で平均化することができます。しかし正直言って、いま、説明してくれた現象のいずれにしてもいったい何が重要なのか、まださっぱりわかりません」

ジョナが席を立った。もう行くのだろうか。

「どちらか一方だけでなく、二つの現象が合わさったときの効果が重要なんだ。私はもう行かないといけないから、君はそのことをじっくり考えてくれ」

「もう行かれるのですか」

「もう、行く時間なんだ」

「まだ、話は終わっていないのですが」

「客が待っているんだ」

「先生、私にはなぞなぞをやっている時間はないんです。答えが欲しいんです」私は訴えるように言った。

ジョナが私の腕に手をおいた。

「アレックス、もし私がすぐに答えを教えてしまったら、君はきっと失敗するに違いない。成功したいんだったら自分自身で考えて理解しなければいけない」私を諭すようにジョナが言った。

ジョナが私の手を握った。

「それじゃ、また、アレックス。二つの現象の組み合わせが、君の工場にとって何を意味しているのかがわかったら電話してくれ」

ジョナは急いでその場を立ち去った。どうもすっきりとしない。私は手を振ってウェイターを呼び勘定書と金を渡すと、釣銭も受け取らずにジョナの後を追ってロビーに出た。

フロントに預けておいたバッグをベルボーイから受け取り、肩にかけて後ろを振り返ると、ジョナがまだそこにいた。まだ、ネクタイもジャケットも着けていない。表通りへの出口の側で、縞模様の青いスーツの立派な格好をした男と話をしている。二人が外へ出て行ったので、私もその後を追った。男が先頭に立って、ジョナを道路脇に停めてある黒いリムジンに案内している。二人がクルマに近づくと中から運転手が飛び出し、後部座席のドアを開けた。

ジョナの後からリムジンに乗り込もうとしていた紺のスーツを着た男の声が聞こえた。「施設を見学した後、会長、それから取締役数人とミーティングをする予定です」リムジンの中には白髪頭の男が待っていて、ジョナと握手している。運転手がドアを閉め、運転席に戻った。リムジンは静かに動き出し、通りに消えて行った。黒味がかった後部ガラス越しには、彼らの頭のシルエットがうっすらと見えるだけだった。

私もタクシーに乗り込んだ。

「どちらへ」ドライバーが訊いた。

12

ユニコ社で働いている、ある男の話だ。ある夜、仕事から帰宅し、家に入って言った。「ただいま、いま帰った」しかし、家の中は空っぽで、虚しく自分の声が響き返ってくるだけだった。彼の奥さんは、すべてを持って出て行ってしまった。子供、犬、金魚、家具、絨毯、電化製品、カーテン、壁にかけてあった写真、ハミガキ……全部だ。いや、正確にはほとんどすべてと言ったほうが正しい。二つだけ残していってくれたものがあった。彼の服（彼女がハンガーも持って行ってしまったため、寝室のクローゼット脇の床の上に山積みに置かれていた）、それと、バスルームの鏡に口紅で書かれた「さようなら、お馬鹿さん！」という走り書きだ。

自宅まで運転しながら、私の脳裏をそんな光景が横切った。昨日の夜から何度もそんな思いが頭に浮かんでくる。家に着くとクルマを乗り入れる前に、もしかしたら引越し屋のトラックが来たのではないかと思い、芝生の上に残されたタイヤの跡を探したが何も見つからなかった。

私は、クルマを車庫の前に停め、玄関に向かいながら、車庫の扉についている小窓のガラス越しに中の様子をうかがった。幸いジュリーのクルマはあった。私は空を見上げ、「神様、ありがとう」と静かにつぶやいた。

中に入ると、彼女はキッチンに座りこちらに背を向けていた。私が急に入ってきて驚いたようだが、すぐに立ち上がって振り返った。しばらくの間、お互い見つめ合った。彼女の目の周りが赤くなっている。

「やあ」私はジュリーに声をかけた。

「ここで、何をしているの」ジュリーが訊ねた。

私は笑った。あまり好感のもてる笑い方ではない、怒りを抑えた笑いだ。

「自分の家で何をしてるかって？　君を探していたんだよ」私は答えた。

「そう、私ならここにいるわよ。よーく見て」渋い顔で私を見ながら、彼女が言った。

「ああ、ようやく見つかったよ。昨日の夜は、いったいどこに行ってたんだ」

「出かけてたわ」

「そうか」

私がそう訊くことくらい、わかっていたのだろう。

「あら、驚いたわ。私が出かけていたこと知っていたなんて」

「ジュリー、冗談はやめてくれ。昨日の夜、何百回も電話したんだ。君のことがとても心配だったんだ。今朝も電話したけど誰も出なかったから、昨日の夜、家にいなかったことぐらいはわかっているよ。ところで子供たちは？」

「友達のところにお泊りしたわ」

「平日にかい。君は？　君も友達の家に泊まったのかい」

彼女が腰に手をあてた。

「ええ、そうよ。友達の家に泊まったわ」

「男かい、女かい」

ジュリーは私を睨みつけながら、一歩、私のほうに歩み寄った。

「私が毎晩、子供と一緒に家にいても少しも気にしないくせに、一晩留守にしただけで急に今度はどこへ行ってたのかですって？」

「ただ、ちょっと気になっただけだよ」

「あなたはどうなの。これまで何回、帰りが遅くなったの。何回出張したの。いったい誰があなたの居場所を知っているっていうのよ」彼女が声を荒げた。

「でも仕事だから、しょうがないじゃないか。それに君が訊いたら、どこにいるかいつもちゃんと話しているじゃないか。君のほうこそどうなんだ」

「話すことなんて何もないわ。ジェーンと出かけただけよ」

「ジェーン？」聞き覚えのある名前だが、思い出すまで少し時間がかかった。「前、住んでいた近所のジェーンかい。あんな遠くまで一人で運転して行ったのかい」

「誰かと話がしたかったの。話が終わったら、飲み過ぎで運転して家に帰れなくなったのよ。子供たちはお泊りで朝まで大丈夫なのはわかっていたから、ジェーンのところに泊まったわ」

「わかった。でも、なぜだい。どうして急にこんなことを」

「急にこんなことをですって？　アレックス、あなたはいつも好きなときに出かけて行っていいかもしれないけど、私は毎晩独りなのよ。寂しくなったって当たり前でしょ。少しも急なんかじゃないわ。いまの仕事になってから、あなたはいつも仕事が第一、私たちはいつも後回しじゃない」

「ジュリー、僕はただ君や子供たちに楽な生活をさせてやりたいだけなんだよ」

「それだけ？　それじゃ、どうしていつも昇進したがるの」

「どうしろって言うんだい。断れとでも言うのかい」

彼女は口をつぐんだまま答えようとしない。

「残業が多いのだって、別に好きでやっているわけじゃない。そうしなければいけないから、やっているだけなんだ」私は必死に訴えた。

彼女は依然、黙ったままだ。

「わかった、こうしよう。もっと君や子供たちのために時間を作る。本当だ。もっと家で時間を過ごすようにするよ」

「アレックス、そんな簡単にいくわけないでしょ。どうせ家にいても、仕事のことばかり考えているに違いないわ。子供たちが何回声をかけたって、気づかないことだってあるじゃないの」

「いまやっている仕事が片づけば、そんなことはないさ」

「何を言っているの。いまやっている仕事が片づけばですって？　本当にそんなに簡単に変えることができると思っているの。前にも同じこと言ったことあるじゃない。いったい、何回繰り返せば気がすむのよ」

「わかった。君の言うとおりかもしれない。前にも同じことを言ったかもしれない。でも、いまはそれしか言えないんだ」

彼女は天井を見上げて虚しそうに言った。「あなたの仕事は、いつもきつい仕事ばかりなのね。いつもよ。そんな仕事しかさせてもらえないあなたに、会社はどうして昇進させたり給料を上げたりするの」

私は鼻柱をつまんだ。

「どう言えば、わかってくれるんだい。今度は昇給や昇進のためじゃない。今度は違うんだよ。工場でどれほど深刻な問題が起きているか、君はまったく知らないじゃないか」

「あなただって、家でずっと独りで待っていることが、どんなにつらいことかまったくわかっていないわ」

彼女が言い返した。

「わかった。じゃあ、こうしよう。僕はもっと家で時間を過ごしたいと思っている。だから、問題はどうやって時間を作るかだ」

「あなたの時間を全部ちょうだいって言ってるわけじゃないわ。もう少し時間を割いてほしいだけ。子供たちもよ」

「そんなことはわかってるよ。でもこの工場を救うには、この先二か月、自分の時間すべてを犠牲にしないといけないんだ」

「夕食を家で食べることぐらいもできないの？　夕食のときに、あなたがいないのが一番寂しいわ。みんなそうよ。あなたがここにいないと、子供たちがいても空っぽな感じなのよ」

「誰かに必要とされていることを知るのは、悪い気がしないね。だけど、夕食のときも忙しくて働かないといけないこともある。昼間だけでは書類の整理とか十分に仕事をこなす時間が取れないんだよ」

「書類を家に持って帰ってきたら？　家でやったらいいじゃない。そうよ、そうすればあなたの顔を見ていられるし、それに、私も少しは手伝えるかもしれないわ」

私は、背を反らせながら言った。「集中できるかどうかわからないが……いいだろう、やってみよう」

彼女が笑顔を見せた。「本当？」

「ああ、でも、もしうまくいかなかったら、また話し合おう。いいかい？」

「いいわ」

私は、彼女のほうに身を乗り出して言った。「握手かキスで、条約締結っていうのはどうかな」

彼女はテーブルを回ってこっちまで来ると、私のひざの上に座って私にキスした。

「昨日の夜は、本当に君のことが恋しかったんだ」私は彼女にそう告げた。

「本当？」彼女が言った。「私も寂しかったわ。独身バーに行ったけど、あんなに憂鬱なところだとは知らなかったわ」

「独身バー？」

「ジェーンが言い出したの。本当よ」

私は、首を横に振った。「そんなこと聞きたくないよ」

「でも、ジェーンが新しいダンスのステップを教えてくれたの。だから今度の週末でも……」

そうジュリーが言いかけたところで、私は彼女をぎゅっと抱きしめた。「週末やりたいことがあったら、何でもつき合うよ」

「やったわ」彼女はそう言うと私の耳にささやいた。「ねえ、今日はもう金曜日よ。もう週末じゃない。少し早いけど何かしましょうよ」

彼女は、もう一度私にキスをした。

「ジュリー、そうしたいところなんだけど、だけど……」

「だけど？」

「一度、工場に戻らないといけないんだ」

彼女は立ち上がった。「いいわ。でも、今日は早く帰って来るって約束して」

「わかった、約束する」私はそう彼女に答えた。「本当だ。週末が楽しみだ」

The Goal
Ⅳ
ハイキング

13

土曜の朝だ。目を開けると、ぼんやりとくすんだ緑色が見えた。ボーイスカウトのユニフォームに身を包んだデイブが私の腕をさかんに揺すっている。

「デイブ、何をしてるんだ」

「父さん、七時だよ」デイブが言った。

「七時？　父さんはまだ寝ているんだ。テレビでも見ていなさい」

「遅れちゃうよ」

「遅れるって、何に」

「ボーイスカウトのハイキングだよ、泊りがけの。覚えてないの？　隊長の手伝いで一緒に行くって約束したじゃないか」

私はまだ眠くて一言、二言ぼやいた。ボーイスカウトの少年たちには聞かせたくないような言葉だ。しかし、デイブはひるまない。

「ねえ、いいから起きてよ。シャワーを浴びて」私をベッドから引きずり出そうと必死だ。「父さんの荷物、昨日の夜ちゃんと準備しておいたから。もうみんなクルマに積んであるよ。あとは向こうに八時までに着けばいいんだから」

私はデイブに引っ張られながら、いやいや寝室から出た。振り返ってジュリーの顔とまだ暖かさの残るベッドをもう一度眺めた。彼女の目は、まだ閉じられたままだ。

それから一時間一〇分後、私と息子は森の外れに着いた。すでに隊は私たちのことを待っていた。男の子が一五人、全員帽子にネッカチーフ、それにバッジ姿だ。

「隊長は、どこだい」と私が訊く前に、子供たちに付き添っていた親たちがクルマで帰って行った。見回すと、大人は私一人だ。

「隊長は、来られないそうです」集まっていた子供の一人が言った。

「来られない？　どうして」

「病気だそうです」隣の子供が言った。

「ああ、痔が腫れて痛いんだよ、きっと」またさっきの子だ。「だから、おじさんが責任者です」

「じゃ、指示してください」別の子供が言った。

急にこんなことを押しつけられてしまい、私は頭にきた。しかし、子供たちを大勢指揮することで気がひるむことはなかった。考えてみれば、工場で毎日やっていることだ。さっそくみんなを集め、地図を広げてハイキングの目的について話し合った。

計画は道標のついた小道を歩いて森を抜け、「悪魔の峡谷」と呼ばれるところまでハイキングすることだ。今夜はそこで野宿し、明日の朝にはキャンプをたたんで出発地点まで戻る。親たちはそこで子供たちが森から戻って来るのを待つことになっている。

まずは、悪魔の峡谷までたどり着かないといけない。ここから一六キロほどの距離だ。私は、隊を一列に整列させた。みんな背中にリュックサックを背負っている。私は手に地図を持ち、先頭に立って隊を先導した。

天気は最高だ。木々の間から太陽の光が降り注いでいる。空は真っ青で、そよ風が吹き少しひんやりとしている。森の中を歩くには最高だ。

コースには、道標の黄色いペンキが一〇メートルほどの間隔で木の枝に塗られていて歩きやすい。道の両脇は藪が深いので、みんな一列になって進んだ。

歩くスピードは、一時間で三キロちょっとくらいだろう。平均的な人の歩く速さだ。このペースで歩けば、一六キロは約五時間だなと、私は頭の中で計算した。私の時計は、もうすぐ八時半を指すところだ。休憩や昼食で一時間半とったとしても、午後三時までには悪魔の峡谷に到着する計算だ。軽いもんだ。

数分歩いてから、私は後ろを振り返った。列を歩く子供たちの間隔が出発したときよりもずいぶん広がっている。一メートルくらいだった間隔がいまは大きく広がり、間隔もまちまちだ。私はそのまま前進した。

さらに数百メートル行ってもう一度振り返ると、隊列はさらに長くなっていた。なかでも二か所ほど間隔が大きく広がっていた。列の最後尾の子供の姿は、もうほとんど見えない。

私が最後尾を歩いたほうがいいのだろうか。そうすれば列全体に目をやることができるし、遅れる者がいないよう注意することができる。そこで、私のすぐ後ろを歩いている子供が私に追いつくのを待って、彼の名前を聞いた。

「ロンです」

「ロン、先頭を歩いてくれないか」私は、彼に地図を渡して言った。「このまま、この道を真っ直ぐいけばいい。中ぐらいのペースで進んでくれ。いいかい」

「わかりました」

そう言うと、ロンは歩き始めた。ちょうどいいペースだ。

「みんな、ロンの後に続くんだ！」ほかの子供たちに向かって私は叫んだ。「みんな、ロンを追い越したら駄目だぞ。ロンが地図を持っているから。わかったか」

みんなうなずいたり、手を振っている。全員了解だ。

道の端に立って、私は隊列が通り過ぎるのを待った。息子のデイブは、すぐ後ろを歩く友達と話をしながら通り過ぎて行った。友達と一緒にいるからだろうか、デイブは意識的に父親の私を無視するようなそぶりだ。そういうことには、クールでありたいのだ。その後、五、六人通り過ぎた。みんな問題なくついて行っている。その後ろは大きく間隔が開いて、子供が二人やって来る。そのあとは、また間隔があって前の間隔よりさらに広がっている。その先に目をやると、太った子がいる。すでに、少しばかり息が上がっているようだ。彼の後方に残りの子供たちがつかえている。

「君の名前は」その太った子が近づくと、私は訊ねた。

「ハービーです」

「大丈夫か、ハービー」

「はい、大丈夫です」ハービーが答えた。「だけど、暑くてたまりません」

ハービーは、そのまま歩いていった。後ろのみんなも彼に続いた。なかには、もっと早く歩きたそうな顔をしている子供もいるが、ハービーを追い越せないでいる。私は最後尾を歩いている子供の後ろに立った。私の前方では列が大きく前後に広がっているが、丘を越えたり道が急に曲がったりしなければ、だいたい全員を見渡すことができる。列の進み具合も、なんとかいいリズムで落ち着いてきた感じだ。

景色が退屈というわけではないが、しばらくすると私は別のことを考え始めていた。ジュリーのことだ。今度の週末は、本当はジュリーと過ごしたかった。でも、このハイキングのことをすっかり忘れていた。「またなの」とジュリーに言われそうだ。彼女と過ごす時間をいったいどうやって作ったらいいのか、私にはよくわからない。このハイキングの唯一の救いは、事が事だけにデイブと一緒に行かなければいけなかったことをジュリーなら理解してもらえるだろうということだ。

それから、ニューヨークでジョナと会ったときのことも考えていた。あれ以来、ろくに考える時間もない。それより、物理の先生が企業のトップとリムジンを乗り回していったい何をしているのか興味津々だ。ジョナが教えてくれた例の二つの現象だが、彼がいったい何を言わんとしているのかもまだちゃんと理解できていない。「依存的事象」と「統計的変動」の二つだ。それがいったいどうだと言うのだ。どちらも特に目新しい考えではないではないか。

製造に依存的事象があるのは明らかではないか。ある作業を行う前に別の作業を行わなければいけない。部品は一連の作業を順番どおり行って作る。作業員Bがステップ2を行う前に、機械Aがステップ1を行わないといけない。製品の組立てもそうだ。組み立てる前に必要な部品を全部揃えておかないといけない。それから製品の出荷前には、製品の組立てが終わっていなければいけない、などなどだ。

しかし、依存的事象は工場の中に限ったことではない、どんなプロセスにも見られる。クルマを運転するにも一連の依存的事象が必要だし、今日のハイキングもそうだ。悪魔の峡谷に着くには、この道を歩かなければならない。息子のデイブが歩く前に、先頭のロンが歩かなければいけない。デイブは、ハービーより先を歩かなければいけない。私が前に進むためには、私の前の子供が私より先に進まなければいけない。依存的事象の簡単な例だ。

それと統計的変動か。

前方を見上げると、私の前の子のペースのほうが少し速いのか、さっきより距離が開いている。追いつこうと歩幅を大きくすると、今度は近づきすぎたのでスローダウンした。

これのことなのか？　もしいまの自分の歩幅を記録しておけば、統計的変動を記録していたことになる。だが、それがどうだというのだ。

一時間三キロのペースで歩いているといっても、常に一時間三キロのスピードで歩いているわけではない。四キロのスピードで歩いているときもあれば、二キロで歩いているときもあるだろう。スピードは、一歩一歩の歩幅とスピードによって変動するのだ。しかし、一定の時間と距離においては、平均三キロくらいのスピードになるだろう。

工場でも同じことが起こっている。電線の芯をトランスフォーマーにハンダ付けするのにどのくらい時間がかかるだろうか。ストップウォッチで作業時間を何回か測れば、平均がわかる。たとえば、平均四・三分だとしても、一回一回の作業時間は二・一分から六・四分の範囲に分散しているかもしれない。しかし、前もってその都度「今度は二・一分かかりますとか、五・八分かかります」などと言うことはできない。誰も予想できないのだ。

それのどこが悪いのだ。特に悪いことなどないように思える。「平均値」や「推測値」を使わざるを得ないのだ。ほかに何が使えるというのだ。

気がつくと、前の子供の足をもう少しで踏みつけるところだった。長く急な丘を登るところで、みんなのペースが少し遅くなったのだ。前方では、ハービーの後ろでみんなが詰まっていた。

「おい、ハービー何してんだよ」誰かが叫んだ。

「ハービー、早く行けよ」別の子も言った。

「おいおい、みんなそう焦るな」私は子供たちをなだめた。

ハービーがようやく丘を登りきり頂上に着いて、こちらを振り返った。彼の顔は真っ赤になっていた。

「すごいぞ、ハービー！　その調子だ！」私は彼を励ました。

ハービーの姿は、丘を越えてすぐに見えなくなった。ほかの子供たちも続けて登り、私もその後に続いた。頂上に着くと、一息ついてから前方を眺めた。

なんてことだ。いったいロンは、どこまで行ってしまったんだ。もう八〇〇メートル以上先に行っているに違いない。ハービーの前には二人しか見えない。ほかはみんな、もう遠くに消えて見えない。私は、啞然として手で口を覆った。

「おーい、急げ。もっと間を詰めるんだ」私は大声でみんなに向かって叫んだ。「もっと早く、もっと早く歩くんだ」

私の掛け声に、ハービーが小走りして足を速めた。後ろの子供たちも駆け足だ。私もその後を足早に続いた。リュックサックと水筒、それに寝袋が一歩一歩進むごとに前後左右に大きく揺れる。それよりハービーだ。いったい何を担いでいるんだ。まるで鉄くずでも背負っているような音だ。走るとガチャガチャと大きな音がする。二〇〇メートルほど進んだが、まだ先の子供たちに追いつけない。そうしているうちに、またハービーのペースが遅くなった。みんながハービーに向かって、早く行けと叫んでいる。私もハァハァと息を切らせながら歩を進めた。ようやく、はるか前方のロンの姿を視界にとらえることができた。

「おーい、ロン！」私は大きな声で叫んだ。「ちょっと待つんだ！」

私の言葉を子供たちが順に先までリレーで伝えた。ロンもおそらく私の声が聞こえたのだろう。振り返って後ろを見ている。ハービーはため息をつきながら、ほっとした表情をしている。ペースも駆け足から早歩きに落とした。ほかのみんなも同じだ。だんだん近づくと、みんな後ろを振り返ってこちらを眺めている。

「ロン、中ぐらいのペースで進めと言ったはずだぞ」

「そうしました」ロンが言い返した。

「そうか、それじゃ今度はみんなできるだけ一緒に進むようにしよう」私はみんなに向かって言った。

「五分ぐらい、休憩してもいいですか」ハービーが疲れた顔をして訊いた。

「わかった。それじゃ少し休憩だ」

ハービーは舌を出したまま道の端にどさっと崩れるように倒れ込んだ。みんな水筒の水をがぶがぶと飲んでいる。私はちょうどいい倒木があったので、その上に腰を下ろした。しばらくすると、デイブがやって来て私の隣に座った。

「父さん、なかなかやるね」

「ありがとう。どのくらい歩いたかな」

「三キロちょっとぐらいじゃない」

「それだけかい。もうそろそろ目的地に着く頃かと思っていたのに、三キロちょっとってことはないだろう」

「ロンの地図を見たけど、そんなもんだよ」

「そうか。それじゃ、もっと速く歩かないといけないな」

子供たちは、すでに列に戻っていた。

「よーし、行くぞ」私は号令をかけた。

みんな、また歩き出した。この辺の道は真っ直ぐで、前方まで全員を見渡すことができる。しかし三〇メートルも行かないうちに、また始まった。列は前後に伸び、子供たちの間が広がり始めた。畜生、この調子だと一日中、走ったり止まったりの繰り返しになる。全員一緒のペースで進むことができなければ、隊の先半分はすぐに消えて見えなくなってしまう。

なんとかしなければ。

ロンを見ると、言われたとおり中くらいの一定したペースで列を先導している。ちゃんと、みんなついていけるはずのペースだ。ロンの後ろの子供たちは、みんなロンとだいたい同じペースで歩いている。ハービーはどうだろうか。今度は大丈夫のようだ。さっき遅れたので、今度は気をつけているのだろう。遅れまいと特に頑張っているようだ。前の子供に遅れずにちゃんとついて行っている。

みんな、だいたい同じペースで歩いている。だったら、どうして先頭のロンと最後尾の私との距離は広がるのだろうか。

統計的変動？

いや、そんなことではない。変動は平均化されるはずだ。みんな同じくらいのスピードで進んでいるのだから、一人ひとりの間隔は少しずつ違っていても、一定の時間内では最終的には平均化されるはずだ。ロンと私の間の距離も一定の範囲内で広がったり縮まったりはしても、ハイキングのスタートから目的地到着までの全体では平均化するはずだ。

しかし現実は違う。みんながロンと同じ中くらいのペースで進んだとしても、列は長く伸びていく。子供たちの間隔は広がっていくのだ。

ハービーと彼の前を行く子供の間は例外だ。

ところでハービーの調子はどうだろう。彼のほうを眺めると、少し遅れては駆け足し、また少し遅れては駆け足している。ということは、同じスピードを保つためにハービーは前を行くロンやほかの子供たちよりもエネルギーを多く消費していることになる。いつまで歩いたり走ったりを繰り返すことができるのだろうか。

しかし、……みんなロンと同じペースで歩いているのに、どうしてまとまって進むことができないのだろう。

前方を見ていると、ある光景が私の目に止まった。デイブがしばらくペースを落として、ゆっくり歩いている。リュックの紐を調節しているようだ。彼の前方では、ロンがそんなことには気づくこともなく前進を続けている。間隔が三メートル、四メートル、五メートルとどんどん広がっていく。列全体の長さもその分五メートル長くなることになる。

このとき、私はようやく何が起きているのか理解し始めた。

列が進むスピードを決めているのは先頭のロンだ。その後ろで誰かがロンよりペースを落とすと、その分列が長くなる。デイブがスローダウンしたときのように、特に目立つようなペースの落とし方でなくてもいいのだ。もし誰か一人の歩幅が、ロンの歩幅よりも一センチ短ければ、列全体がその影響を受けるのだ。

だが、誰かがロンよりも早く歩いた場合はどうだろう。歩幅を大きくしたり、少し早く歩けば、開いた間隔を縮めることができるのでは……。歩幅を広くしたり狭くしたり、早く歩いたり遅く歩いたりすれば、最終的には平均化されるはずでは……。

たとえば、私が少し歩くスピードを上げたとしよう。それで列の長さが短くなるのだろうか。私と私の前の子供との間隔は一メートル半だ。もしこの子が同じペースで歩き、私がスピードを上げれば、間隔は縮まる。隊列全体の長さも短くなるかもしれない。もちろん、ほかのみんながどんなペースで進んでいるのかにもよるが。しかし私がペースを上げることができるのにも限度がある。そのままペースを上げれば、前の子供にぶつかってしまうからだ。だから、いずれ彼のペースに合わせてスローダウンしなければいけない。

一度間隔が縮まれば、前の子供のペース以上には速く進めない。その子も最終的には自分の前を行く子のペース以上には速くは進めない。その前の子も、またその前の子も、先頭のロンまで同じことが言える。ということは、先頭のロン以外、私たちの歩くスピードはそれぞれの前を行く人のスピードに依存していることになる。

だんだんわかってきたぞ。このハイキングは依存的事象なのだ……それが統計的変動と組み合わされている。みんなの歩くスピードはそれぞれ変動している。速かったり、遅かったり。しかし平均スピードより速く進むことはできない。自分の前を歩いているみんなの歩くスピードに依存するのだ。だから、たとえ私が一時間に八キロ歩けるとしても、前の子供が三キロちょっとしか歩くことができなければ、八キロ進むことはできない。また自分のすぐ前の子供が八キロ歩けるとしても、そのまた前の子供たちが八キロ歩くことができなければ、私も私の前の子供も八キロ進むことはできない。

ということは、どのくらい速く進むことができるかには限界があるということだ。私自身の限度（ずっと速いスピードで歩いていたら、そのうち倒れ、息切れして死んでしまうだろう）と一緒に歩いている子供たちの限度の両方だ。逆に遅く歩く分には制限がない。全員に当てはまる。立ち止まることもできるからだ。もし誰かが止まれば、隊列は無制限に伸びてしまう。

いまこの列で起こっているのは、異なるスピード変動の平均化ではなく、変動の蓄積なのだ。それもほとんどの場合、遅くなった分のスピードの蓄積なのだ。前の子供のペースに依存しなければならないため、速くしたスピードの変動は制限されてしまう。だから列が長くなるのだ。つまり、列を短くするには、一定の距離においてロンの後ろを歩くみんなが、ロンの平均スピードよりも速く歩かなければいけないということなのだ。

前方を見れば、どの程度距離を詰めなければならないかは、列の中でどの位置を歩いているかによって異なることがわかる。デイブはロンと比較して平均スピードより遅くなった変動分だけを補えばいい。六メートル程度だろうか。デイブと前を歩くロンとの間隔だ。しかしハービーの場合、自分自身の変動と自分の前の子供たち全員の変動の合計を補わなければいけない。最後尾の私はどうだろうか。列全体の長さを縮めるには、広がった全員の間隔を合計した距離だけ平均より速く進まなければいけない。みんなが遅くなった分全部を補わなければいけないのだ。

いったい、これと私の仕事がどう関係あるのだろうか。このハイキングもそうだが、工場には間違いなく依存的事象と統計的変動が存在している。この隊列はある意味で、製造プロセスに似ている。ある種のシミュレーションと見なしてもいいだろう。事実、この隊列も製品を作っている。「歩道」だ。先頭のロンが、まだ誰も歩いていない道、工場の原材料に相当する部分だが、これを消費して生産を開始する。ロンが最初にこの道を歩いて作業を始めるのだ。次にデイブが作業する。その後の子供も、またその後の子供も続いて作業する。そして、ハービーのところまで来る。ハービーも作業する。そしてまた、その後ろの子供たちが続いて作業を行うのだ。

工場で製品を作るのにはいろいろな作業が必要だが、私たち一人ひとりがその一つひとつの作業のようなものなのだ。つまり一人ひとりが、一連の依存的事象の一つひとつなのだ。順番は関係あるのだろうか。誰かが先頭で、誰かが最後尾を歩かないといけない。ということは、順番を変えたとしても依存的事象はなくならない。

私は一番最後の作業担当だ。私が最後に歩いて、初めて製品が販売されることになる。これが私たちのスループットだ。ロンが歩くスピードではなく、私の歩くスピードがスループットになるのだ。

ロンと私の間の距離はどうだろうか。これは在庫に違いない。ロンが原材料を消費する。ということは残りのみんなが歩く道は、最後の私が通り過ぎるまで仕掛品や部品の在庫なのだ。

作業経費はどうだろうか。在庫をスループットに変えるのが作業経費だ。このハイキングの場合は、子供たちが歩くために必要なエネルギーだろう。数量化するのは難しいが、疲れたときは自分でわかる。

もしロンと私の間の距離が広がれば、在庫が増えたことになる。スループットは私の歩く速度で、変動する子供たちのスピードに影響される。なるほど。ということは、平均よりスピードが遅くなって、その変動が蓄積すると、そのしわ寄せが私に回ってくるということだ。その結果、私もスローダウンしなければいけなくなる。つまり、在庫が増える一方、システム全体のスループットは低下するということだ。

その場合、作業経費はどうなるのだ。よくはわからない。会社の場合なら、在庫が増えれば在庫の維持コストも増える。在庫の維持コストは、作業経費の一部だから、この指標も増えるに違いない。このハイキングに当てはめて考えると、前の人に追いつこうと急ぐたびに作業経費が増える。本来、使わなくていい余分なエネルギーを使うからだ。

在庫が増え、スループットが減り、そして作業経費がおそらく増える。

私の工場と同じじゃないか。

目を上げると、前を歩く子にもう少しでぶつかるところだった。

ふむ、いまの分析の中で何か見落としていたことでもあったのだろうか。前方を見ると、隊列は広がるどころか短くなっているではないか。そうか、やっぱり最終的にすべてが平均化するんだ。私は横に身を乗り出して、一定のペースで歩いているであろうロンを探した。

しかし、私の期待に反して、ロンは道端に立ち止まっていた。

「どうして、止まっているんだ」

「昼食の時間です」彼が叫んだ。

14

「こんなところでお昼を食べる予定じゃないぞ。もっと先に行ってから食べる予定だよ。ランページ川に着いてから」誰かが言った。

「隊長からもらった計画表では、昼は一二時の予定だけど」ロンが答えた。

「もう、一二時だよ。お昼を食べないと」腕時計を指さしながらハービーが言った。

「でも本当は、ランページ川に着いてから食べる予定だよ」

「そんなこと誰も気にしないよ」ロンが言った。「お昼を食べるにはちょうどいい場所じゃないか。見ろよ」

ロンの言うとおりだ。道は公園を抜けるところで、それに具合よくピクニックエリアがある。テーブル、水、ゴミ入れ、バーベキューのグリルまで必要な物が全部揃っている（自然は好きだが、できればこういうのが揃っているところのほうが私には合っている）。

「わかった、多数決で決めよう。お腹がすいている人、手を挙げて」私は子供たちに向かって言った。

全員手を挙げた。全員一致だ。私たちは、ここで昼をとることにした。

私は近くのテーブルのベンチに腰掛け、サンドイッチを食べながら少し考え事をした。依存的事象と統計的変動が頭に引っかかっていたのだ。この二つなしで工場を運営していくのは現実には無理で、それに背を向けることはできない。しかし、その影響を克服する方法が何かあるはずだ。もし常に在庫が増え、スループットが減り続けたとしたら、会社が潰れてしまうことは火を見るより明らかだ。

バランスがとれた工場だったらどうだろう。世界中のメーカーが目指している、とジョナが言っていたやつだ。すべてのリソースの生産能力が市場の需要に一〇〇パーセント合致している工場のことだ。生産能力を需要に完全に合わせることができれば、余剰在庫はなくすことができるのだろうか。部品が不足するようなことはなくなるのだろうか。ジョナのほうが正しくてほかのみんなが間違っていることなどはたしてあり得るのだろうか。コストを下げて利益を増やすために、生産能力を削る。それがメーカーの宿命ではないのか。

このハイキングでますます頭が混乱してきた――私はそう思い始めた。確かに統計的変動と依存的事象の影響は見せてもらった。しかし、それがバランスのとれたシステムなのか。たとえば、私たちに課せられているのは一時間に三キロ歩くことだとしよう。それ以上でも、それ以下でもない。一人ひとりの子供の能力を調整して、一時間三キロずつ進むことができるようになるだろうか。それより速くては駄目だ。全員がいつも一定の速度で進むことができれば、それが理想だ。怒鳴ったり、鞭で打ったり、お金でつったり、何でもいい。そうすれば、すべてのバランスが完全にとれる。

問題は、一五人の子供の能力を現実にどうやって調整するかだ。みんなの足首をロープで結んで、歩幅を同じにしてはどうか。でも、これは少し極端すぎる。それとも自分のクローンを一五人造ろうか。そうすればアレックス・ロゴだけの隊列を作って、全員の歩く速さをまったく同じにすることができる。しかしクローン技術がかなり発達しなければ、こんなことは現実的ではない。あるいは何か別のモデル、もっとコントロールしやすいモデルでも作って、それを使えばもっとよく理解できるかもしれない。

どうすればそんなモデルが思いつくのだろうか——私は頭をしぼった。そのときふと目を上げると、近くのテーブルで子供がサイコロを振っているのが見えた。ラスベガスに行く練習でもしているのだろうか。私は特に気にも留めなかった。サイコロ博打で勝っても、ボーイスカウトの表彰バッジはもらえない。だがそのとき、いい考えが浮かんだ。私は立ち上がり、その子のところへ行った。

「そのサイコロ、ちょっとだけ貸してもらえないかな」

彼は肩をすぼめながら、サイコロを私に手渡した。

私は自分のテーブルに戻り、サイコロを二度ほど振った。そう、確かに統計的変動だ。サイコロを振るたびにランダムに目が出る。しかし一定の範囲内での予測は可能だ。つまり1から6までの目の範囲内で予測が可能なのだ。もう一つ必要なのが依存的事象だ。

何か使えるものはないかとリュックの中や周りを探すと、マッチとキャンプ用のアルミ食器セットのお椀が見つかった。私はお椀をテーブルの上に縦一列に並べ、端にマッチを置いた。これで完全にバランスのとれたシステムのモデルが出来上がった。

テーブルにセットしながら、どう試そうかと考えていると、デイブがほかの子供と一緒に私のところへやって来た。二人はテーブルの脇に立って、私がサイコロを振ってマッチを動かすのを見ていた。

「何しているの」デイブが訊ねた。

「新しいゲームを発明しているところだよ」私は答えた。

「ゲーム？　本当？」彼の友達が言った。「僕たちもやっていい？」

断る理由は特にない。

「ああ、もちろんさ」

「僕もやっていい？」デイブも訊ねた。急に興味が湧いてきたようだ。

「いいとも。だったら、あと二人くらい呼んできてくれないか」

二人が他の子供を呼びに行っている間、私はゲームの細かいルールを決めた。マッチを移動させるゲームだ。マッチ棒をマッチ箱から並べられたお椀に一本ずつ移動させるのだ。サイコロを振って出た目の数だけ、マッチ棒を次のお椀に動かすことができる。サイコロの目は各リソース、つまりお椀の処理能力を表す。並べられたお椀は依存的事象、つまり生産工程だ。どのお椀もすべて同じ能力を持っている。しかし、実際の処理量は変動する。

この変動を最小限に抑えるために、サイコロは一つしか使わないことにした。これで変動幅は1から6までに抑えられる。つまり最初のお椀から次のお椀へ動かせるマッチ棒の数は最低で一本、最高で六本ということになる。

このシステムのスループットは、マッチが最後のお椀から出てくる速さだ。在庫は、お椀の中にあるマッチ棒の合計本数。市場の需要は、このシステムで処理することのできるマッチの平均本数と等しいと仮定する。各リソースの生産能力と需要は、完全にバランスがとれている。つまり完全にバランスのとれた工場だ。

子供が五人集まった。デイブのほかにアンディー、ベン、チャック、それにエバンだ。みんな一人ずつお椀を前に座った。私は記録をつけるためにペンと紙を用意した。それから子供たちにゲームのやり方を説明した。

「自分のお椀から、できるだけたくさんのマッチ棒を自分の右隣のお椀に移すんだ。自分の番が来たらサイコロを振って、出た目の数だけ動かしていい。わかったかな」

みんな、うなずいている。「でも、動かせるのは自分のお椀の中にあるマッチ棒だけだ。だからサイコロを振って5が出たとしても、自分のお椀にマッチ棒が二本しかなければ二本しか動かせない。マッチが一本もなければ、もちろん一本も動かせない」

全員もう一度うなずいた。

「一回、回るたびに最後まで何本動かすことができると思う?」私はみんなに訊ねた。

みんな困惑した表情をしている。

「それじゃ、自分の番のとき、最高で六本、最低で一本動かせるとすれば、平均で何本動かせると思う?」

「三本」アンディーが答えた。

「違う、三本じゃないな。1と6の中間は3じゃない」

私は紙に数字を書いて、六つの数字の平均が3・5であることを子供たちに説明した。

1　2　3　4　5　6

「それじゃ、続けて何回かやったら、みんなそれぞれ平均で何本くらい動かせると思う?」また私は訊ねた。

「一回、回るごとに三・五本」アンディーが言った。

「ということは、一〇回やったら何本になるかな」

「三五本」チャックが答えた。

「二〇回だったら?」

「七〇本」今度はベンが答えた。

「よーし、それじゃやってみよう」私はみんなに声をかけた。

そのとき、テーブルの端から長いため息が聞こえた。エバンがこちらを見ている。

「このゲームやらなくてもいいですか」彼が訊ねた。

「どうしてだい」

「だって、ちょっと退屈そうだから」

「そうだよ。マッチ棒を動かすだけでしょ。あんまり面白くなさそうだよ」チャックも同じ意見らしい。

「紐でも結んでいるほうがましだよ」エバンもつまらなそうな顔をして言った。

「じゃ、もう少し面白くしよう。勝った人には褒美がある。みんなそれぞれノルマがあって、一回ごとに三・五本ずつ動かさないといけない。それより多く動かせた人、平均で三・五本以上動かせた人は、今夜は皿洗いなしだ。だけど三・五本以下だったら、勝った人の分も皿洗いしないといけない」

「それなら、面白そうだ」エバンが目を大きくして言った。

「いいよ」デイブもやる気だ。

私の提案にみんなエキサイトして、さっそくサイコロを振る練習などしている。私は紙に線を引いて準備をした。サイコロを振って出た目と平均との差を記録するのだ。最初はゼロからスタートだ。出た目が4、5、6の場合は、それぞれ0・5、1・5、2・5と記録する。逆に1、2、3の場合は、それぞれマイナス2・5、マイナス1・5、マイナス0・5と記録する。回数を重ねるごとに、これをどんどん足していくのだ。たとえば、一回目6が出て2・5と記録したら、二回目は2・5からスタートする。ゼロからではない。工場ではそうなのだ。

「よーし、みんな準備はいいか」

「みんな準備完了」

私はサイコロを一番端のアンディーに渡した。

アンディーがサイコロを振った。2が出た。彼はマッチ箱からマッチを二本取り出し、隣のベンのお椀に入れた。2だから、平均の3・5より1・5少ない。私はそれを紙に記録した。

次にベンがサイコロを振り、4が出た。

「おい、アンディー、あと二本マッチくれよ」

「駄目だ、駄目だ。それは、ルール違反だぞ」

自分のお椀に入っているマッチしか動かすことができないのだ。

「でも、二本しかないよ」ベンが言った。

「それじゃ、二本しか動かせない」

「えーっ」ベンが不満げな顔をしている。

渋々、ベンは自分のマッチを二本、隣のチャックに渡した。ベンのスコアもマイナス1・5と記録した。

次にチャックがサイコロを振った。5が出た。しかし動かせるマッチはまた二本しかない。

「これ、フェアじゃないよ」チャックが叫んだ。

「そんなことはない」私は彼に言った。「マッチを動かすのがこのゲームなんだ。アンディーとベンが二人とも5を出していれば、君も五本動かせたけど、そうじゃないんだからしかたがない」チャックは、うらめしそうな顔をしてアンディーを見つめた。

「次は、もっと大きいのを出せよ」チャックが声をかけた。

「そんな無理言うなよ」アンディーが答えた。

「心配するな。すぐに追いつくさ」ベンは自信ありげだ。

チャックはマッチ棒二本をデイブに渡した。私はチャックにもマイナス1・5と記録した。次にデイブがサイコロを振った。1が出て、隣のエバンにマッチを一本だけ進めた。次のエバンも1だった。彼はお椀からマッチを一本取り出してテーブルの端に置いた。デイブとエバンには、共にマイナス2・5と記録した。

「よし、次はもっとうまくできるかな」私はみんなに言った。

アンディーが時間をかけてサイコロを手の中で振っていたので、みんな早く出せよと叫んでいる。ようやく振り出されたサイコロがテーブルの上を転がった。みんな、サイコロが止まるのをじっと眺めている。6だ。

「やったあ！」

「やったな、アンディー！」

アンディーはマッチ箱からマッチを六本取り出し、ベンに渡した。私は、紙にプラス2・5と書いた。これで、ベンの合計のスコアは1・0だ。

ベンが次にサイコロを振った。また6が出た。みんな大騒ぎだ。ベンは六本全部をチャックに渡した。ベンもアンディーと同じスコアだ。

しかし、次のチャックが振って出た目は3だった。マッチ三本をデイブに渡したが、お椀にまだ三本残っている。彼のスコアはマイナス0・5だ。

次にデイブがサイコロを振った。6が出たが、動かせるマッチは四本しかない。いまチャックからもら

	アンディー	ベン	チャック	デイブ	エバン
回	1234567890	1234567890	1234567890	1234567890	1234567890
サイコロの目	26	46	53	16	13
マッチの移動	26	26	23	14	13
在　庫　数		00	03	10	01
変動　＋／－					
＋2					
＋1.5					
＋1	*	*			
＋0.5					
0					
−0.5					
−1					
−1.5	*	*	*		
−2			*	*	
−2.5				*	*
−3					*
−3.5					

った三本と前の回で残った一本だ。しかたなくデイブは四本だけマッチをエバンに渡した。スコアはプラス0・5だ。

次のエバンが出した目は3だった。これで、一本だったテーブルの端のマッチの数が三本増えた。エバンのお椀の中には、まだマッチが一本残っている。エバンには、マイナス0・5とスコアをつけた。

全員二回、回ったあとのスコアは上のようになった。

私たちはゲームを続け、みんな順番に次々とサイコロを振った。マッチ箱からマッチ棒を取り出し、お椀からお椀へと動かした。先頭のアンディーの出す目は、大きい目や小さい目ばかりではなく、だいたい平均している。なんとかノルマをこなしている。しかし順番が後ろのほうの子は、状況がちょっと異なる。

「おい、もっとちゃんとこっちにマッチを回してくれよ」

「マッチが足りないよ」

「アンディー、ずっと6ばかり出せよ」

「アンディーよりチャックだよ。見ろよ、こいつ五本もため込んでるよ」

全員四回、回った後で、紙が足りなくなった。マイナスの

```
            アンディー  ベン        チャック    デイブ      エバン
回          1234567890  1234567890  1234567890  1234567890  1234567890
- - - - - - - - - - - - - - - - - - - - - - - - - - - - - - - - - - - -
サイコロの目 26425       46152       53225       16351       13641
マッチの移動 26425       26152       23225       14221       13321
- - - - - - - - - - - - - - - - - - - - - - - - - - - - - - - - - - - -
在 庫 数                00303       03252       10004       01000
- - - - - - - - - - - - - - - - - - - - - - - - - - - - - - - - - - - -
変動 +/-
+2.5
+2
+1.5          * *
+1           *           *
+0.5
0           ---*----------*-------------------------------------------
-0.5
-1
-1.5        *           * * *       *
-2                                   *           *
-2.5                                            *           *
-3                                                           *
-3.5                                  * *         *           *
-4
-4.5
-5                                     *           *           *
-5.5
-6
-6.5
-7
-7.5                                                *           *
-8
-8.5
```

数字がどんどん増えていって、スコア表をもっと下に伸ばさないといけなくなったのだ。アンディー、ベン、チャックの三人は大丈夫だが、デイブとエバンはひどい。いくら表を下に伸ばしても、どんどんマイナスが増えすぐに足りなくなりそうだ。

　五回、回った後のスコアは上図のとおりだ。

「僕のスコアはどうですか」エバンが心配そうに私に訊いた。

「そうだな、タイタニックって知ってるかい」

　彼はすっかり意気消沈してしまった。

「あと五回あるから、まだなんとかもち直せるかもしれないぞ」

「そうだ、平均の法則を思い出せよ」チャックが言った。

「お前たちがマッチをちゃんとこっち

に回さないからこうなるんだぞ。もしこれで僕が皿洗いさせられたら……」みんなを脅すようにエバンはそう言った。

「僕は、ちゃんと自分の仕事を果たしているよ」アンディーが答えた。

「そうだよ、何か文句あるのかよ」ベンは強気だ。

「何言ってんだよ。やっとマッチ棒が回ってきたばっかりなんだぞ。さっきまで全然回ってこなかったんだからな」デイゾが不満そうに答えた。

確かにそうだ。最初の三人のお椀に溜まっていた在庫がようやくデイブに回ったところだったのだ。しかし今度は、回ってきたマッチがデイブのところに溜まっている。最初の五回のうち二回は大きな目が出たので、平均すればまあまあだったが、動かせる在庫がようやく回ってきたと思ったら、今度は小さい目しか出ない。

「デイブ、ちゃんとこっちに回してくれよ」今度はエバンがデイブに訴えている。

デイブがサイコロを振った。

「おーい、たったの一本かい」

「アンディー、今日の夕食何だか知ってる?」ベンが訊ねた。

「スパゲッティだろ」アンディーが答えた。

「それじゃ、後片づけは大変だ」

「ああ、やらなくていいから助かったよ」アンディーが言った。

「ちょっと待てよ。デイブが大きい目を出すかもしれないから、まだ気が早いぞ」エバンが言った。

しかし、状況は変わりそうにもない。

	アンディー	ベン	チャック	デイブ	エバン
回	1234567890	1234567890	1234567890	1234567890	1234567890
サイコロの目	2642536452	4615254633	5322561565	1635122132	1364145342
マッチの移動	2642536452	2615254633	2322561565	1422122132	1332122132
在　庫　数		0030313132	0325214520	1000487###	0100000000

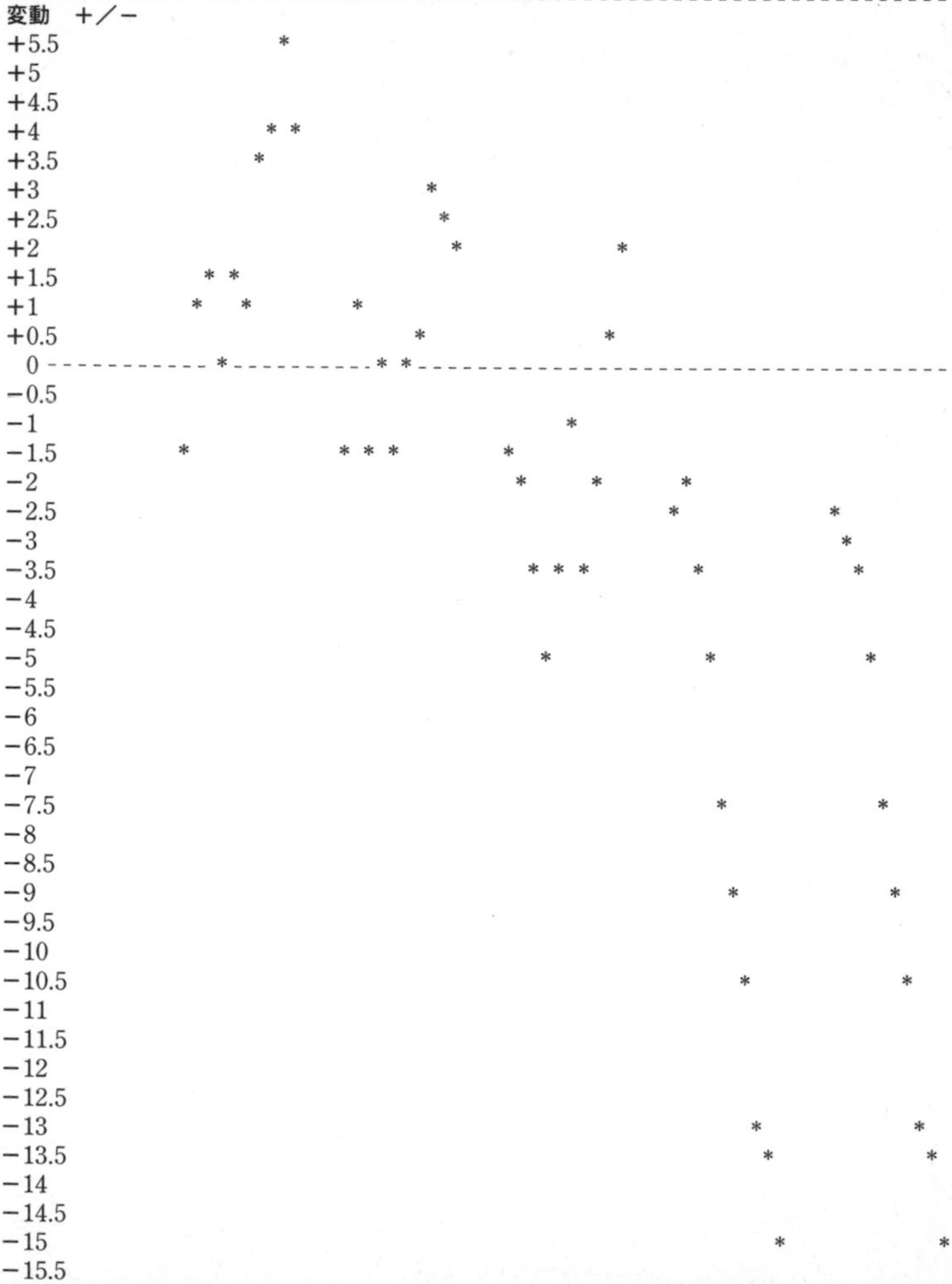

```
変動 +／−
        1234567890  1234567890  1234567890  1234567890  1234567890
+5.5            *
+5
+4.5
+4             * *
+3.5          *
+3                         *
+2.5                        *
+2                           *           *
+1.5      * *
+1       *   *       *
+0.5                      *             *
0 ---------*-----------*-*----------------------------------------
-0.5
-1                                   *
-1.5    *           * * *       *
-2                               *     *     *
-2.5                                        *           *
-3                                                       *
-3.5                              * * *       *           *
-4
-4.5
-5                                 *           *           *
-5.5
-6
-6.5
-7
-7.5                                            *           *
-8
-8.5
-9                                               *           *
-9.5
-10
-10.5                                             *           *
-11
-11.5
-12
-12.5
-13                                                *           *
-13.5                                               *           *
-14
-14.5
-15                                                  *           *
-15.5
```

8、9、10回目のデイブのマッチの在庫はそれぞれ11本、14本、17本と2ケタになっている。

「僕のスコア、今度はどうですか」エバンがまた訊ねた。

「もう、ほぼ決まりだな」

「やったあ、今夜は皿洗いなしだ」アンディーが叫んだ。

一〇回、回った後の結果はごらんのとおりだ……。

私はスコアを眺めた。信じられないような結果だ。バランスのとれたシステムのはずなのに、スループットは減り在庫は増えた。作業経費はどうだろうか。もしマッチの在庫維持コストがあるとすれば、作業経費は増えていたことだろう。

もし、これが現実の工場で、客がいたとしたらどうなるんだ。いったい、製品をいくつ出荷できたのだ。予想は三五本だったが、実際のスループットはたったの二〇本だ。予想の半分ちょっとじゃないか。最大生産能力にはほど遠い結果だ。これがもし実際の工場だったら、オーダーの半分、いやそれ以上かもしれないが、出荷が遅れていただろう。これでは客に納期日を約束するなんてことはできない。約束でもしようものなら、顧客への信用はガタ落ちになるだろう。

どこかで聞いたことのあるような話だ。

「まだ、終わりじゃないぞ」エバンが抗議している。

「そうだ、もっと続けよう」デイブも一緒だ。

「いいよ」アンディーが言った。「今度は何を賭ける？」

「今度は、誰が食事を作るのか賭けよう」ベンが提案した。

「よし」デイブが答えた。

「僕もだ」エバンもその気だ。

子供たちは、サイコロをあと二〇回ずつ振った。しかし、エバンとデイブのスコアをつけるのに、やはり紙が足りなくなった。このゲームを始める前、私はいったい何を期待していたのだろうか。ゲームのスタート時点、スコア表にはプラス6からマイナス6までしか書いていなかった。きっと大きな目と小さな目が平均的に出て、単純な波線になるとでも思っていたのだろうか。だが、結果は予想に大きく反したものだった。代わりにグランドキャニオンの断面図みたいな線になった。在庫のフローはコントロールできないし、それにフローというよりは津波のような動きだ。デイブのところに溜まったマッチ棒がエバンのところへ、そしてテーブルの端へとようやく移動する。しかし、また波が押し寄せては溜まる。そして、ますます生産スケジュールから遅れていくわけだ。

「もう一度やるかい」アンディーが訊ねた。

「ああ、でも今度は場所を交代だ」エバンが言った。

「それは駄目だ」アンディーが答えた。

チャックも真ん中で首を振っている。いずれにしても、もう休憩は終わりだ。

「まったく大したゲームだよ」エバンが皮肉った。

「ああ、まったくだ」私はつぶやいた。

15

しばらく私は前方を行く列を眺めていた。相変わらず子供たちの間隔は広がりつつある。私は首を横に振った。こんな簡単なハイキングにてこずっていて、どうやって工場の問題に対応できるのだ。いったい何が原因だったんだ。私はサイコロ・ゲームのことを考えていた。バランスのとれたモデルのはずだったのに、どうしてうまくいかなかったのだ。歩きながら私は一時間ほど考え込んだ。その途中二度ほど列を止め、子供たちが先頭に追いつくのを待った。その後しばらくして、頭の中がしだいに整理され始めた。

順番が後ろのほうの子供たちには、遅れ出すとそれを取り戻す余分な力はなかった。蓄えはないのだ。マイナスの数が蓄積していくにつれ、さらに深く深くと穴にはまっていった。

そのとき、学生時代の数学の授業を思い出した。とうの昔に忘れ去っていた記憶である。確か共分散とかいう理論で、同一グループ内のある変数が他の変数に与える影響のことだったと思う。数学の原理によると、複数の変数で構成される一次依存において、変数は直前の変数の最大偏差を基準に変動する。バランス・モデルで起こったことはこの原理で説明できる。

しかし、それを使って何をすればいいのだ。

このハイキングでは、遅れている子供がいれば急げと声をかけることもできるし、先頭のロンにゆっくり歩けとか止まれとか指示して間隔を縮めることもできる。工場の場合は、作業が遅れ仕掛りの在庫が溜まり始めたら、人を回したり、残業させたり、作業員を鞭打ったりして製品を出荷する。それができれば、在庫が徐々に減っていく。そう、走ればいいんだ（事実、我々はいつも走っていて決して止まることはないではないか。作業員に何もさせないでいることはタブーなのだ）。でも、なぜか追いつけない。どうしてなんだ。いつもちゃんと走っているではないか。走り過ぎて息切れするくらいだ。

視線を上げ前方の列を眺めると、間隔が広がるばかりでなく、広がるスピードも増している。そのとき、変わったことに気づいた。前の人につかえている子供が一人もいないのだ。私は例外だ。私はハービーの後ろでつかえている。

ハービー？　いったい、どうしてハービーがここにいるんだ。

私は道の横に身を乗り出し、もう一度よく前方を眺めた。先頭はいつの間にかロンではなくなっていた。ロンは三番目を歩いている。その前はデイブだ。先頭は誰なのだろう。遠すぎてよく見えない。子供たちが勝手に順番を変えたのだ。

「ハービー、どうしてこんな後ろを歩いてるんだ」私は訊ねた。

私が声をかけるとハービーが後ろを振り返った。「一番後ろで一緒に歩いたほうがいいと思ったんだ。そうすれば、誰の邪魔にもならないから」そう言いながら、ハービーは後ろ向きに歩き始めた。

「そうか……。おい、気をつけろ！」

後ろ向きに歩いていたハービーは、木の根っこにつまずいて尻もちをついた。

私は手を貸してハービーを起こした。

「大丈夫か」

「はい、大丈夫です。でも、やっぱりちゃんと前を見て歩いたほうがよさそうですね。話しにくくなるけど」

「そうだな。まあ、前を向いて一人でゆっくりとハイキングを楽しみなさい。おじさんも考え事がいっぱいあるから」また歩き始めながら、私は彼にそう言った。

確かに考えたいことがたくさんあった。ハービーのことでちょっとしたことに気づいたのだ。ハービーはこの子供たちの中では一番歩くのが遅い。昼前もそうだったが、よほど頑張らないとついていけない。いい子だし素直なのだが、歩くのは誰よりも遅い。自分の歩きやすい速さ、最適速度とでも言っておこうか、その速さで歩いていると、後ろの人がつかえてしまう。

いま、ハービーの後ろでつかえているのは私だけだ。他の子供たちもわざとそうしたのか、偶然なのかはわからないが、後ろの人の邪魔にならないよう順番が入れ替わっている。列の先頭まで、つかえているところは一か所もない。一番歩くのが速い子が先頭に、一番遅い子が一番後ろになっている。みんな、ハービーのように自分の最適速度がわかっているようだ。もしこれが工場だとしたら、次から次へと仕事が供給され、アイドルタイムなしだ。

しかしよく見ると、子供たちの間隔はますます広がり、列はこれまでになく前後に長く速く伸びている。先頭に行けば行くほどそうだ。

こんなふうに考えてみてはどうだろう。ハービーは自分のスピードで歩く。そのスピードは私の潜在的スピードよりも遅い。しかし私はハービーに依存しているため、私の最大スピードはハービーが歩くスピードと同じだ。スループットは私のスピードだ。ハービーのスピードが私のスピードを制限しているのだから、ハービーのスピードがスループットを決定している。

なんてこった。

ほかのみんながどれだけ速く歩こうが、あるいは速く歩くことができようが、それは一切関係ない。いま、誰が先頭を歩いているのかは知らないが、その子は平均以上のスピードで歩いているに違いない。時速五キロくらいだろうか。だけど、それがどうだというのだ。彼が速く歩いたからといって、列全体のスピードを上げるのに役立っているのか。スループットを上げるのに役立っているのか。とんでもない。みんな自分の後ろの人より少しずつ速く歩いているが、列全体のスピードを上げるのに役立っている子は一人もいない。一番後ろではハービーが自分のペースでゆっくりと歩いている。結局は彼が列全体のスループットを決定しているのだ。

一番ゆっくり歩く人のペースによって列全体のスループットが決まる。しかし、それがいつもハービーとは限らない。昼前のハービーのペースはもう少し速かった。誰が一番遅かったかはわからないが、ハービーのような役割、つまりスループットを妨げる最大の要因は列のなかで移動するのだ。ある特定の時間において、誰が一番遅いのかによるのだ。しかし全体的に見れば、ハービーが一番遅い。彼の速度が最終的には列のスピードを決定する。ということは……。

「見てください」ハービーが、私に声をかけた。

彼は、道端のコンクリートの道標を指さしている。マイルストーン（距離を示す標石）ではないか。本物のマイルストーンだ。子供たちが、まだか、まだかと言っていたが、ようやく今日初めてのマイルストーンに出合えた。そこにはこう刻まれていた。

〈これより八キロ〉

すると、ここがちょうど中間地点か。あと八キロ。

いま、何時だろう。

時計を見ると、なんともう二時半ではないか。出発したのは朝の八時半。昼食で休んだ時間を引くと、八キロを五時間かかって歩いた計算だ。

予定の一時間三キロくらいのスピードではない。一時間にその半分しか進んでいない。するとあと五時間以上もかかるということか……。

そんなにゆっくりでは、到着する頃は、もう暗くなっているに違いない。

ハービーときたら私の横に立って、列全体のスループットを遅らせている。

「よし、行こう」私はハービーに気合を入れた。

「わかりました。わかりましたよ」ハービーは飛び跳ねるようにまた歩き出した。

いったい、どうしたらいいのだろう。

（私は頭の中で自分に呼びかけた）アレックス、この負け犬め！　ボーイスカウトの子供たちさえちゃんと管理できないのか。先頭でスピード記録を作ろうとしている子供もいれば、お前は一番のろまのデブちゃんの後ろでのろのろ歩いているのか。一時間もすれば先頭は（もし本当に一時間五キロのペースで進んでいれば）三キロ以上も先に行ってしまうぞ。追いつくには、五キロ走らないといけなくなる。

もしこれが工場だとしたら、三か月も時間はくれないだろう。いま頃、もうとっくにクビだ。五時間で一六キロ歩くというのが計画だった。しかし、そのたったの半分しか達成していない。在庫は、はるか彼方まで伸び、その維持コストも増加している。これでは会社は倒産だ。

だからといって、ハービーをどう助けたらいいのだ。順番を変えることはできるが、それで速く歩けるようになるわけではない。何もできないのか？

いや、それとも……。

「おーい！」私は前に向かって叫んだ。「みんな、前の人に止まるように伝えてくれ」

子供たちは、私の指示を順番に先頭までリレーした。

「みんなが追いつくまでいまの場所で止まって待つんだ！　順番はそのままだ！」

一五分後、ようやく列の先頭まで追いついた。先頭はアンディーだった。私は、歩いていたときと順番を変えないようにと、みんなが揃ったところでもう一度言った。

「よしっ、全員手をつなぐんだ」

みんな、互いの顔を見合わせている。

「いいから、早く手をつなぐんだ！　手を放したら駄目だ」

全員手をつなぐと、私はハービーの手を取って、まるで鎖を引きずるように、みんなの横をすり抜け前に進んだ。みんな、手をつないだまま後に続いた。先頭のアンディーを越し、そのまま前に進んだ。列の長さの二倍ほどの距離を行ったところで、私は立ち止まった。列全体の前後をひっくり返して、順番をさっきまでとまるっきり反対にしたのだ。

「みんな聞くんだ！　目的地までこの順番で行く。いいか。前の人を追い越しては駄目だ。みんな前の人に遅れないように。先頭はハービーだ」

ハービーが驚いた顔をした。「僕が？」

みんなも、あっけにとられている。

「ハービーが、一番前？」アンディーが声を上げた。

「でも、あいつ一番遅いよ」ほかの子も言った。

「誰が一番早く着くか、競争しているんじゃないんだ。みんなで一緒に着かないと意味がない。個人行動ではないんだ。チームなんだ。チームなんだから、全員が着くまで着いたとは言えない」

そう私が言い終えると、列はまた前進を始めた。いいぞ、うまくいっている。本当だ。みんなハービーの後ろから離れないで続いている。私は列の最後尾について、子供たちの間が開かないように監視することにした。だが間が開くような様子はなかった。列の真ん中あたりで誰かが止まって、リュックの紐を調節している。しかしまた歩き始めると、みんな少しスピードを上げ、すぐ前に追いついた。息切れしている者は一人もいない。すごい！

しかし、すぐに後ろのほうの子供たちがぶつぶつ言い出した。

「おーい、ハービー！」誰かが叫んだ。「眠くなってきたよ。もう少し速く歩けないのか」

「一所懸命歩いているんだから、からかうのはやめろよ！」ハービーのすぐ後ろの子が言った。

「もっと速い人を前にしたら」前を歩いている子が私に言った。

「いいか、もっと速く進みたいんだったら、どうやってハービーのスピードを上げられるか考えるんだ」

私がそう言うと、みんな黙り込んだ。

しばらくすると、列の後方の子が言った。「おーい、ハービー、リュックの中に何が入ってるんだ」

「関係ないだろ！」ハービーが答えた。

「よし、ちょっとここで休憩だ」私はみんなに声をかけた。

ハービーが立ち止まって、後ろを振り返った。こっちに来てリュックを下ろすように言うと、さっそくハービーが後ろにやって来た。リュックを下ろすのを手伝おうとすると、重くてもう少しで落としそうになった。

「ハービー、ずいぶん重いな。いったい、何が入ってるんだい」

「別に、そんなに入ってないよ」

私はリュックを開けて中に手を入れてみた。六缶パックのジュースに、スパゲッティの缶詰がいくつか。それからチョコレートが一ケース、ピクルスが一瓶、ツナの缶詰が二缶。レインコート、長靴、テントの杭が入った袋の下からは、大きな鉄製のフライパンが出てきた。リュックには入れていないが、折りたたみ式の軍隊用鉄製ショベルまで持っている。

「ハービー、どうしてこんなにたくさん持ってきたんだ」私は訊ねた。

「ちゃんと準備してくるように言われたから……」少し恥ずかしそうな顔をしてハービーが答えた。

「よし、みんなで分担して持とう」

「いいよ、自分で持てるよ」ハービーが言い張った。

「ハービー、いいかい。ここまで頑張って持ってきたのはわかるけど、もっと速く進まないといけないんだ。軽くなれば、もう少しは速く歩けるだろう」

私の話を聞いて、ようやくわかってくれたようだ。アンディーが鉄のフライパンを持ち、ほかの何人かの子供たちにも少しずつ持ってもらった。しかし、ほとんどは私のリュックに入れた。一番体が大きいのだからしかたないだろう。ハービーはまた先頭に戻った。

再びみんなが歩き出すと、ハービーの歩きも軽やかだ。リュックがすっかり軽くなり、まるで空気の上を歩いているような気分だろう。今度は速い。さっきまでの二倍くらいの速さだ。それに、みんなバラバラにならない。在庫が減ってスループットが増えた。

悪魔の峡谷は、夕方の太陽に照らされて美しい。谷底にはランページ川が岩や石の上を白い泡を立てながら流れている。金色に輝く太陽光線が木陰を通して移動し、鳥のさえずりが聞こえてくる。遠くからは、高速で走るクルマの音が聞こえる。聞き間違えようのない音だ。

「見ろよ！」絶壁に突き出た岩の上に立って、アンディーが叫んだ。「向こうに、ショッピングセンターが見えるよ！」

「マクドナルドはある？」ハービーが言った。

「どこが自然なんだよ」デイブが不平をもらした。

「昔の自然とは違うんだよ」私は言った。「これで、我慢しないといけない。さあ、ここでキャンプだ」

いまの時刻は夕方五時。ということは、ハービーの荷物を軽くしてから、六・四キロを二時間で歩いたことになる。ハービーが列全体のスピードの鍵を握っていたのだった。

みんなでテントを張った。スパゲッティの夕食は、デイブとエバンが準備した。例のゲームのせいで、食事当番にさせられたのだ。少し罪悪感を覚えたので、私も食後の後片づけを手伝った。

デイブと私は、その晩一緒のテントに寝た。二人でテントの中に横になった。かなり疲れている。しばらく静かにしていたデイブが話しかけてきた。

「父さん、今日はなかなかだったじゃない」

「そうかい？　どうして」

「だって、みんなバラバラに歩いていたのに、その原因を考えて、まとまって歩けるようにしたじゃない。ハービーを一番前にして……。父さんがいなかったら、いま頃まだ歩いていたかも。ほかの子の親は何もしてくれないけど、父さんは違う」

「そうかい、ありがとう。父さんも、今日はずいぶんいろいろ勉強させてもらったよ」

「本当？」

「ああ、父さんの工場でも役に立ちそうだ」

「本当？　どんなこと」

「聞きたいのかい」

「もちろん」デイブがせがんだ。

　私たちは、そのまましばらく寝ないで話を続けた。デイブも頑張って私の話を聞き、質問などもした。話が終わった頃、辺りから聞こえてくるのはほかのテントで寝ている子供たちのいびきと虫の鳴き声だけだった。それから遠くのハイウェイからはタイヤがキーッと擦れる音が時折聞こえた。

16

デイブと私は、日曜の午後四時半頃、家に戻った。二人とも疲れてはいるが、歩いた距離の割に気分は爽快だった。クルマを家に乗り入れると、デイブがクルマから飛び降り、車庫のドアを開けた。私はゆっくりとクルマを車庫に入れ、後ろに回ってトランクを開け、荷物を降ろした。

「母さんは、どこだろう」デイブが言った。

辺りを見回すと、ジュリーのクルマがない。

「たぶん、買い物にでも行っているんだろう」私はデイブに言った。

家の中に入ると、デイブはさっそくキャンプ道具をしまっている。私は寝室に着替えに行った。熱いシャワーは最高に気分がいい。キャンプの汚れをすっかり洗い落とすと、今夜は家族みんなで外食に行こうと考えた。父と息子の凱旋を祝って、何かうまいものでも食べに行こう。

寝室のクローゼットのドアが開いていたので、閉めようと近づくと、ジュリーの服がほとんどないのに気がついた。私は空っぽになったクローゼットを見つめながら、しばらくそこに立ち尽くした。デイブが後ろからやって来た。

「父さん」

私は、振り返った。

「キッチンのテーブルにこんなものがあったよ。母さんだと思うけど」

デイブから封のされた封筒を受け取った。

「ありがとう、デイブ」

彼が部屋から出て行くのを待って、私は封筒を開けた。中には短い手書きのメモが入っていた。

アレックス
いつも後回しにされるのにはもう我慢できません。もっとあなたと過ごしたいと思っていたけど、あなたは変わらないようですね。しばらく家を留守にします。いろいろ考えたいことがあるの。こんなとして、ごめんなさい。あなたが忙しいのはわかっています。
ジュリー

追伸：シャロンは、あなたのお母さんに預けました。

しばしの間、私はそこに立ち尽くした。私はジュリーのメモをポケットに入れデイブのところに行って、シャロンを迎えに行ってくるから家にいるようにと告げた。それからジュリーから電話があったら、どこからかけているのか、それから連絡先の電話番号も聞いておくようにと言った。デイブは何があったのか知りたいようだが、心配する必要はない、シャロンを連れて家に戻ったら説明するからと彼に言った。

私は急いで母の家に向かった。彼女の家に着くと、母はドアを開けるなり、私が挨拶もしないうちにジュリーの話を始めた。

「アレックス。ジュリーったら、とても変だったのよ。昨日、お昼を作っていたら玄関のチャイムが鳴ったの。ドアを開けたら、シャロンが小さなカバンを持ってここに立っているじゃない。ジュリーは道路脇に停めたクルマに乗ったままだったわ。彼女ったらクルマから降りてこないのよ。話をしようと思って近づいたら、そのままクルマを運転して行っちゃったの」

母の話を聞きながら、私は家の中に入った。シャロンはリビングでテレビを見ていたが、私を見るといきなり駆け寄ってきた。抱え上げると、私に強く抱きついてきた。母は、まだ話を続けている。

「話は、後にしよう」私は母に言った。

「何が何だか、少しもわからないわ、だって……」

「話は後から……いいかい？」

そう母に言ってから、私はシャロンの顔を見た。ずいぶんとこわばった表情をしている。目は大きく開き、怯えた様子だ。

「それで……、おばあちゃんのところは楽しかった？」

うなずいてはいるが、一言もしゃべらない。

「家に帰ろうか？」

シャロンは視線を床に落とした。

「家に帰りたくないの？」

彼女は、肩をすぼめた。

「ここで、おばあちゃんといるほうがいい？」母が笑顔でシャロンに話しかけた。

すると、シャロンが泣き出した。

私はシャロンと彼女のカバンをクルマに入れ、自宅に向かった。通りを二つほど過ぎたあたりで、シャロンを見ると、まるで小さな銅像のように体を硬くして真っ直ぐ前を向き、赤くなった目でダッシュボードの上をじっと見ている。次の信号で止まると、私はシャロンに手を伸ばし近くに引き寄せた。

しばらく彼女は黙っていたが、ようやく私のほうを見上げてささやいた。「ママは、まだ私のこと怒ってる？」

「怒ってる？　シャロンのことなんか怒ってないよ」

「怒ってるよ。話してくれないんだもん」

「違うよ。シャロンのことなんか、ちっとも怒ってないよ。何も悪いことしてないだろ？」

「じゃ、どうして？」

「家に着いてから話すよ。お兄ちゃんとシャロンに一緒に説明するから」

二人一緒に説明したほうが話は楽だ。子供たちにとって、というより私にとってだが。どんな混乱した状況であっても、私は常に表向きは冷静に取り繕うことができる。子供たちには、ジュリーがしばらく帰って来ないとだけ伝えた。二、三日したら、ちゃんと戻って来る、気に入らないことや頭が混乱するようなことがいっぱいあったので、少し考える時間が必要なのだと。子供たちには、「父さんも母さんも、二人のことを愛しているよ」、「お前たちは、少しも悪くないよ」、「すぐ、元通りになるよ」などと普通の親なら言いそうな慰めの言葉を一通りかけた。二人とも岩のように硬くなってずっと座ったままだ。私の言ったことをじっと考えているのだろう。

夕飯は三人で外にピザを食べに行った。普段だったら楽しいはずの外食なのだが、今夜はとても静かだ。

誰もしゃべらない。ただ、食べて帰ってきただけだ。

家に戻ると、ちゃんとやるかどうかはわからなかったが、とりあえず二人に学校の宿題をさせた。その間に私は電話に向かった。長いこと頭の中でいろいろ考えたが、何本か電話をかけた。

私の知っている範囲では、ジュリーはベアリントンには友達がいない。だから、近所に電話しても無駄だ。誰も何も知らないだろうし、何か揉め事かとすぐ噂にされてしまうだけだ。

近所はやめて、まずジェーンに電話してみた。以前住んでいた近くの友達だ。木曜の夜、ジュリーが一緒だったと言っていた友達だ。しかし、誰も電話に出ない。

次に、ジュリーの両親に電話をかけた。彼女の父親が電話に出た。天気や子供について少し世間話をしたが、ジュリーについては何も言わない。きっとまだ知らないのだと私は結論づけた。特に何も説明せずに、そろそろ電話を切ろうかと考えていると、彼のほうから訊いてきた。

「ところで、ジュリーは電話に出ないのかね」

「ええ、あの、実はそのことで本当は電話をしたのですが」

「ほう、変な話じゃないだろうね」

「実は、あまりいい話ではないんです。昨日デイブとキャンプに行っている間に、ジュリーが家を出て行ってしまったんです。彼女からそちらに連絡がなかったかと思って」

すぐに彼はジュリーの母親にも事を伝えたようだ。その彼女が電話に出た。

「どうして出て行ったの」

「わかりません」

「自分の娘だからわかるけど、何も理由がないのに家を出て行ったりする娘じゃないわ」

「しばらく家を留守にするという置き手紙だけおいて出て行ったんです」

「いったい、あの娘に何をしたの」彼女が叫んだ。

「何もしていませんよ！」私は自らを弁護した。彼女の勢いに押され、苦しまぎれの嘘をついているような気分だ。

また、ジュリーの父親に代わった。今度は、警察に連絡したかと訊かれた。誘拐されたのではと心配しているのだ。それは、まずないだろうと私は答えた。私の母が、ジュリーが運転して立ち去るのを見ているし、彼女にピストルを突き付けていた奴もいなかった。

「もし、ジュリーから連絡があったら、私に電話するよう伝えてください。とても心配しているから」と最後に私は伝えた。

一時間後、私は警察にも電話してみた。しかし予想どおり、犯罪が起こったという証拠がないと動いてくれない。私は子供たちをベッドに入れた。

夜中一二時を過ぎて、しばらくしてからのことだ。暗くなった寝室の天井をじっと見つめていると、誰かがクルマで乗り入れる音がした。私はベッドから飛び起き、窓に向かった。外を見ると、クルマのヘッドライトは弧を描くように道路に向きを変えていた。誰かが、クルマの向きを変えただけだったようだ。クルマはそのまま立ち去った。

17

月曜の朝は大変だった。

デイブがみんなの朝食を作ろうとしたのが事の始まりだった。みんなのためにとは、いい心がけなのだが、結果は悲惨だった。私がシャワーを浴びている最中、デイブがホットケーキを焼こうとしていた。ちょうどひげ剃りが半分くらい終わった頃、キッチンから子供たちが喧嘩する声が聞こえてきた。急いでキッチンに駆けつけると、デイブとシャロンが押し問答しているではないか。床にはフライパンが転がり、その中には片面が真っ黒、もう片面が半生状態のホットケーキがのっていた。

「おい、いったい何を揉めているんだ」私は二人に向かって叫んだ。

「みんな、シャロンのせいだよ」デイブが妹のシャロンを指さした。

「お兄ちゃんが、真っ黒に焦がしていたんじゃない」

「そんなことしてないよ」

コンロから何かが焼け焦げて煙が上がっていたので、私は慌てて火を止めた。

「手伝ってあげようと思っただけよ。でも、お兄ちゃんが手伝わせてくれなかったの」とシャロンは私に訴えると、今度はデイブのほうを見て「私だって、ホットケーキの作り方ぐらい知ってるわよ」と抗議した。

「わかった、わかった。要するに、二人ともお互いのためにと思ってやったことなんだね。それだったら、後片づけぐらいは一緒にできるね」私は二人に向かって言った。

しばらくして落ち着きが戻ったところで、私は子供たちに冷たいシリアルを食べさせた。今朝の食事もみんな無言だった。

朝の騒ぎで、シャロンはスクールバスに乗り遅れてしまった。デイブを送り出したあと、学校までクルマで送って行こうとシャロンを探すと、ベッドの上で横になっていた。

「さあ、そろそろ行こうか」

「学校には行けないわ」

「どうして」

「病気なの」

「シャロン、学校にはちゃんと行かなくっちゃ」

「だって、病気なの」彼女が言い張った。

私は近寄って、ベッドの端に腰を下ろした。

「機嫌が良くないのはわかるけど、父さんも同じだ」私は説くように話しかけた。「だけど、父さんは仕事に行かないといけないから、一緒に家にいてあげられないし、シャロンだけ残して出かけるわけにもいかない。だから、おばあちゃんの家に今日一日行くか、それとも学校に行くか、どっちかにしないといけないな」

そう話しかけると、シャロンがすっと体を起こした。私は彼女の肩に腕を回した。

しばらく考え込んでいたシャロンだったが、最後は「じゃ、学校に行く」と降参した。

私は、彼女をぎゅっと抱きしめ「お利口さんだ。ちゃんと学校に行くって父さんにはわかっていたよ」と褒めてやった。

子供たちを学校に送り出し、会社に着いたのは午前九時過ぎだった。事務所に入ると、秘書のフランがメッセージのメモを私に向かって振りかざした。ヒルトンからだ。「大至急」と書かれている。それに二重線のアンダーラインまで引かれている。

私は、急いで彼に電話をかけた。

「そろそろかかってくると思っていたよ」ヒルトンが電話に出た。「一時間ぐらい前に電話したんだが」

「何か急用でも」私は訊ねた。

「ああ、君の工場ではみんな何もしないで座っているだけなのかい？　君の工場からちっともサブ・アセンブリーの部品が届かないんだが」

「怠けてなんかいるはずないだろ」

「だったら、どうしていつまでたっても部品が届かないんだ。君のところから部品が来ないと、こっちは客のオーダーを出荷できないんだ」ヒルトンが声を荒げた。

「どの部品のことだ。すぐに誰かに確認させるから」

ヒルトンがオーダー番号を読み上げたので、私はそれをメモに書き取った。

「わかった、後で誰かに連絡させるよ」

「いや、それじゃ駄目なんだ。今日中に必ず届けると約束してくれ。一〇〇個全部だ。一個でも足りなかったら駄目だ。いいか、全部届けてくれ。セットアップを二度やらされるのはご免だからな」

「わかった。できるだけのことはする。でも、約束はできないぞ」

「約束できない？　それじゃ困る。今日中に全部届けてもらえなかったら、ビルに連絡するしかないな。彼とはずいぶん揉めているそうじゃないか」

「いいかヒルトン、ビルと私のことは君には関係のないことだ。そんなことで、私を脅せるとでも思っているのか」今度は私が声を荒げた。

そう私が言うと、ヒルトンは黙った。電話を切るのかと思ったら、しばらく間をおいてから彼が言った。

「ちゃんとメモを読んだほうが、いいんじゃないのか」

「メモ？　何のことだ」

電話の向こうで、ヒルトンがニヤリと笑っているのがわかった。

「いいから、今日中にサブ・アセンブリーの部品をよこしてくれ。それじゃ」いやに落ち着いた口調で、ヒルトンが言った。

私は電話を切った。

「変な奴だな」私はつぶやいた。

私はフランに、ボブを呼び出し、それからスタッフのみんなには一〇時から会議をするから集合するように伝えてくれと頼んだ。さっそくやって来たボブには、ヒルトンの工場への出荷が遅れている原因を調べるよう指示した。歯を嚙みしめながら、必ず今日中に出荷するよう念を押すと、ボブは部屋を出ていった。ヒルトンの件はこれで一件落着かと思っていたが、どうも気になってしょうがない。しばらくしてから、ヒルトンのことで最近何かメモが回ってこなかったかどうか、フランに訊ねた。彼女は少し考え込んだ後、ホルダーの一つに手を伸ばした。

「先週の金曜日に来たメモです。どうやら、昇進なさるようですね」

彼女の手からそのメモを受け取った。ビルからのメモだ。新しく生産性担当部長というポジションを設けたこと、それからヒルトンをその職に昇進させると書いてある。正式には今週末からだが、今後、各工場の所長はヒルトンにも報告する義務があると記されている。仕事の内容は、コスト削減に重点をおいた製造現場での生産性の向上がメインらしい。

狐につままれたような気分だ。「まいったな……」思わず私の口から愚痴がこぼれた。


週末のハイキングでは、我ながら、なるほどと感心するようなことを学ばせてもらった。スタッフのみんなも同じように感心してくれるに違いない、それこそ「さすが」と、みんなを唸らせるに十分な一大発見だと確信していた。しかしそう甘くはなかった。ルー、ボブ、ステーシー、それからデータ処理担当責任者のラルフ・ナカムラを会議室に集めた。私は会議室の正面に立ち、説明を交えながらボードに細かく図を描いた。二時間ほど説明しただろうか。もうそろそろ昼食の時間だが、誰も感心した様子もなく、無表情のまま座って私の話を聞いているだけだ。

みんな私の顔を黙って眺めている。私の説明をどう理解していいのか、みんな困惑しているようだ。その中で唯一ステーシーの目には、ほんのわずかではあるが小さな光が見えた。ボブは直感的に少しはわかるようだが、依然として静観のかまえだ。ラルフはまったくわかりませんといった顔をしている。ルーは渋い顔をして私の顔を眺めている。みんな反応はまちまちだ。

「というわけだが、いったい問題は何なんだ」私はみんなに問いかけた。

みんな、互いの顔を見合わせている。

「おいおい、1+1=2だって証明したようなものなのに、私のことを信用できないのか」そう言って私はルーの目を真っ直ぐ見つめた。

「いったい、どうしたって言うんだ」

ルーは、後ろに背をもたれて首をゆっくり横に振った。「ただ……ハイキングで子供たちの歩く様子を見て気づいたと言われましたね」

「ああ、そうだが。それがどうかしたかね」

「いや、別に……しかし、どうして同じことがこの工場でも起こっていると言い切れるのですか」

私は、ボードをもう一度指さした。そこには、ジョナが説明した二つの現象の名前が書かれている。

「これを見てくれ。この工場に統計的変動はあるかね」

「ええ、もちろん」

「だったら、私の説明は正しいはずだ」

「ちょっと待ってください」ボブが言った。「でもロボットには統計的変動はありません。常に同じペースで仕事をしますから。ロボットを購入した理由の一つがそれです。常に一定なんです。所長が先生に会いに行ったのは、そのロボットをどうしたらいいのか訊くためだったと思っていましたが」

「ロボットが稼働しているときのサイクルタイムの変動は、ほとんどゼロと言ってもいいだろう。しかし、我々が相手にしているのはロボットだけではない。ロボット以外の作業には必ずこの二つの現象が生じる。もう一度言っておくが、私たちの目標はロボットを生産的にすることではなく、システム全体を生産的にすることなんだ。違うかね、ルー」

「ええ、ですが、ボブの言っていることも一理あると思います。この工場には自動の機械や装置がたくさんあります。ですから、処理時間もかなり安定しているはずだと思いますが」

ステーシーがルーのほうを見て言った。「でも、所長がおっしゃっているのは……」と言いかけたところで、会議室のドアが開いた。フレッドが顔を覗き込ませ、ボブのほうに視線を送っている。

「少し、いいですか」彼がボブに声をかけた。「ヒルトンの仕事の件なのですが」

ボブが席を立って会議室を出ようとしたので、私はフレッドを中に手招きした。ヒルトンの件なら私も話を聞きたかったからだ。フレッドの説明によると、ヒルトンから急かされているサブ・アセンブリーの部品を完成させ出荷するには、あと工程を二つ通さないといけない。

「今日中に出荷できるのか」私は訊ねた。

「少し、きついかもしれません。でも、なんとかやってみます」フレッドが答えた。「運搬トラックのシャトル便が工場を出るのは夕方五時ですから」

シャトル便とは我が社専用の運搬サービスで、工場間で部品を運搬するのに使っているトラックのことだ。

「今日の最終便は五時で、それに間に合わなかったら、次の便は明日の朝になってしまいます」ボブが言った。

「どんな作業が必要なんだ」私は訊ねた。

「まず、ピーターの部署で組み立てて、それから溶接です。ですから溶接用にロボットを一つセットアップしないといけません」フレッドが説明した。

「そうか、ロボットが要るな。間に合うと思うか」

「ピーターの部署からは、一時間に二五個分の部品が上がってきますが、このサブ・アセンブリーの部品なら、ロボットで一時間に二五個分の溶接は問題ないはずです」フレッドが答えた。

今度は、ロボットへの部品の搬送方法についてボブが質問した。通常は、ピーターの部署で組立てが終わった部品は、ロボットまで一日に一度だけまとめて運ぶか、あるいはロボットの組立てが全部終わってからまとめて運ばれる。しかし、今日はそんな悠長なことは言っていられない。すぐにロボットの作業も開始しないと間に合わないからだ。

「資材運搬係には、一時間に一回、ピーターの部署に部品を取りに行くよう手配しておきます」フレッドが答えた。

「わかった。それとピーターのところではいつ作業を開始できるんだ」ボブが訊ねた。

「昼一二時からできます。ですから、あと五時間はあります」

「ピーターのところは、夕方四時で作業はおしまいだぞ」ボブが言った。

「ええ、ですからさっき『少しきついかもしれない』と言ったのです。とりあえず全力は尽くしますが、そういうことで了解していただかないと……」

そのとき、私の頭にある考えが浮かんだ。「さっき私が説明したことは、まだみんなよく理解できていないようだが、もし私の考えが正しいとしたら、どんな効果があるのか見てみたいと思わないか」

私の問いに、全員うなずいている。

「みんな、ジョナの言うことは正しいと思っているんだろ。だったら彼のアドバイスを無視して、いままでと変わらないやり方をしていては愚かじゃないか。とにかく一度、試してみようじゃないか。ピーターのところで、作業開始できるのは一二時だったな」

「ええ」フレッドが答えた。「いま、全員、昼食をとっているところです。一一時半に昼休みに入ったので、一二時には開始できます。ロボットのセットアップは、一時までには終わると思います。その時間に合わせて、ロボットへ一回目の部品の搬送を行います」

私は紙と鉛筆を取り出し、簡単なスケジュール表を書いた。

「五時までに、一〇〇個出荷しないといけない。少しでも足りなかったら駄目だ。全部一緒でなければ駄目だというヒルトンからのお達しだからな。一つでも足りなければ、出荷はしない」私はきっぱりと言った。「ピーターの部署では一時間に二五個のペースで作れるわけだ。しかし毎時間、正確に二五個できるとは限らない。二五個以下のときもあれば、それ以上のときもある」

私はみんなの顔を見回した。全員、私の話をじっと聞いている。

「つまり、統計的変動があるわけだ。一二時から四時までの四時間で一〇〇個、一時間平均二五個は組み立てられるという予想だ。一方、ロボットのほうは処理速度が一定だ。一時間二五個のペースで処理するようセットアップすれば、正確にその数だけ仕上がる。それ以下でも、それ以上でもない。それと依存的事象も考慮しないといけない。ピーターの部署から部品が運ばれてこなければ、ロボットは溶接作業を開始できないからだ」

「ロボットが作業を開始できるのは一時。それから四時間後の五時にトラックが出る。それまでに最後の一個まで全部トラックの荷台に積み込まなければいけない。表に示すとこんな具合になる……」

そう言いながら、私は書いた表をみんなに見せた。

「いいか、ピーターのところで毎時間、実際に何個部品が組み立てられたのか正確に記録をつけさせるんだ。フレッド、君のところでも同じようにロボットでの処理個数を記録するんだ。正確に頼む。ごまかしはなしだ。実際の数字が必要なんだ。わかったか」

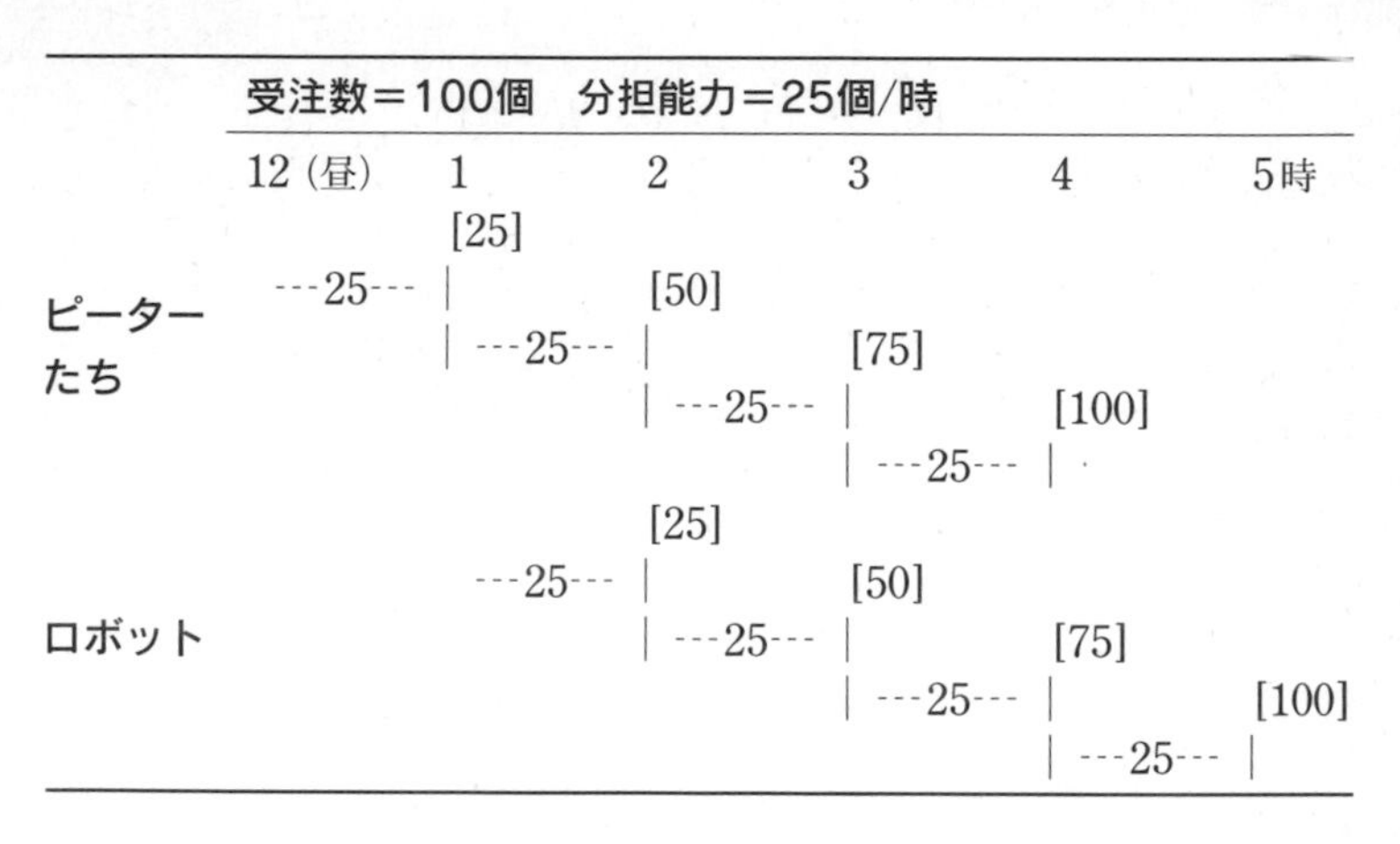

「わかりました。大丈夫です」フレッドが答えた。

「ところで、本当に今日中に一〇〇個搬出できると思うかね」

私は、みんなにあらためて訊ねた。

「ピーターのところ次第です。彼ができると言えば、できると思います」ボブが答えた。

「そうか、それじゃ賭けようじゃないか。一〇ドルだ。私は、出荷できないほうに賭ける」

「本気ですか」ボブが訊ねた。

「もちろんだ」

「わかりました。のらせてもらいましょう。私は、できるほうに一〇ドル賭けます」

みんなが昼に出かけている間、私はヒルトンに電話をかけた。だが、彼も昼食に出ていたのでメッセージを残した。例の部品は明日には必ず届ける。しかし、今夜遅く届けるのには費用がかかるので、それを払ってくれない限り、今日中は無理だと彼の秘書に伝えた（彼はコスト削減にうるさいので、特別に費用を払うつもりなどないことはわかっている）。

電話を切ると、私は後ろに背をもたれ、ジュリーとの夫婦関係について考えた。いったいどうしたらいいのだ。ジュリーからはまだ何も連絡がない。突然家を出て行ったジュリーに私は腹が立っていたが、同時にとても心配だった。しかし、私にいったい何ができるのだ。どこにいるのかわからないのだから、ただクルマに乗ってあちこち町中を捜すわけにもいかない。いまは黙って待つしかないのか。そのうち彼女から連絡があるはずだ。もしかしたら、彼女の弁護士からかもしれない。二人の子供の面倒は、いまは私が見なければいけない。しかし実際のところ、二人というより私も含めて三人と言ったほうがいいだろう。

フランが別のメッセージのメモを持って私の部屋に入ってきた。「昼から戻ってきたら、別の秘書からこれを渡されました。所長が電話中に、デイブ・ロゴさんから電話がありました。所長の息子さんでは」

「ああ、そうだが、何の用だろう」

「学校から戻ったら家に入れないかもしれない、と書いてあります。奥さんは家にいらっしゃらないのですか」

「ああ、数日家を留守にしているんだ。フラン、君には子供が二人いたね。仕事をしながら、どうやって子供たちの面倒を見ているんだい」

彼女は笑った。「そうですね、楽じゃありませんわ。でも、私は所長みたいに夜遅くまで働いたりしませんから。もし私が所長だったら、奥さんが戻られるまで誰かに頼みますけど」

フランが部屋を出て行ってから、私は電話をもう一本かけた。

「もしもし、母さん。アレックスだけど」

「ジュリーから何か連絡はあった?」母がいきなり訊ねた。

「いや、何もないよ。ちょっとお願いがあるんだ。ジュリーが戻って来るまで、うちに来てくれないかな」

二時になって私は工場を抜け出し、母の家まで彼女を迎えに行った。子供たちが学校から帰ってくる前に家にいてもらうためだ。母のところに着くと、彼女はすでにスーツケース二つと段ボール箱四つを用意し玄関に立っていた。段ボール箱には台所用品がぎっしりと詰まっている。

「母さん、うちにも鍋やフライパンぐらいあるよ」

「でも、私のとは違うわ」

荷物をトランクに詰め、自宅に向かった。家に着くと荷物を降ろし、子供たちが帰ってきたら迎えてくれるよう頼んで私はすぐに工場に戻った。

昼のシフトの終了時間、四時ちょっと前に私はボブの部屋に向かった。ヒルトンの件がどうなったか確認するためだ。ボブは私がやって来るのを待っていたようだ。

「これは、これは」私がドアを開けて入ると、待ってましたとばかりにボブが迎えてくれた。「わざわざ来てくださるとは、ご丁寧に」

「ずいぶん機嫌がいいじゃないか。どうしたんだ」

「お金をくれる人が来てくれるときは、いつも大歓迎ですよ」

「ほう、そうか。いったい、誰が君にお金をくれるんだい」

「よしてください、賭けですよ。忘れたとは言わせませんよ。一〇ドル、覚えていますよね。さっきピーターと話したんですが、一〇〇個ちゃんとできるそうです。あとはロボットですから、問題なく出荷できるはずです」

「なるほど。もしそうだったら、ちゃんと払うよ」

「それじゃ、負けを認めるのですね」

「とんでもない。ちゃんと五時のトラックに乗るのを見届けてからだ」

「どうぞ、どうぞ、お好きなように」

「それじゃ、一緒に様子を拝見しに行こうじゃないか」私はボブを誘った。

作業場を通ってピーターの部屋まで行く途中、ロボットの横を通った。辺りは溶接の火花で照らされていた。反対方向から男が二人歩いて来て、溶接エリアで立ち止まり喚声を上げている。

「勝ったぞ、ロボットに勝ったぞ」

「ピーターの部署の人間だと思います」ボブが言った。

彼らとすれ違う際、私たちも思わず軽く微笑んでしまった。別にロボットに勝ったわけでもないのだが、まあ、そんなことはどうでもいい。とにかくうれしそうだ。私とボブは、そのままピーターの部屋に向かった。ピーターの部屋は鉄の壁でできた小さな小屋で、周りは機械に囲まれている。

私たちが入って行くと、「どうも」とピーターが挨拶をした。「例の急ぎの仕事は、もうすませました」

「よくやってくれた。ところで記録をつけるよう言っておいたが、あるかね」私は訊ねた。

「ええ、えーと、どこに置いたかな」

そう言いながらピーターは机の上の書類を整理して、記録をつけた紙を探している。

「今日のうちの作業員の働きを見てもらいたかったです。みんな、本当によくやってくれました。みんなにこの部品を仕上げることがどれだけ大切かよく説明しましたから、一所懸命働いてくれました。普段はシフトの終わり近くになると、少しだらけて作業は遅くなるものですが、今日はみんな最後まで気合を入れて頑張ってくれました。みんな爽快な気分で仕事を終えて帰っていきましたよ」

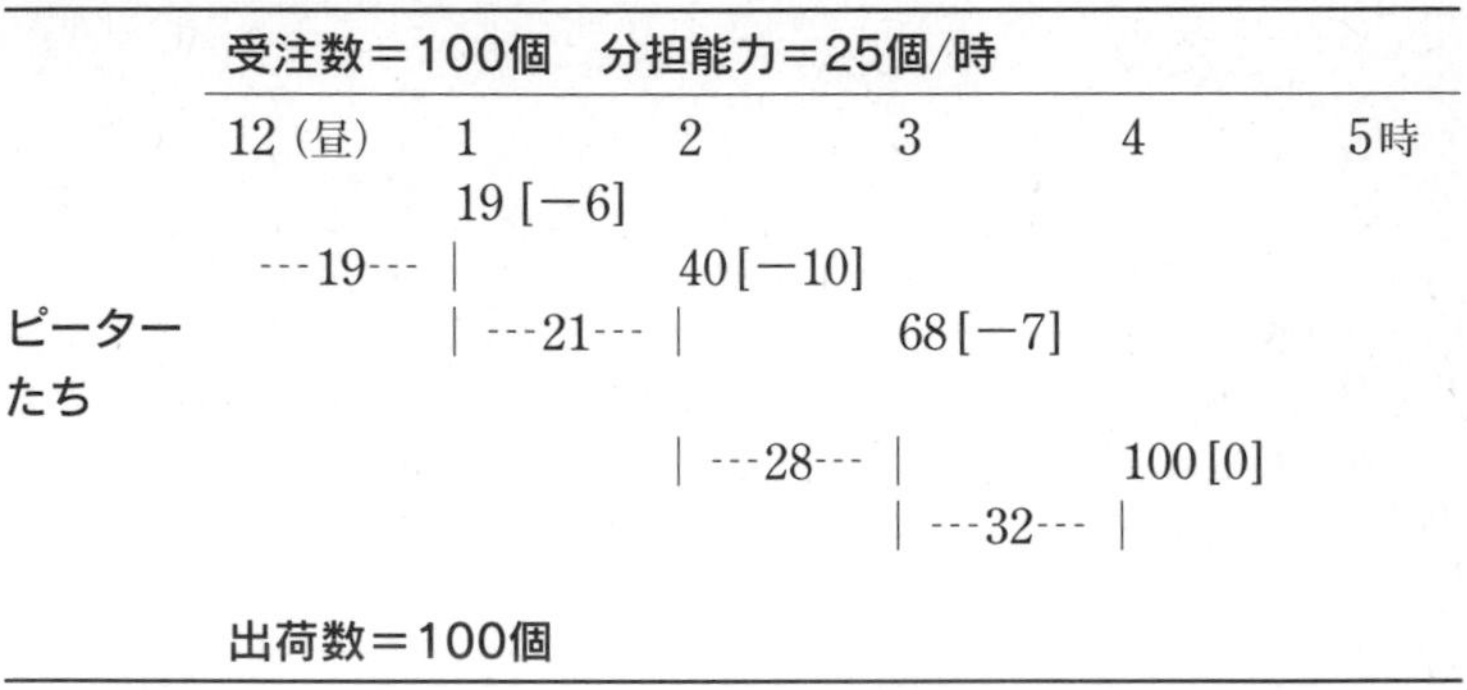

受注数＝100個　分担能力＝25個/時

	12（昼）		1		2		3		4		5時
ピーターたち			19［−6］		40［−10］		68［−7］		100［0］		
		---19---		---21---		---28---		---32---			

出荷数＝100個

「ああ、ちゃんと見ていたよ」ボブが言った。

「これです」と言いながら、ピーターは記録した紙を机の上に置いた。

　それには、こう記されてある。

「最初の一時間は、一九個だけか」私はつぶやいた。

「最初は、なかなか作業がうまく流れなくて、少し時間がかかってしまいました。それに作業員が一人、昼から戻って来るのが遅くなったので。でも、一時には運搬係が一九個ロボットまで運んで、ロボットの作業も開始しました」

「一時から二時の間も、二五個には四つ足りなかったな」今度はボブが言った。

「ええ、でも大丈夫です。二時から三時を見てください。割り当ての二五個より三個多くできました。それでもまだ少し遅れていたので、四時までに何としても仕上げるよう、みんなのところを回って発破をかけました」

「それで、みんな頑張ったわけか」

「そうです。最初遅れた分も取り戻しました」

「最後の一時間は三二個か。どうです、所長」ボブが私のほうを見て言った。

「そうだな、今度はロボットの様子を見に行こう」私は言った。

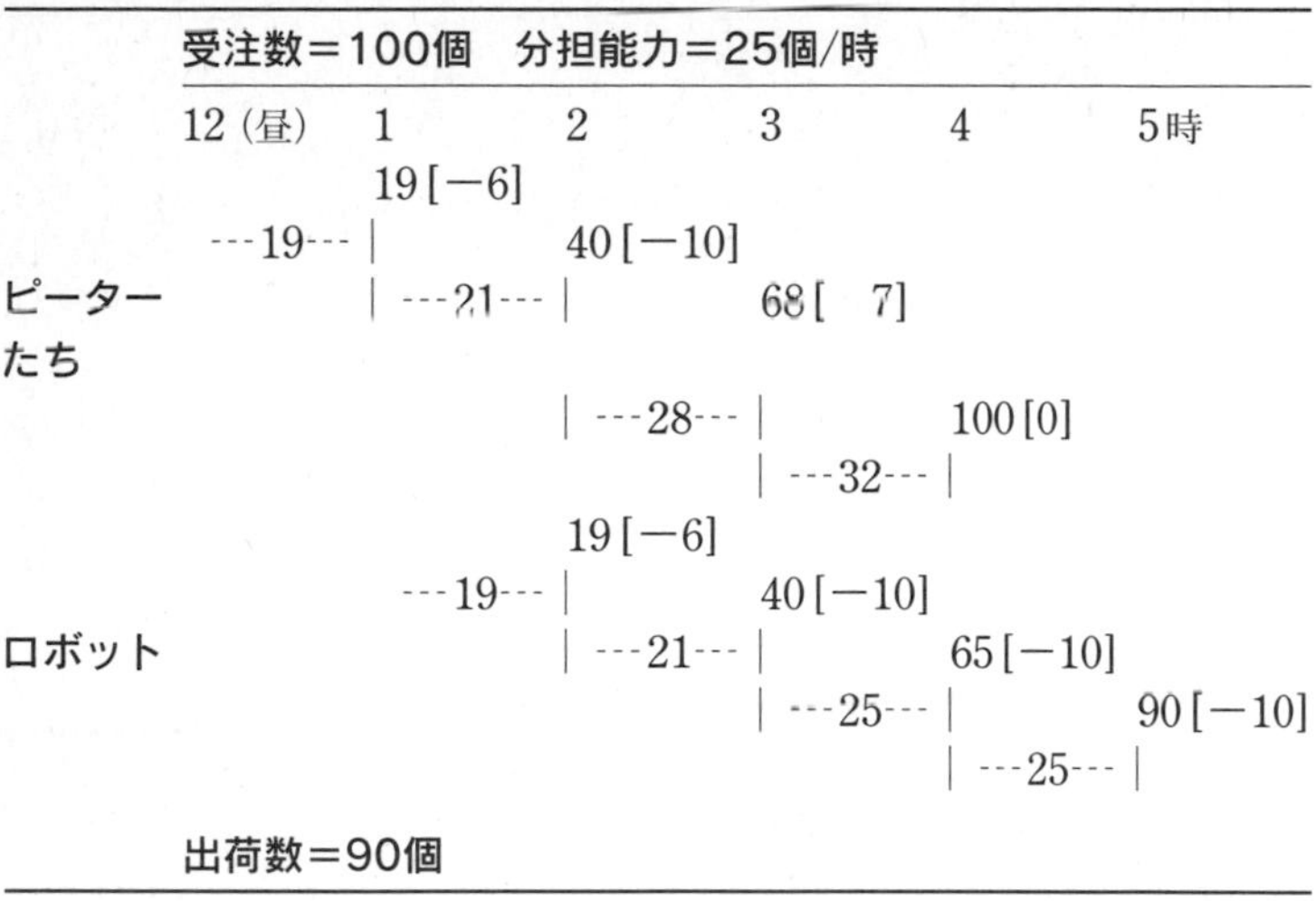

受注数＝100個　分担能力＝25個/時

```
        12(昼)   1          2          3          4          5時
                 19[−6]
         ---19---|          40[−10]
ピーター         |---21---|            68[ 7]
たち
                            |---28---|            100[0]
                                       |---32---|
                            19[−6]
                  ---19---|            40[−10]
ロボット                    |---21---|            65[−10]
                                       |---25---|            90[−10]
                                                  |---25---|
```

出荷数＝90個

五時を五分過ぎたところだ。ロボットがまだサブ・アセンブリーの部品の溶接をやっているのを見て、ボブの足取りが鈍った。そこへフレッドが近づいてきた。

「トラックは、待ってくれるのか」ボブが訊ねた。

「いえ、運転手に訊きましたが、待てないそうです。ほかにも回らないといけない工場があって、ここで待っていたら、ほかが遅れてしまうと言っています」

ボブは機械のほうを振り返った。「いったい、このロボットは何をやっているんだ。必要な部品は全部揃っているはずなのに」

私は、ボブの肩を軽く叩いた。

「これを見るんだ」私は言った。

私は、フレッドがロボットの処理個数を記録していた紙をボブに見せた。シャツのポケットからはピーターが記録していた紙を取り出し下半分を折り曲げ、両方の紙を並べて見えるようにした。

二つの記録を合わせると、こんな具合だ。

「最初の一時間、ピーターのところは一九個だ。ロボットの処理能力は二五個だが、ピーターのところから一九個しか運ばれてこなかったから、ロボットが最初の一時間で仕上げることのできたのも一九個だ」私はボブに説明した。

「次の一時間も同じです」フレッドが言った。「ピーターのところから運ばれてきたのが二一個だけなので、ロボットが仕上げることができたのも二一個だけです」

「ピーターのところで遅れた分のしわ寄せが、全部ロボットのところに来るんだよ」私は続けて説明した。「しかしピーターのところで二八個できても、ロボットがこなせるのは二五個だけだ。ということは、四時に三二個部品が運ばれてきた時点で、ロボットにはまだ三個分の作業が残っていたことになる。だから、次の仕事にすぐには取り掛かることができなかった」

「なるほど。やっとわかりました」ボブがつぶやいた。

「二時の段階で、ピーターのところは一〇個分、作業が遅れていたわけですね。いまちょうど、その分だけ部品が足りない。それはわかりましたけど、どうも妙な感じですね」フレッドが言った。

「今朝、みんなに説明したじゃないか。簡単な数学的な原理だよ。前の作業で発生した最大偏差が次の作業の開始点となるんだ」

「一〇ドル払わなければいけないのは、どうやら私のほうですね」ボブが言った。

「いや、私はいいからピーターにそのお金を渡してくれないか。みんなにコーヒーでもおごってあげるように言ってくれ。今日、頑張ってくれたお礼だ」

「そうですね。いい考えですね。でも今日中に出荷できなくて、すみませんでした。大きな問題にならないといいのですが」

「そんなこと、いま頃心配してもしょうがない。とにかく今日はいいことを一つ学んだ。しかし、これだ

け は言わせてくれ。これまでのやり方をもう一度よく検討し直さないといけないようだ」

「どういうことですか」ボブが訊ねた。

「わからないのか。ピーターのところでは確かに一〇〇個仕上げたが、結局出荷できなかった。だから、そんなことどうでもよくなったんだ。それなのにピーターとあの連中ときたら、自分たちがヒーローだとでも思っている。これまでだったら私もそう思っていただろうが、大きな勘違いだ」

The Goal
V
ハービーを探せ

18

その夜、帰宅すると子供たちが玄関で出迎えてくれた。その後ろには、母が立っている。何かおいしい料理でも作っているのだろう、キッチンから湯気が沸き上がっていた。母のことだから、準備万端に違いない。シャロンは顔を輝かせ、そのつぶらな瞳は私をじっと見つめている。

「ねえ、いいことあったの。何だと思う？」シャロンが言った。

「わからないな」私は答えた。

「ママから電話があったのよ」

「本当かい」

母を見ると、首を横に振っている。

「デイブが電話に出たの。私は話さなかったわ」母が言った。

私は視線を落とし、またシャロンを見た。「それで、ママは何だって」

「お兄ちゃんと私のこと、大好きだって」

「だけど、まだしばらく帰って来ないって」デイブが付け足した。「でも、心配しなくていいって言ってたよ」

「いつ帰って来るかは、言ってなかったのかい」私は訊ねた。

「訊いたけど、まだわからないって」

「電話番号は?」

デイブが下を向いた。

「デイブ、母さんから電話があったら、ちゃんと番号を訊いておくように言っておいたじゃないか」

「訊いたよ、でも教えてくれなかったんだ」

「そうか」

「ごめん、父さん」

「いいよ、デイブ。一応、訊いてくれたんだから」

「さあ、みんなで夕食にしましょう」とそのとき、母が明るい声でみんなに声をかけた。

いつも食事は静かだが、今夜は違った。みんなを励まそうと、母が頑張ってくれたからだ。経済恐慌のときの話やら、食べるものがあるだけでも感謝しなければいけないなどと話していた。


火曜日の朝だ。昨日に比べれば少しはましだ。母と協力して子供たちを学校に送り出し、私も遅れないよう会社に向かった。八時半にはボブ、ステーシー、ルー、ラルフの四人が私の部屋に集まり、昨日のことで話し合いが始まった。今日はみんな気合が入っている。集中力もあるようだ。私の話が実証されるのを自分たちの目で確かめることができたからだろう。

「毎日、この工場では依存的事象と統計的変動が起こっている。納期に遅れるオーダーが多いのも、これで説明できる」私は言った。

ルーとラルフは、昨日私が描いた図を眺めながら考え込んでいた。「もし、二つ目の作業がロボットでなかったら、たとえば手作業だったとしたら、どうなっていたんでしょうか」ルーが訊ねた。

「統計的変動がもう一つ増えるわけだから、その分さらに複雑になっていただろう。昨日は二つしか工程がなかったが、一〇も二〇も工程があるような部品の場合は、それぞれの工程が変動し、前の工程に依存するわけだから、どんなに大変かは想像がつくだろう。この工場で作っている製品には、部品が何百も必要なものもあるんだ」

そう言いながらステーシーを見ると、理解に苦しんだ顔をしている。「それじゃ、どうやって作業をコントロールしたらいいのですか」彼女が質問した。

「いい質問だな。この工場には五万、いや五〇〇〇万もの変動要因が存在している。それをどうやってコントロールするかは大変な課題だ」

「大きなメインフレーム・コンピュータでも導入して、管理しないといけないかも」ラルフが言った。

「新しいコンピュータを入れても役には立たないだろう。データ管理だけでは、コントロール体制は改善できない」

「もっと、リードタイムを長くしてみては」ボブが言った。

「リードタイムが長ければ、ヒルトンのところにちゃんと昨日のうちに出荷できたと思うのかね。ボブ、このオーダーのことはいつからわかっていたんだ」

ボブは、はいわかりましたとばかりの手振りをした。「ただ、遅れをカバーする時間的余裕ができるかと思っただけです」

「リードタイムを長くしたら、在庫が増えるわ。目標に反するわ」ステーシーが言った。

「そんなことはわかっているよ」ボブが答えた。「別に喧嘩を売っているわけじゃないんだ。ただ、何ができるか、案として言ってみただけだよ」

ボブがそう言い終えると、みんな私のほうを向いた。

「はっきりしていることは、これまでの生産能力に対する私たちの考え方は変えないといけないということだ。リソースの能力を一つずつ切り離して別々に測っても意味がない。それぞれのリソースの真の生産能力とは、工場の中でそれがどの位置におかれているかによるのだ。経費を削減しようと、これまでは需要に合わせて生産能力を抑えてきたが、それは大きな間違いだ。絶対にそんなことはしてはいけない」

「でも、よそではどこでもそうしています」ボブが異議を唱えた。

「そう、みんなそうしている。いや、あるいは、みんなそうしていると言っているだけなのかもしれない。でも、それがどんなに愚かなことか、みんなももうわかったはずだ」

「でも、もしそうだとしたら、他のメーカーはいったいどうやって生き延びているのですか」ルーが訊ねた。

私もそのことは疑問に思っていることをルーに言った。エンジニアやマネジャーたちが努力して（間違ったやり方なのだが）バランスのとれた工場に近づけば近づくほど、危機が発生しやすい状態になり、その結果、人を動かしたり、残業させたり、人を雇い入れたりして、工場は急速にバランスを失う。

「ええ、でも、それじゃいったいどうしたらいいんですか。人を雇うには本部の許可がいるし、残業は禁止されています」ボブが訊ねた。

「もう一度、ジョナ先生に電話されてみては？」ステーシーが提案した。

「そうだな、君の言うとおりだ」私は答えた。

フランにジョナを探してもらったが、居所がわかるまで三〇分ほどかかった。ジョナと電話で話すことができたのは、それからさらに三〇分ほどたってからのことだった。ジョナがつかまってから、みんなまた私の部屋に集まるよう、別の秘書に召集をかけてもらった。スピーカーフォンでみんなにジョナの声が聞こえるようにと思ったからだ。みんなが集まるのを待っている間、私はハイキングのことをジョナに話した。それと二つの現象が工場での作業にどんな影響を与えているかについても、わかったことを話した。

「無駄をなくそうと、一つひとつの工程の能力を別々に観察して削ってはいけません。システム全体を最適化するように努力しないといけないんです。他のリソースより余分な能力を持っているリソースがあって然るべきなのです。システムの最終工程のリソースには、一番はじめのリソースより大きな能力が必要とされます。時としてかなり多くの能力が必要とされる場合もあります。違いますか」

「そのとおりだ」ジョナが答えた。

「よかった。ようやく前が開けてきた感じです。今日、電話したのは、次に何をしたらいいのかうかがいたかったからです」

「アレックス。それがわかったら、今度は工場の中のリソースを二つに分けないといけない。ボトルネックと非ボトルネックだ」

私は、みんなにジョナの言うことをメモするよう小さな声で指示した。

「ボトルネックとは、その処理能力が、与えられている仕事量と同じか、それ以下のリソースのことだ。非ボトルネックは、逆に与えられている仕事量よりも処理能力が大きいリソースのことだ。わかるかね」

「ええ」

「この二つのリソースを区別できれば、とても重要なことがわかってくるはずだ」

「しかし、市場からの需要はどうなるのですか」ステーシーが訊ねた。「需要と生産能力の間には何らかの関係がなくては」

「ああ、そうだ。しかし、もうわかっていると思うが、『生産能力』を需要に合わせては駄目だ。需要に合わせないといけないのは工場の中での製品フロー、つまり流れなんだ。ボトルネックと非ボトルネックの間の関係、それから工場の運営方法についてはルールが九つあるが、いま言ったことはその最初のルールだ。もう一度言うが、バランスをとらないといけないのは生産能力ではなくフローなんだ」

ステーシーは困惑した顔をしている。「すみませんが、まだよくわかりません。ボトルネックと非ボトルネックが、工場のどこに関わってくるのですか」

「それじゃ、逆にこっちから質問させてもらおう。工場の本当の能力を決定するのは、この二つのリソースのうちどちらだと思うかね」

「ボトルネックだと思います」ステーシーが答えた。

私もステーシーに続いた。「私もそう思います。この間のハイキングもそうでした。能力の一番低いハービーが列全体のペースを決めていました」

「ということは、工場の中でバランスをとらないといけないのはどこなのかね」ジョナが訊ねた。

「なるほど」ステーシーがうなずいた。「要するに、ボトルネックを通過するフローを市場からの需要に合わせろということですね」

「そんなところだ」ジョナが答えた。「ただし、実際には需要よりフローを若干小さくしておかないといけない」

「どうしてですか」ルーが訊ねた。

「まったく同じだったら、市場の需要が減った場合、損が出るからだ。だが、これはちょっと話が細かくなるからいまはおいておこう。とにかく基本的な考え方は、ボトルネックのフローを需要に合わせるということで正しい」

私の横で、ボブがごそごそと音を立て体を動かしている。何か言いたいことがあるようだ。

「ボトルネックは悪だと思っていましたが……、可能な限りなくさないといけないのでは」ボブが訊ねた。

「いや、必ずしもいいとも悪いとも言えない。ボトルネックは単に現実なんだ。ボトルネックが存在するところでは、生産システムから市場までのフローをボトルネックを使ってコントロールすべきだと提案しているだけだ」

ジョナの言っていることは筋が通っている。私もハービーを使って、列のスピードをコントロールしたではないか。

「もうそろそろ、行かなければならない。プレゼンテーションの合い間の一〇分の休憩中に抜け出してきたんだ」

「ジョナ先生、行く前にもう一つだけ！」私は言った。

「何かね」

「次は何をしたら」

「まずは……、君の工場にはボトルネックはあるかね」

「わかりません」

「それじゃ、それを確かめるのが次の仕事だ。ボトルネックがあるのとないのとでは、リソースのコントロールのやり方もずいぶんと違ってくる」

「どうやってボトルネックを探したらいいのですか」ステーシーが訊ねた。

「簡単なことなんだが、説明するには少し時間がかかる。まずは自分たちで考えてみるんだ。自分たちで考えれば、本当に簡単なことだとわかるはずだ」

「わかりました、でも……」

「それじゃ。ボトルネックがあるかどうかわかったら、電話をくれ」

スピーカーフォンからは、電話が切れる音がした。

「さあ……それじゃ、次は何を」ルーが訊ねた。

「まずは、全部のリソースをチェックしないといけない。リソースと需要を比較するんだ。生産能力より需要のほうが大きければ、それがボトルネックだ」私は言った。

「もし、ボトルネックが見つかったらどうするのですか」ステーシーが訊ねた。

「ボーイスカウトのハイキングでもやったんだが、一番いいのは生産能力を調整してボトルネックが生産ラインの先頭に来るようにするんだ」

「もし、この工場で一番能力の小さいリソースが、市場の需要よりも大きかったらどうなるのですか」ルーが訊いた。

「その場合は、ネック、つまりクビレのないボトルみたいなことになるんだろうな」私は答えた。

「それでも制約がまったくなくなるわけでありません。ボトルには決まった容量がありますから、その容量が市場の需要より大きいということだけだと思います」ステーシーが言った。

「もし、この工場がそうだとしたら」ルーが訊ねた。

「わからない。とにかくまずは、ボトルネックがあるかないかを調べることだ」私は答えた。

「ハービー探しをするわけですね」ラルフが言った。「ハービーが、この工場にいるかどうかですね」

「そうだ。この工場が潰れる前に、急いで探さなければならない」ボブが声を張り上げた。

数日後、会議室を覗いてみると、中は書類やらメモだらけだった。中央のテーブルの上はコンピュータのプリントアウトとバインダーで埋め尽くされている。部屋の隅にはデータ用のコンピュータが設置され、その横にはプリンタが置かれて絶え間なく何かを印刷し続けている。ゴミ箱は満杯、灰皿も同じだ。辺りには、発泡スチロール製のコーヒーカップ、空になった砂糖の袋とミルクの容器、ナプキン、スナックなどが散らかっている。会議室がハービーの捜索本部と化しているのだ。しかし、ハービーはまだ見つかっておらず、みんなもずいぶん疲れている様子だ。

テーブルの一番端にはラルフが陣取っている。ラルフと彼の部下のデータ処理主任、それからラルフたちが管理しているシステム・データベースは、ハービー捜索に欠かせない。

しかし、ラルフの表情がどうもさえない。薄くなった黒髪を細い指で梳くようにかき上げている。

「こんなやり方でいいんだろうか」ラルフが、ステーシーとボブに話しかけている。

「これは、ちょうどいいところへ」私を見るなり、ラルフが言った。「いま、何をしていたと思います」

「ハービーを見つけたのか」

「いや、そうではありません。もう存在もしていない機械の需要を、二時間半もかけて計算していたんです」ラルフが疲れた顔をして言った。

「なぜ、そんなことを」

ラルフがぶつぶつと説明を始めた。

「ちょっと待ってください。私に説明させてください」ラルフが説明しようとすると、ボブが横から割って入った。

「いろいろ資料を見ていたら、もうすでに使わなくなった古い工作機械が、いまだに処理工程の一部として記載されていたんです」

「使わなくなっただけでなく、もう何年も前に売却していたんです」ラルフが言った。

「担当部署の人間なら、その機械がもうないことぐらい誰でも知っています。だから、これまで特に問題にはされなかったんです」ボブが言った。

こんな調子でみんなの作業は続いた。私たちは、工場にあるすべてのリソース、すべての機械、装置に対する需要を計算した。市場からの需要と同じか、それ未満の処理能力しか持たないリソースはすべてボトルネックだとジョナは言っていた。ボトルネックがあるかどうかを知るには、まずこの工場で作られる製品に対する需要が市場にどのくらいあるのか知る必要がある。次に、その需要を満たすためにそれぞれのリソースがどのくらいの時間を必要とするのかを調べなければいけない。リソースの生産可能時間（機械のメンテナンス時間や昼食、休憩時間などは差し引く）が需要を満たすために必要な時間と同じかそれ未満だったら、それがハービーだ。

市場からの総需要を知るには、手元のデータを合計すればいい。つまり、納期に遅れて溜まっているオーダーと今後予想されるオーダー、それにスペアパーツも足さないといけない。同じユニコ社内の別の工場や部門に売る製品も含まれる。つまり、この工場で作るすべての製品だ。

その作業が終わると、各ワークセンターで必要な時間を計算する。ワークセンターは、同じリソースを持つグループと定義しておく。たとえば、同じ技術を持った溶接工一〇人は、一つのワークセンターとする。同じ機械が四台あれば、これも一つのワークセンターとする。機械をセットアップして運転する機械工四人も一つと数える、などなどだ。必要とされるワークセンターの合計時間を、そこに含まれるリソースの数で割ると、各リソースの相対的な時間がわかる。これを標準として比較することができる。

たとえば、昨日わかったことだが、インジェクション成型機が成型部品を作るのに一か月当たり必要とする作業時間は約二六〇時間だ。しかし、この機械の一か月の最大作業可能時間は、各リソース当たり二八〇時間だ。ということは、まだ余力があることになる。

しかし、よく調べてみると、どうやら自分たちのデータがあまり正確でないことがわかってきた。整合性に欠けていたり、必要な情報が抜けていたりするのだ。

「これまでずっと本部からの指示に振り回されていたので、データの更新作業がずいぶんと疎かになっていたんだと思います」ステーシーが説明した。

「あれを変えろとか、人をあっちに回せとか、いつも口うるさく指示してくるので、データ更新が思うようにできなかったのだと思います」ボブが付け足した。

その傍らで、ラルフが首を横に振っている。「この工場のデータを全部、ダブルチェックして更新するには何か月もかかる」

「あるいは、何年かも」ボブがぼそりと言った。

私は座ったまま、しばらく目を閉じた。目を開けると、みんなの視線が私に集まっていた。

「そんな時間はない。残された時間は、あと一〇週間だけだ。その間になんとかしなければ、この工場は閉鎖になってしまう。やり方は間違っていないはずなのだが、まだスタート地点でうろうろしている状態だ。完全なデータを揃えるのは無理なことぐらい承知しておいたほうがいいだろう」

「でも、『ゴミからはゴミしか作れない』というじゃありませんか。データ・プロセッシングでよく言う、古い格言です」ラルフが言った。

「ちょっと待てよ。もしかしたら、正攻法すぎるのかもしれないな。データベースを調べる以外にも何か方法があるはずだ。ボトルネックを探し出す、その候補を探し出すだけでもいい。何かもっと手っ取り早い方法はないのか。ハイキングのときは、誰が遅いのか見ればわかった。勘でもいい、誰か、ハービーがどこにいるのか見当がつかないか」私はみんなに言った。

「そう言われても、ハービーがいるのかどうかさえも、まだわかっていません」ステーシーが答えた。

その脇ではボブが腰に手をあて、何か言いたいのか口を開きかけている。ようやく意を決したのか、ボブが言った。

「私は、この工場で二〇年も働いています。長年の経験とでもいうか、どの辺りでいつも問題が起こるかはだいたいわかります。処理能力が不足しているところをリストアップすることもできると思います。少なくとも、ボトルネックの候補をある程度絞り込むことはできると思います。それができれば、時間を少しは節約できるはずです」

それを聞いて何か思いついたのか、ステーシーがボブに向かって言った。「いまの話でいい考えが浮かんだわ。フレッドたちに訊けば、どの部品がいつも一番不足しているのか、その部品を取りにどの部署に行かなければならないのかわかるわ。ラインで材料が足りなくなったり、ラインが詰まったときなんかにトラブルを解消するのがフレッドたちの仕事でしょ」

「それの、どこがいい考えなんだ」ラルフが訊ねた。

「いつも不足している部品というのは、おそらくボトルネックを通過する部品だと思うの。フレッドたちがその部品を取りに行くところにたぶん、ハービーがいるはずよ」ステーシーがそう説明した。

「そうだな。言うとおりかもしれない」そう言いながら、私は背を伸ばし座り直した。

それから私は立ち上がってゆっくりと部屋の中を歩き始めた。

「いま思いついたことなんだが……ハイキングのときは、子供たちの間隔を見れば誰が遅いのかわかった。歩くのが遅ければ遅いほど、その子と前の子との間隔は広がる。考えてみれば、その間隔が在庫に相当するわけだ」

ボブ、ラルフ、それにステーシーの視線が私に集まっていた。

「わからないか？」私は、みんなに問いかけた。「もしハービーがいれば、その前には仕掛品が山のようにたくさん溜まっているはずだ」

「それはそうですが、仕掛りの山は工場中のあちこちにあります」ボブが答えた。

「それじゃ、一番大きな山を見つければいい」

「そうね、それがハービーに違いないわ」ステーシーが言った。

私は、黙っているラルフのほうを見て訊ねた。「どう思う」

「試してみる価値はあると思います。三つか、四つ程度にワークセンターを絞り込むことができれば、所長の話をもとに時系列データを確認するにもそう時間はかからないでしょう」

「たいそうご立派なデータだからな」ボブがラルフに向かって、冗談めかして言った。

しかし、ラルフは冗談と受け取ることができないのか、ばつの悪そうな顔をしている。

「使えるデータといえば、手元にあるものしかないんです。いったい、どうしろと言うんですか」

「もういい。ほかにも試してみるべき方法があることがわかっただけでもよかったじゃないか。データの責任を押しつけ合って時間を無駄にするのはやめて、前向きな仕事をしよう」私は諭すように言った。

新たな方法論が見つかったことに元気づけられ、みんなハービー探しにすぐまた取り掛かった。その成果はすぐに現れた。あまりにすぐだったので、逆に心配したほどだった。

「これか……。やあ、ハービー」ボブが言った。

私たちの目の前には、NCX-10の巨体が横たわっている。

「本当に、これがボトルネックなのか」私は半信半疑だった。

「証拠はあります」近くに山積みにされた仕掛品を指さしながら、ボブが言った。ラルフとステーシーがまとめた資料によると何週間分もの仕掛品が溜まっている。一時間前にみんなで目を通したばかりの資料だ。

「フレッドとも話しましたが、しょっちゅうこの機械のところで部品が仕上がって出てくるのを待っているそうです。スーパーバイザーも同じことを言っていました。NCX-10の担当者は、みんなからいつもうるさく言われるので耳栓までしているそうです」ボブが言った。

「しかし、この機械はうちの工場で一番効率のいい機械のはずじゃないのか」私は訊ねた。

「ええ、そうです。この機械が作っている部品を作るには、NCX-10がコストが一番安くすみますし、効率も一番です」ボブが答えた。

「それが、どうしてボトルネックなんだ」

「このタイプの機械は、この工場にはこれ一台しかないんです」

「それはわかっている」そう言いながら、私はもっと説明しろと催促するような目でボブを見つめた。

「この機械を入れて約二年ですが、その前は別の機械を使って同じ作業をしていました。それまでは別々の機械を三台使ってやっていた作業がこの機械なら一台ですむんです」ボブが言った。

ボブは、別々の機械三台を使ってそれまで部品をどのように作っていたのかをこと細かく説明してくれた。平均的な場合、部品一つ当たりの処理時間は、最初の機械が約二分、二番目の機械が八分、三番目の機械が四分。つまり部品一つ処理するのに合計一四分かかっていた。しかしNCX-10では、この三つの作業を一〇分でこなすことができる。

「ということは、部品一つ当たりの処理時間が四分短縮されたということだな。それなら一時間当たりの部品の生産量も以前より多いはずじゃないのか。それなのに、この機械の前にどうして在庫がこんなに積み上がっているんだ」

「以前は、機械の数がもっと多かったんです。一番目の機械は二台、二番目は五台、三番目の機械は三台ありました」ボブが答えた。

なるほどと私はうなずいた。「つまり、部品一つ処理する時間はいまより長かったが、機械の台数が多かった分、処理できる部品の数も多かったというわけか。それじゃ、どうしてNCX-10を購入したんだ」

「前の機械を動かすには、一台ごとに機械工が一人ずつが必要でしたが、NCX-10のセットアップは二人だけですみます。さっきも言ったように、この機械が一番コストのかからない方法なんです」

ボブの説明を聞き、私はNCX-10の周りをゆっくりと歩きながら考えた。

「ボブ、この機械は三つのシフト全部で動かしているんだな」

「ええ、ついこの間、また全シフトで動かし始めたところです。トニーの代わりを見つけるのに少し時間がかかったので。二番シフトの機械工で、この間辞めた奴です」

「ああ、そうだったな……」私はつぶやいた。ビルがこの工場に乗り込んできた日だ。「ボブ、NCX-10

の機械工を新しく入れたら、トレーニングにどのくらい時間がかかるんだ」

「六か月くらいです」

ボブの返事に、私は思わず首を振った。

「トレーニングに時間がかかるのが悩みの種なんです。やっとトレーニングが終わってまともな仕事ができるようになったと思ったら、すぐにここを辞めて別の会社に行ってしまうんです。もっと給料のいいところがあるからです。うちの給料では有能な機械工を引き止めておくことができないんです」

「だったら、もっと給料を出したらいいじゃないか」

「組合が……」そう言いかけてボブの表情が曇った。「セットアップする機械工全員の給料を上げろと、突き上げられるに違いありません」

「よしわかった。この機械は、もうこのくらいでいいだろう」そう言って、私は最後にもう一度NCX-10の巨体を舐め回すように眺めた。

ハービーはこれ一台だけではなかった。ボブは私を工場の反対奥まで案内すると、ハービーをもう一つ紹介してくれた。

「ハービー2号の熱処理センターです」

ハービーらしさという点では、NCX-10よりこちらのほうがそれらしい外観を呈している。汚くて、暑くて、醜い。単調だが、しかし工場にはなくてはならない存在だ。

熱処理装置は、簡単に言えば、一対の炉からできている。薄汚れた鉄製の箱が二つ、中はセラミック製のブロックが並べられ、ガスバーナーの火で八〇〇度を超える高温だ。

機械加工したり、冷温や室温で加工した後、一定時間熱処理をしてからでないと、それ以上加工できない部品がある。加工の段階で非常に硬くなり加工しにくくなった金属を柔らかくし、工作しやすくするのが熱処理の主な用途だ。

一度に、数個から数百個単位で部品を炉に入れ、高温で六時間から一二時間熱するのだ。それが終わると、炉の中でクールダウン、つまり熱した部品の温度が炉の外の室温にまで冷めるのを待たなければいけない。これでも、ずいぶん時間を食ってしまう。

「ここの問題は何だ。もっと大きな炉が必要なのか」私は訊ねた。

「そうですね……、どちらとも言えません。ほとんどの場合、炉の中が半分も埋まっていない状態で動かしているんです。」

「どうしてだ」

「原因は、フレッドたちのやり方にあるのかもしれません。ここにやって来ては、この部品を五個、あの部品を一ダースと、大至急必要な数だけ作業させるんです。少しの部品を処理するために、何十もの部品を待たせることもあります。番号札をとって順番待ちする理髪店みたいなものです」

「つまり、バッチ単位で処理していないわけだな」

「いえ、バッチ単位でやることもあります。しかし、その場合でも炉はいっぱいにはなりません」

「バッチのサイズが小さすぎるのか」

「あるいは大きすぎて、一つ目の炉に入りきらず、二つ目の炉で残りを処理する……どうやっても完璧に炉を埋めてからというわけにはいかないようです。二年ほど前ですが、炉をもう一基入れてはどうかという話もありました」

「それで」

「結局、最後は本部レベルで話が潰されました。効率が悪いという理由で予算が下りなかったのです。いまある処理能力で対応しろと言われました。それに、エネルギーをもっと節約しないといけないだの、今度入れる炉は燃料が二倍必要だのと、ずいぶんうるさく言われました」

「わかった。しかし……もし中をいつも満杯にして炉を運転することができれば、需要を満たすだけの処理能力を確保できるのでは」私はボブに言った。

「わかりません。そんなやり方をしたことがありませんから」

ハイキングと同じことを工場でも試してみようとも考えた。能力の一番低いリソースが工程の一番最初に来るように、すべてのリソースの順番を組み直すことができればベストだ。二番目には次に能力の低いリソース、そして三番目に能力の低いリソースといった具合に、能力順にすべてのリソースを並べ変えることができれば、統計的変動が依存的事象を通して次のリソースに受け渡されても、変動分を補うことができる。

ボブと一緒に自分の部屋に戻ると、私はみんなを再び集めた。しかし、ハービーを先頭に持ってくることは、この工場では不可能だ。私の壮大なる計画は、もろくも崩れ去った。

「それは絶対に無理です」ステーシーが呆れ顔で言った。

「ハービーを製造工程の先頭に持ってくることなど不可能だし、作業の順序はいまのまま変えることはできません」ボブが言った。

「わかっている。それは、私もわかっている」私は言った。

「依存的事象が、ネックになっているわけですね」ルーが言った。

みんなの意見を聞いているうちに、昔よく味わったあの感覚がよみがえってきた。どんなに一所懸命頑張って仕事をしても成果が上がらず、エネルギーが底から抜けていくようなあの感覚だ。パンクしたタイヤから空気が抜けていくのを見ているような感じとでも言ったらいいだろうか。

「よし、順番を変えるのが無理なら、能力を増やせばいい。ボトルネックを非ボトルネックに変えるんだ」

私はみんなに向かって言った。

「能力順に並び替えるというのはどうなるのですか」

「それは、組み直す……。先頭の能力を減らし、それを基準に段階ごとに少しずつ能力を増やしていく」

私はみんなに提案した。

「所長、そうは言われても、人を動かすのとは話が違いますから……機械や装置を追加せずに、どうやって能力を増やすんですか。機械を増やすといった話なら、コストがかかります。熱処理に炉をもう一基、それにできればNC工作機械ももう一台……そうなると、かなりの購入資金が必要になります」ボブが訝るように言った。

「根本的な問題があります。そんな資金はどこにもありません」ルーが、冷めた声で言った。「この会社始まって以来の不景気の最中に、少しも儲けを出さない工場のために余剰生産能力が必要だから資金を回してくださいなどとピーチ副本部長に頼むなど、それこそ正気の沙汰ではありません」

19

その夜、母と子供たちと一緒に夕食をとっているときのことだった。「エンドウ豆食べないの」と母が私に訊ねた。

「僕はもう大人だよ。エンドウ豆を食べるか、食べないかくらい自分で決められるよ」と私は母に反抗的な口調で答えてしまった。

私の言葉に少し傷ついた顔をしている母を見て、私は「すまない。今夜はちょっと落ち込んでるんだ」と詫びた。

すると、それを聞いた息子のデイブが「父さん、どうしたの」と私を気遣ってくれた。

「そうだな……、ちょっと複雑な話なんだ。いいから夕食をすませてしまおう。もう少ししたら、父さんは空港に行かなければならない」

「どこかに行っちゃうの」シャロンが心配そうに訊いた。

「どこにも行かないよ。迎えに行くだけだよ」

「ママを?」

「いや、ママじゃない。ママだったらよかったんだけどね」

「アレックス。何で落ち込んでいるのか、子供たちにちゃんと話したら。デイブやシャロンも心配なのよ」

私と子供たちのやり取りを聞いていた母が言った。

私は子供たちの顔を眺めた。確かに母さんの言うとおりだ。「工場で問題が起きたんだが、どうも解決できそうにないんだ」と私は子供たちに説明した。

「この間、電話していた人は？　あの人に話してみたら」母が言った。

「ジョナのことかい？　彼だったら、いまから空港に迎えに行くところだよ。だけど彼に手伝ってもらっても、解決するかどうかわからないんだ」

これを聞いていたデイブが渋い表情をしている。「ハイキングでわかったこと、あれ全部無駄だったの？　ハービーが全体のペースを決めていたこととか……」

「もちろん役に立ったよ。ただ、父さんの工場にはハービーが二人いたんだ。それに、その居所が良くない。いてほしくない所にいるんだ。ハイキングにたとえれば、歩く順番は変えられないし、それにハービーが双子だったってところかな。その二人が列の真ん中にいるんだよ。二人のせいで何もかも立ち往生しているんだ。でも二人を動かすこともできない。二人の前には在庫が山のように積み上げられていて、どうしていいのかわからないんだ」

「もし、仕事ができないんなら、クビにするしかないんじゃないの」母が言った。

「人じゃないんだ。機械なんだよ。機械をクビにすることはできない。それに、どうしても必要な機械なんだ。この二つの機械がなかったら、ほとんどの製品が作れなくなってしまう」

「それじゃ、もっと速く進めるようにしたら」今度はシャロンが言った。

「そうだよ、父さん」シャロンの意見を後押しするようにデイブが言った。「ハービーのリュックを軽くしてあげたときのこと覚えてる？　工場でも同じことできるんじゃない」

「ああ。でも、そう簡単にはいかないんだ」

「アレックス、あなたが一所懸命やっているのはわかっているわ。もし、この二人の怠け者のせいで、みんながストップしているんだったら、もうこれ以上時間を無駄にしないよう、この二人のことをよく監視するしかないんじゃないかしら」

「ああ、そうだね……それじゃ、そろそろ空港に行かないといけない。先に寝てていいから。それじゃ、また明日の朝」

ジョナが乗っている飛行機がターミナルに近づいてくるのを私はゲートから眺めていた。ジョナとは、今日の午後、彼がロスに出発する直前ボストンにいるところをつかまえて電話で話をした。まず、アドバイスに対する礼を言ってから、自分たちの工場が収拾のつかない状況であることを伝えた。

「どうして、収拾がつかない状態だとわかるのかね」ジョナが訊ねた。

「残されている時間は、あと二か月だけです。二か月したら、私の上司が取締役会でこの工場をどうすべきか提案するんです。もっと時間があったらなんとかできるかもしれませんが、たった二か月では……」

「改善できることを見せるには、二か月で十分だよ。しかしそのためには、どうしたら制約条件、つまりボトルネックをうまく使って工場を運営できるのか学ばないといけない」

「現状の分析は、徹底的に行いましたが……」

「アレックス、私がアドバイスした方法でうまくいかないとしたら、原因が二つ考えられる。一つは、君の工場で作っている製品に対する需要がないことだ」

「そんなことはありません。需要はちゃんとあります。価格を上げたのとサービスが悪くなったせいで、多少減ってはいますが、それでもまだ処理しきれないほどオーダーは溜まっています」

「それとも一つ……、これまでのやり方を変える決心がまだ君についていない場合だ。そのときは助けてあげることはできない。何もしないで、工場が閉鎖されるのをただ黙って見ているほうがいいのかね」

「べつに諦めたわけではありません。ただ、どうやっていいのか、まったく見当がつかないのです」

「わかった。それじゃ、まず最初の質問だ。ボトルネックの負荷を減らすためにいままで何か別の手段を使ってみたことはあるかね」

「オフローディングですか？　それは無理です。あの作業をこなせるのは、うちの工場ではあの機械だけです」

少し間をおいてからジョナが言った。「わかった。もう一つ質問がある。ベアリントンには空港はあるかね」

というわけで、ジョナが急に今夜ベアリントンにやって来ることになった。ジョナが二番ゲートから出て来るところだ。ロスまでのフライトを変更してもらい急遽、今夜ベアリントンに寄ってもらったのだ。

私はジョナに歩み寄って握手をした。

「フライトは、いかがでしたか」

「息がつけないぐらい満席だったよ。でも、文句を言っちゃいけないな。まだ息をしているようだから」

「そうですか。ところで、今日は無理に寄っていただいて、本当にありがとうございます」私はジョナに礼を述べた。「便まで変えてもらって恐縮です。ですが正直なところ、わざわざおいでいただいたのに、本当に何かできるのか半信半疑です」

「アレックス、ボトルネックが一つあっても……」

「二つです」私は彼の言葉を訂正した。

「ああ、そうだった。ボトルネックが二つあっても、だからといって利益を上げることができないということにはならない」彼が諭すような口調で言った。「実際はその反対で、ボトルネックがなく余剰生産能力を抱えている工場がほとんどだ。しかし、本当はボトルネックがあって然るべきなんだ。部品一つごとにボトルネックが一つあってもいいんだ」

彼は、顔の表情から私が困惑しているのがわかったのだろう。

「いまは理解できないかもしれないが、すぐにわかるはずだ。とりあえずは君の工場に着いてから、できるだけ詳しく説明してくれないか」


空港からの道すがら、私はずっと工場の窮状をこと細かく説明した。そのうちクルマは工場に着き、事務所の前に止まった。中ではボブ、ルー、ステーシー、ラルフの四人が我々を待ちうけている。もうみんな帰って誰もいなくなったフロントロビーの受付デスクを取り囲んで立っているのが外から見えた。中に入ると、みんな温かくジョナを迎えてくれた。さっそくスタッフをジョナに紹介したが、みんなの顔にはこの男がこの工場の救世主なのだろうかと半信半疑な表情がうかがえた。確かにジョナは、これまで目にしてきたコンサルタントとは似ても似つかぬ風貌をしている。ジョナはみんなの前に立ち、ゆっくりと歩きながら話し始めた。

「見つかったボトルネックに問題があるというので、今日アレックスから電話をもらったんだが……、実際には問題は複数あるはずだ。とにかく順に解いていこう。アレックスから聞いた話では、早急にスループットを増やしキャッシュフローを改善したいということだが」

「それができれば、大助かりです。どうやったら、できると思いますか？」ルーが言った。

「ボトルネックが原因で十分なフローが維持できず、需要を満たすことができなければお金を稼ぐことはできない。そのためにやらないといけないことは一つ……処理能力を増やすことだ」

「そう言われても、能力を増やすための資金がありません」ルーが答えた。

「それに、新しく機械など導入している時間もありません」ボブも話に加わった。

「なにも工場全体の生産能力を増やそうなんて話はしていない。工場の能力を高めるには、ボトルネックの処理能力を高めるだけでいいんだ」ジョナが答えた。

「つまり、ボトルネックを非ボトルネックにしてしまう？」ステーシーが訊ねた。

「いや、そうではない。ボトルネックはボトルネックのままでいい。ただボトルネックに十分な能力を見つけて、需要に見合うようにするだけでいい」

「どこにそんな能力が？」ボブが訝るように言った。「どこか、その辺に転がっているとでも」

「ああ、そのとおりだ。君たちが普通のメーカーなら、どこかに隠れているはずだ。君たちの考え方に間違いがあるからだ。こうしよう。まず工場に行って、二つのボトルネックをどう使っているか自分たちの目で確かめてみるんだ」

「いいでしょう」私は答えた。「お客さんには、みんな工場見学をしてもらっていますから」

私たち六人は全員、ヘルメットと安全メガネをつけ工場に向かった。ジョナと私が先頭に立ち、工場に通じる二重ドアをくぐると、オレンジ色のライトに包まれた。二番目のシフトが半分過ぎたくらいの時間で、昼間よりは多少静かだ。話が聞き取りやすいのは好都合だった。歩きながら、私はジョナに製造工程をこと細かく説明した。途中で気づいたのだが、ジョナの目はあちこちに溜まっている在庫の山を測っていた。私は急いで一通り工場をジョナに見せて回ることにした。

「これがＮＣＸ-10です」巨体を横たえるＮＣＸ-10を私はジョナに紹介した。

「これが、ボトルネックだね」ジョナが言った。

「ええ、二つあるボトルネックの一つです」

「どうして、いま動いていないのかね」

確かに、ＮＣＸ-10は動いていない。

「そうですね……確かに。ボブ、どうして動いていないんだ」と私はジョナの質問をボブに振った。

ボブは、腕時計をちらっと見た。

「たぶん、セットアップをする連中が一〇分ほど前に休憩に入ったからだと思います。あと二〇分ぐらいで戻ってくるはずです」

「組合との契約で、四時間作業したら三〇分の休憩を与えないといけないことになっているんです」私はジョナに説明した。

「しかし、どうして機械が動いているときに休憩しないんだ。なぜ、いまでなければならないんだ」ジョナが続けて質問した。

「それは、八時になったので……それに……」ボブが、ためらうように答えた。

それを聞いたジョナは呆れたように両手を上げて言った。「ちょっと待ってくれ。非ボトルネックの機械だったらかまわない。アイドルタイムがあって然るべきだから、作業員が休憩をとっても気にすることはない。しかし、ボトルネックではそうはいかない。その反対だ」

ジョナはＮＣＸ-10の巨体を指さして言った。「この機械で、作業できる時間には限度がある。六〇〇時間、それとも七〇〇時間くらいかな」

「月に約五八五時間です」ラルフが答えた。

「何時間であっても、需要はそれよりもっと大きい。五八五時間のうち一時間、いや三〇分でも無駄にしたら、その時間はもう二度と取り戻すことはできない。製造工程の別のところで取り戻そうとしても無理なんだ。無駄にした時間ボトルネックが生産できなかった分だけ、工場全体のスループットが減る。つまり、休憩代がずいぶん高くつくことになるんだ」

「しかし、組合を無視するわけにもいきません」ボブが抗議するように言った。

「それじゃ、話をしてみたらどうかね。彼らだってこの工場の存続は気にかかるところだろうし、頭は悪くないはずだ。ちゃんと説明して納得してもらうべきだ」

確かに、ジョナの言うとおりだ。しかし「言うは易く行うは難し」だ。とはいうものの……、私の頭の中ではいろいろな考えが一気に駆けめぐった。

そうしているうちに、ジョナがNCX-10の周りを歩き始めた。歩きながらNCX-10だけでなく、工場の中の他の機械や装置も一様に眺めている。

私たちのほうへ戻って来るとジョナが言った。「この作業をこなせる機械は、確かこれだけだと言ったね。でも、この機械はまだ新しい。この機械の前に使っていた古い機械はどこにあるのかね。まだ残っているのかね」

「ええ、すでに処分したものもありますが、まだ残しているのもあると思います。でも、もうアンティーク物ですよ」ボブが答えた。

「このX何とかいう機械と同じ作業を行うのに機械が三台必要だったと言ったが、それぞれ一台ぐらいは残っているのかね」

ルーがにじり寄って言った。「すみませんが……まさか、あのオンボロ機械を使おうなんて本気で考えているわけではないですよね」

「まだ使えるのだったら、そのつもりだ」ジョナが答えた。

ルーが驚いて目をまばたかせた。

「そんなことをしたら、コストがどうなるかわかりません。あの機械を動かせば、コストが高くつくことだけは間違いありません」

「コストのことは、後で心配しよう。まずは、使える機械があるのかないのか知りたい」ジョナが言った。

みんなの視線がボブに集まった。彼の答えを待っているのだ。そのボブが薄笑いした。

「がっかりさせて申し訳ありませんが、三種類あった機械のうち一つは全部処分してしまいました」

「なぜ、そんな馬鹿なことをしたんだ」私は焦った口調でボブに訊ねた。

「在庫の保管スペースが、もっと必要だったので」

「そうか」

「あのときは、保管スペースを確保するほうが大切だと判断したので」横からステーシーが援護した。

次は、熱処理だ。みんなで熱処理センターまで移動し、炉の前に集まった。

ジョナは、まず山積みにされた部品を見て質問した。「これは全部、熱処理しないといけないのかね」

「ええ」ボブが答えた。

「この工程の前で、熱処理に代わる何か別の方法はないのかね。この部品全部でなくてもいいんだが、熱処理しなくてすむような方法はないのかね」

ジョナの質問に、みんな顔を見合わせた。

「そういう話は、技術担当の人間に訊いてみないとわかりませんが」私は答えた。

私の答えに、ボブが怪訝そうな顔をしている。

「どうしたんだ」私はボブに声をかけた。

「技術担当の連中は、こういう話にはすぐに答えてくれないと思います。やり方を変えるのをとにかく面倒くさがる連中ですから。いつも『こうしろ、俺たちがそう言っているんだから』みたいなプライドがあるんです」

「ボブの言っていることも、もっともだと思います。たとえ連中が協力してくれたとしても、本部で認可されるまで一か月ぐらいかかるかもしれません」私はジョナに言った。

「それじゃ、質問を変えよう。この近くに、部品の熱処理をしてくれる下請け業者はないかね」

「あります」ステーシーがすぐ答えた。「でも下請けを使ったら、部品一つ当たりのコストが上がります」

みんなの抵抗ぶりに、ジョナは少し呆れたようだ。顔の表情にそれが滲み出ている。しかし、ジョナは部品が山積みになっているのを指さして質問を続けた。

「あの在庫の山は、金額に直すといくらぐらいだね」

「はっきりとはわかりませんが……、部品でおそらく一万ドルから一万五〇〇〇ドルぐらいだと思います」ルーが答えた。

「いや、違う。もしこれがボトルネックなら、一万ドルや二万ドル程度の金額ではすまされない」ルーの答えを否定するようにジョナが言った。「よく、考えてみたまえ。もっと大きな金額のはずだ」

「資料を調べればわかることですが、もっと多いとしてもルーが言った金額とはそんなに大差はないと思います。材料費でだいたい二万ドルぐらいだと思います」ステーシーがルーの答えを後押しした。

「違う、違う」ジョナが強い口調で言った。「材料のコストだけの話をしているんじゃない。いいかい、ここに山積みになっている部品を組み立てたら、客にすぐ売ることのできる製品はいくつできるんだ」

ジョナの質問に、私とスタッフはしばらくの間考え込んだ。

「それは、何とも言えないのでは」口を開いたボブが言った。

「ここにある部品を全部組み立てても、すぐに売れるかどうかはわかりませんから」ステーシーが言った。

「本当かね。ということは、スループットの向上に貢献しないような部品を、このボトルネックを使って作っているというのかね」

「スペアの部品としてとっておくものもありますし、完成品の在庫に回るものもあります。いずれ、スループットにはつながるはずですが」今度はルーが答えた。

「いずれ？」ジョナが訝るように言った。「ちょっと待ってくれ。納期に遅れているオーダーはどのぐらい溜まっていると言っていたかね」

私は、効率を上げるためにときどきバッチのサイズを増やしていることを、ジョナに説明した。

「そんなことをやって、どうして効率が上がるのか説明してくれないか」

ジョナの質問に、私は空港でのジョナとの会話を思い出して思わず赤面してしまった。

「わかった。いいだろう。その話は後にしよう。いまはスループットのことを考えよう。質問の仕方を変えるが、部品がまだあの山積みの中にあるせいで、出荷できない製品の数はいくつある」

この質問なら答えやすい。納期に遅れているオーダーの数はわかっているからだ。私は、溜まっているオーダーの数とそのうち何割くらいがボトルネックの部品のために遅れているかをジョナに説明した。

「ということは、あの山積みの中にある部品を仕上げれば、製品を組み立てて出荷できるということなんだね」

「ええ、そのとおりです」ボブが答えた。

「製品の販売価格はいくらかね」

「平均して、一つ一〇〇〇ドルぐらいだと思います。もちろん、製品によって多少異なりますが」ルーが答えた。

「それだったら、さっき言ったように、あの在庫の山は一万ドルや一万五〇〇〇ドル、いや二万ドルどころの金額ではすまされないはずだ。あの山の中に部品がいくつあるか考えてみてくれ」

「おそらく、一〇〇〇個ぐらいはあるでしょう」ステーシーが言った。

「部品一つで、製品一つを出荷できる。そう考えて問題ないかね」

「ええ、おそらく」ステーシーがまた答えた。

「ということは、一つ製品を出荷して一〇〇〇ドル。一〇〇〇個×一〇〇〇ドルだから、いくらになるかね」

号令でもかけたかのように、みんな一斉に部品の山を眺めた。

「一〇〇万ドルです」私は恐れかしこまって言った。

「ただし、条件が一つある。顧客が待ちくたびれて他のメーカーに乗り替える前に、この部品の熱処理をすませて完成品として出荷することができればだ」

そう言うとジョナは振り返って、私たち一人ひとりの顔を順にじっくり見つめた。

「これでも、何もできないと言っていられるのかね。ポリシーを変えるだけでできることだってあるんだよ」ジョナがたたみかけるように言った。

ジョナの迫力に押され、みんな黙っている。

「話は変わるが、コストの考え方についても後でもう少し詳しく話をしよう。その前にもう一つ知りたいことがある。ボトルネックの部品の品質検査をどこでやっているのか教えてくれないか」

検査のほとんどは最終組立ての前にやっていることを、私はジョナに説明した。

「見せてくれ」ジョナが言った。

ジョナのリクエストで、私たちは品質検査を行っている場所に移動した。ジョナは、今度は品質検査ではねられているボトルネックの部品について質問をしてきた。すぐにボブが近くのパレットを指さした。その上には、光沢のある鋼鉄製の部品が積み上げられている。その一番上には、ピンク色の紙が貼られている。QC（品質管理）担当者によってはねられた部品には、この紙が貼られるのだ。ボブは、作業票を手に取って中の伝票を確認している。

「どうしてはねられたのかはわかりませんが、何か問題があるのでしょう」ボブが言った。

「この部品も、ボトルネックを通ったヤツなのかね」

「ええ、そうです」ボブが答えた。

「品質検査ではねられたことが、どういうことなのか君にはわかるかね」ジョナがボブに訊ねた。

「廃棄しなければいけないということでは」

「違う、よく考えてみたまえ。これはボトルネックの部品だよ」

私には、ジョナが言わんとしていることが次第にわかってきた。

「もしかしたら、ボトルネックの時間を無駄にしたということでは」私が横から答えた。

「そのとおり」私のほうを振り返ったジョナが言った。「それでは、ボトルネックの時間を無駄にしたということは、いったいどういう意味なのかわかるかね……スループットが減ったということなんだ」

「しかし、品質を無視しろと言っているわけではありませんよね」ボブが訊ねた。

「もちろん、そんなことは言っていない。品質を無視すれば、売上げが上がっても、そう長続きはしない。私が言いたいのは、品質管理のやり方を変えるべきだということだ」

「もしかして、QCをボトルネックの前に置けということでは」私は訊ねた。

「なかなか鋭いじゃないか。欠陥品を事前に取り除いて、問題のない部品だけをボトルネックに通すんだ。ボトルネックの前に、はねることができれば、失うものはスクラップにした部品だけですむ。しかし、ボトルネックを通った後からスクラップにしたら、失ったボトルネックの時間は永遠に取り返すことができない」

「ボトルネックの後で標準に満たないような品質が発生したらどうするのですか」ステーシーが言った。

「それも考え方は同じだ。ただし、ボトルネックを通った後で欠陥が出ては意味がないから、ボトルネックの作業はしっかりと管理しないといけない。わかるかね」

「検査は誰にやらせればいいのですか」ボブが訊ねた。

「いま、ボトルネックで品質検査をやっている人間を移せばいいのでは」ジョナが言った。

「それは問題ありません」私は答えた。

「よし。それでは一度、事務所に戻ろう」ジョナがみんなに声をかけた。

事務所に戻ると、みんなで会議室に集まった。

「まずは、みんながちゃんとボトルネックの重要性を理解できたかどうか確認したいのだが」ジョナが言った。「部品がボトルネックでの処理を終えて出てきたら、製品を完成させ出荷することができる。それを売って、いくらになるかだ」

「平均で、製品一つ当たり一〇〇〇ドルです」ルーが言った。

「それなのに、君たちはボトルネックの生産性を高めるための一ドル、二ドルのコストがもったいないと言うのかね」ジョナが、みんなに詰め寄った。「まずは、NCX-10の一時間当たりのコストは、いくらかわかっているのかね」

「それは、正確にわかっています。一時間三二ドル五〇セントです」ルーが自信ありげに答えた。

「熱処理は」

「一時間二一ドルです」

「両方とも間違っている」ルーの答えを聞いてジョナが言った。

「しかし、コスト・データによると……」

「データが間違っているんだよ。君が計算間違いをしたからではなく、ワークセンターごとにコストを計算しているからだ。説明してあげよう。まだ物理を教えていたときのことだが、よくいろんな人が数学の問題が解けないといって、私のところに相談にやってきた。みんな計算があっているかどうか確認してほしいと言うのだ。しかし、何度もそういう相談を受けているうちに、計算をチェックするのは無駄だとわかった。ほとんどの場合、計算は合っていたからだ。しかし計算の根拠となる仮定が、ほとんどの場合間違っていた」

ジョナはポケットから葉巻を取り出し、マッチで火をつけた。

「この工場も同じだ」ジョナは葉巻をふかしながら言った。「この二つのワークセンターのコストは、標準的な会計方法を使って計算している……しかし、そのワークセンターが、ボトルネックであることは少しも考慮されていない」

「考慮すると、コストが変わるのですか」ルーが訊ねた。

「ボトルネックがある場合、工場の能力はボトルネックの能力に等しいことはもうわかってくれたと思う。つまり『ボトルネックの一時間当たりの生産能力イコール工場の一時間当たりの生産能力』となるわけだ。だから、ボトルネックで一時間、時間を無駄にすれば、工場全体で一時間無駄にしたことと同じことになる」

「なるほど」ルーが相槌を打った。

「それなら、この工場の操業を一時間停止させたとしたら、いくらコストがかかると思うかね」

「はっきりとは言えませんが、かなりの金額になると思います」ルーが答えた。

「教えてくれないか。この工場の一か月当たりの操業コストはいくらかね」

「一か月操業するのに、合計約一六〇万ドルかかります」再びルーが答えた。

「それでは、NCX‐10を例にとって考えてみよう。NCX‐10の一か月当たりの運転可能時間は何時間だと言ったかね」

「約五八五時間です」ラルフが答えた。

「ボトルネックの実際のコストは、工場全体の総費用をボトルネックの総運転可能時間で割って求めることができる。いくらになるかね」

ルーがコートのポケットから電卓を取り出し、計算を始めた。

「二七三五ドルです」ルーが答えた。「しかし、ちょっと待ってください。本当にこれで正しいのですか」

「ああ、間違いない。ボトルネックが動いていないときのコストは、三二ドルや二一ドルではない。本当のコストは、工場全体の一時間当たりのコスト、つまり二七〇〇ドルになる」

ルーは、唖然としている。

「これじゃ、まったく見方が変わってくるわね」ステーシーが言った。

「もちろんだ。これを頭に入れたうえで、ボトルネックの使い方をどう最適化するかが大きな課題になる。それには、大切なポイントが二つある……」ジョナが説明を始めた。

「まずは、ボトルネックの時間を無駄にしないようにすることだ。ボトルネックの時間がどのように無駄にされるかだが、一つは昼食の休憩時間中のアイドル状態。もう一つは、すでに欠陥品となっている部品、あるいは作業員の不注意や作業の管理体制が悪くて、ボトルネックを通る際に欠陥品となってしまう部品にかかる時間だ。それから、必要のない部品を作ることもボトルネックの時間を無駄にする」

「スペアの部品のことですか」ボブが訊ねた。

「オーダーのないものはすべてだ。すぐに売れる見込みのないものを作って、在庫を溜め込んだらどうなる。将来入ってくるであろうお金のために、いまあるお金を犠牲にしていることになる。問題は、キャッシュフローがもつかどうかだ。答えは、ノーだ」

「そのとおりだ」ルーがジョナに賛同した。

「次のポイントだが、ボトルネックでは、今日スループットにつながるものだけを作るということだ。半年後や一年後にスループットになるものは、今日作ってはいけない。そうすれば、ボトルネックの能力を増やすことができる。ボトルネックの能力を増やすには、実はもう一つ方法がある。ボトルネックから負荷を減らして、非ボトルネックにこの負荷を回す方法だ」

「でも、どうやって」私は訊ねた。

「さっき工場でいろいろ質問したのは、それが知りたかったからだ。まずは、全部の部品をボトルネックに通す必要があるのかどうかだ。通す必要のない部品があれば、非ボトルネックに回すことができる。そうすれば、ボトルネックの能力が増える。二つ目は、他の機械を使って同じ作業を行うことができるかどうかだ。この工場にそういう機械があれば、あるいは下請け業者で同じ作業のできる機械を持っているところがあれば、ボトルネックの負荷を軽減することができる。この方法でも、ボトルネックの能力を増やし、スループットを向上させることができる」

翌朝、朝食をとろうとキッチンに行くと、母がオートミールを作ってくれた。大きなボウルからは湯気が立ちのぼっている……子供の頃からオートミールは大嫌いだった。じっとそのオートミールを眺めていると（まるでオートミールもこちらを見つめているようだ）、母が「それで、昨日の夜はどうだったの」と質問した。

「昨日の夕食のとき、母さんや子供たちが言っていたことがどうやら正しいようだよ」私は答えた。

「僕たちの言ったことが？」デイブが訊いた。

「どうやら、ハービーがもっと速く進めるようにしないといけないみたいだ。ジョナがその方法をいくつか教えてくれたんだ。ずいぶん勉強になったよ」

「そう、それはよかったわね」母が言った。

母が自分のカップにコーヒーを注いで椅子に腰掛けると、母も子供たちもみんなしばらく黙り込んだ。どうしたのだろうと思っていると、母と子供たちが互いに目配せしている。

「何かあったのかい」私はみんなに訊ねた。

「昨日の夜、あなたが出かけた後で、ジュリーからまた電話があったの」母が言った。

ジュリーは家を出て行ってから、定期的に子供たちに電話をかけてくる。しかし理由はわからないが、居場所は決して教えてくれない。私立探偵でも雇って、彼女の居所を突き止めてやろうかと考えたこともある。

「電話で話していたら、向こう側で何か聞こえたってシャロンが言うのよ」母が言った。

私はシャロンのほうを見た。

「おじいちゃんが、いつも聴いていたあの音楽知ってる?」

「ママのお父さんのこと?」

「そうよ、知ってるでしょ。聴いていたら、いつもすぐ眠くなっちゃうやつよ。あの楽器、何て言ったっけ」

「バイオリンだろ」デイブが言った。

「そう、バイオリンよ。ママが黙っていたら、電話の向こうからその曲が聞こえてきたの」

「僕も聞こえたよ」

「本当かい。二人ともいいこと教えてくれてありがとう。後で、おじいちゃんとおばあちゃんに電話してみるよ」

私はコーヒーを飲み干して、立ち上がった。

「アレックス、少しもオートミールに手をつけてないじゃないの」母が怪訝そうに言った。

私は腰をかがめ、母の頬にキスをして言った。「すまない、でも遅れてしまうから」

私は子供たちに手を振り、急いでブリーフケースを手にとった。

「しょうがないわね。それじゃ、明日食べられるように、とっておくわ」母が、戒めるように言った。

20

クルマで工場に向かう途中、ジョナが昨夜泊まったモーテルの前を通りすぎた。朝六時半のフライトだったので、もうとっくにいないはずだ。空港まで送って行くと一応申し出たが、タクシーで行くと丁重に断られた（本音を言うと、断ってくれてほっとした）。

事務所に着くと、ミーティングをするからすぐにみんなを集めてくれとフランに頼んだ。待っている間、昨夜ジョナにやるように言われたことを書き出すことにした。しかし、ジュリーのことが気になって頭から離れない。私は部屋のドアを閉め、椅子に腰掛けてからジュリーの実家に電話をかけた。

ジュリーが出て行った日、彼女の両親から電話があって何か連絡があったかと訊ねられた。それ以来、彼らのほうからは電話はない。こちらからは二、三日前の午後電話して、ジュリーの母親のアイダと話をした。ジュリーの居場所は知らないと言っていたが、どうも信用できない。

今日もアイダが電話に出た。

「アレックスですが……、ジュリーと話をさせてくれませんか」

アイダの慌てている様子が聞き取れた。「えっ？……ジュリーは、ここにはいないけど」

「いるのはわかっています」

アイダのため息が聞こえた。

「そこに、いるのでしょう」私は、きっぱりとした口調で問いただした。

私の問いにようやく彼女が言った。「あなたとは、話をしたくないようだわ」

「いつからですか。いつから、そちらにいるのですか。土曜日の夜、電話したときも私に嘘をついていたんですか」

「いいえ、嘘なんかついていないわ」彼女は、憤然として言った。「ジュリーがどこにいるかなんて見当もつかなかったわ。友達のジェーンのところにしばらくいたのよ」

「いいでしょう。でも、この間電話したときはどうなんです」

「ジュリーから居場所を教えないでと、口止めされていただけよ。いまだって、まだ口止めされているから、本当はあなたとこんな話をしてはいけないの。しばらく独りになりたいのよ」

「彼女と話をしたいのですが」私は、詰め寄るように言った。

「電話には出ないわ」

「訊いてみないと、わからないじゃないですか」

そう言うと、電話の向こうで受話器をテーブルに置く音がした。足音が徐々に遠ざかっていったが、またすぐに戻って来た。

「気持ちの整理がついてから、自分のほうから電話すると言っているわ」アイダが言った。

「いつになるんですか」

「あなたがずっとジュリーのことを無視してきたからよ。ちゃんと彼女のことを考えてくれていれば、こんなことにはならなかったわ」諭すような口調で彼女が言った。

「アイダ……」

「それじゃ」

そう言うと、彼女は電話を切った。すぐにかけ直したが、今度は誰も出ない。もうすぐ会議が始まる。

私は、みんなとの会議に備え頭を仕事に切り替えた。

ミーティングは、私の部屋で一〇時に始まった。

「みんな、昨日の先生の話をどう思う。ルー、君はどう思うかね」

「そうですね……。ボトルネックのコストの話がどうも信じられなくて、昨日家に帰ってからずっと考えていたのですが、コストが一時間二七〇〇ドルというのは、間違っていると思います」

「間違っている?」私は訊ねた。

「この工場の製品でボトルネックを通るのは全体の八〇パーセントです」シャツのポケットからメモを取り出しながら、ルーが言った。「ということは、本当のコストは作業経費の八〇パーセント、つまり二一八八ドルのはずです。二七三五ドルではありません」

「なるほど、君の言うとおりかもしれない」

ルーが、誇らしげに軽く笑った。

「しかし、先生のおかげで、ずいぶんと新しいことが見えてきたことは確かです」

「私もそう思う。ほかのみんなはどうだ」

私は部屋に集まったスタッフ一人ひとりに意見を求めたが、大方みんな同じ意見だった。しかしボブは、ジョナの提案について多少ためらいがあるようだ。ラルフも自分が何をしたらいいのかよくわからないようだ。この二人に比べ、ステーシーは大乗り気だ。

「やり方を変えるのはリスクがあるけど、やってみるだけの価値はあると思うわ」ステーシーがみんなに言った。

「いまから経費を増やすようなやり方に変えることには、多少不安もありますが、ステーシーの意見に私も賛成です。ジョナの言うように、いままでのやり方を続ければ、もっと大きなリスクに直面する可能性だってあります」ルーが言った。

ボブが肉厚の手を挙げ、発言を求めた。

「ジョナの提案には、すぐ簡単にできるものもあれば、少し準備に時間のかかるものもあります。どうでしょう、簡単にできるものから始めて、ほかの準備をしている間に、どんな効果があるのか確かめるというのは」

「いいんじゃないか。それじゃ、どれから始める」私は言った。

「まずはQCの場所を変えて、ボトルネックの前で部品をチェックしたいと思うのですが」ボブが答えた。

「ほかは少し時間がかかりますが、ボトルネックの前の部品検査だったら、すぐに始められます。今日中でも可能です」

私はうなずいた。「いいだろう。それじゃ、昼の休憩のルールはどうだ」

「組合からクレームが出るかもしれません」ボブが答えた。

私は首を横に振った。「組合も承諾してくれると思う。後でオドネルと話をするから、詳しいことを詰めてくれないか」

ボブは、ひざにノートをのせメモをとっている。私は強調したいことがあったので、立ち上がってデスクを回り込んでみんなに近寄った。

「昨日のジョナの質問で、一つ強く考えさせられたことがある。なぜ、ボトルネックを使ってスループットの増加につながらないような在庫を作っているかだ」

そう私が言うと、ボブがステーシーに視線を送った。ステーシーもボブの顔を見ている。

「いい質問ですね」ステーシーがうなずいた。

一方ボブは、「自分たちでそう決めたからでは……」とさらりと言った。

「『効率を落とさないために在庫を作る』そんなことはわかっている」しかし問題は効率ではなく、納期に遅れたオーダーが溜まっていることだ。顧客や本部だって、そんなことは見ればわかるはずだ。これを改善するには、もっと積極的に手を打たないといけない。そのヒントはジョナからもらった。

「これまでは、急かされたものから順にオーダーをこなしていた。早く作ってくれと大きな声を張り上げた者の勝ちだったわけだ。しかし、これからは納期に一番遅れているものから順に作っていく。一週間遅れているものより、二週間遅れているものが優先されるのだ」

「これまでも、やってみたことはありますが……」ステーシーが、ためらいながら言った。

「ああ、知っている。しかし今回は、同じ優先順位で、ボトルネックでも必要な部品がちゃんと作られているか確認することが鍵になる」そう私は説いた。

「的を射たやり方だとは思いますが、問題はどうやるかです」ボブが言った。

「納期に遅れているオーダーに必要な部品でボトルネックを通るものはどれなのか、その反対に倉庫行きになるのはどれなのかをまずちゃんと把握しないといけない。そのために必要な作業だが……ラルフ、君は納期に遅れているオーダーをすべてリストアップしてくれ。それを一番遅れているものから順に優先順位をつけて並べてくれないか。どのくらいで用意できるかな」

「リストを作るのはそれほど時間はかからないと思いますが、月次の報告書も作らないといけないので……」

私は首を横に振った。「いまはボトルネックの生産性を高めることが最優先だ。そのために、いますぐそのリストが必要なんだ。リストができたら、オーダーを完成させるのにどの部品をボトルネックに通さないといけないかステーシーたちと一緒に調べてくれ」

そう言って私はステーシーの顔を見た。

「どの部品が必要かわかったら、一番遅れているオーダーから順に作業に取り掛かれるよう、ボブとボトルネックの運転スケジュールを組んでくれ」

「ボトルネックをどちらも通す必要のない部品はどうしますか」ボブが訊ねた。

「いまは、その心配はしなくていい。ボトルネックを通す必要のない部品は、すでに出来上がって組立ラインのところで待機しているか、ボトルネックの部品ができるまでには仕上がっていると思っていいだろう」

ボブがうなずいた。

「みんな、わかったか。いま言ったことをまず最優先してくれ。いまさら後戻りして、本部が欲しがるような数字を揃えている暇などはない。あんなものは、読んで理解するだけで半年かかる。何をすべきかわかったのだから、さっそく仕事に取り掛かろう」

その夜、私はフリーウェイをクルマで飛ばした。日が沈む頃だったが、道の両側に立ち並ぶ郊外の住宅の屋根を眺めながら運転していると、フォレストグローブの出口まであと二マイル（三・二キロ）という標識が見えた。ジュリーの実家のある町だ。私は、その出口でフリーウェイを降りた。

ジュリーも彼女の両親も、私が来ることは知らない。母には子供たちに言わないように頼んできた。仕事が終わってからクルマに飛び乗り、ここまでやって来た。ジュリーのかくれんぼにつき合うのも、もうそろそろ限界だ。

四車線のフリーウェイから下の通りに降りると、道の表面は黒く滑らかで、静かな住宅街をくねるように抜けている。なかなかの住宅街だ。家はどれも高級住宅で、芝生は完璧なまでに美しい。通りには街路樹が植えられており、ちょうど春の新芽が芽吹き始めているところだ。黄金色に輝く夕日に照らされ、新緑が眩しい。

通りをちょうど半分くらい行った先に、ジュリーの実家が見える。二階建ての植民地風レンガ造りの家である。窓の両側には雨戸がついてはいるが、アルミ製でちょうつがいもない。伝統的な飾りだけで、用は足さない。ジュリーは、この家で育ったのだ。

私は、クルマを家の前の道路脇に停めた。車庫の前には思ったとおり、ジュリーのクルマがあった。

私が玄関に達する前に、ドアが内側から開き、アイダが網戸の向こうに立っているのが見えた。私が近づくと、彼女は網戸の鍵に手をやり錠をかけた。

「こんにちは」私は挨拶をした。

「ジュリーは、あなたと話をしないって言ったはずよ」

「わかっています。でも、もう一度訊いてくれませんか。ジュリーは私の妻なんですから」

「もしジュリーと話がしたかったら、彼女の弁護士を通してちょうだい」アイダはそう言うと、ドアを閉め始めた。

「ジュリーと話ができるまで、私はここを動きません」

「もし帰らないのなら、警察を呼んで、あなたをうちの敷地から追い出してもらうわ」

「それじゃ、クルマの中で待たせてもらいます。道路はお宅の敷地ではありませんから」

そう言うと、すぐに玄関のドアが閉まった。私は芝生を横切り歩道を越えてクルマに乗り込んだ。クルマの座席に座ったまま、ジュリーの家を眺めていた。時折、窓ガラスの向こうのカーテンが動くのが見えた。それから四五分もすると、太陽はすっかり沈んだ。いったいどのくらい、ここにこうして座っていられるだろうかと、考えているときだった。玄関のドアが再びゆっくりと開いた。

ジュリーだ。中からジュリーが出てきた。ジーンズにスニーカー、上はセーター姿だ。なぜか幾分若く見える。まるで、ティーンエイジャーの女の子が、親に反対されているボーイフレンドに会うような光景だ。彼女が芝生を横切ってこちらに向かってきたので、私はクルマから降りた。三メートルほどの距離まで来ると、ジュリーは立ち止まった。近づきすぎたら腕をつかまれ、クルマに押し込まれてどこか知らないところにでも連れて行かれると思っているのだろうか。私たちは、互いの目を見つめ合った。私は手をポケットに突っ込み、ジュリーに声をかけた。

「それで……どう調子は」

「本当のこと知りたいの?」彼女が言った。「だったら、最悪よ。あなたのほうは?」

「君のこと心配していたよ」

私がそう言うと、ジュリーは遠くに視線をやった。私はクルマの屋根を軽く叩いた。

「ちょっと、ドライブでもしないか」

「いいえ、よしておくわ」彼女が拒否した。

「じゃ、散歩は」

「アレックス、話があるのならさっさとすませて」彼女が急かした。

「どうして、こんなことするのか知りたいんだ」

「これからも、あなたと一緒にいたいのかどうかわからなくなったのよ。そんなこと、言わなくてもわかってるでしょ」

「わかった。じゃ、ちゃんと話をしよう」

そう私が言うと、彼女は黙り込んだ。

「おい、頼むよ。ちょっとだけでいいから、散歩しながら話をしよう。近くを一回りするだけでいい。近所の噂にはなりたくないだろ」

ジュリーは周りを見回すと、近所からまる見えなのに気づいたのか、こわごわ私のほうに近づいてきた。私は手を差し伸べたが、ジュリーはそれを拒絶した。しかしとりあえず、二人並んで歩道をゆっくりと歩き始めた。私がジュリーの家に向かって手を振ると、カーテンが揺れるのがわかった。ジュリーと私は、黙ったまま三〇メートルほど黄昏の中を歩いた。最初に口を開いたのは私だった。

「この間の週末は、すまなかった。でも、ほかにどうしようもなかったんだ。デイブの期待を裏切るわけにもいかなかったし……」

「デイブとハイキングに行ったから出て来たんじゃないわ。あれは、ただのきっかけよ。突然もう何もかも我慢できなくなって、とにかくどこか遠くに行きたくなったの」

「でも、どうして行き先も教えてくれなかったんだい」

「独りになりたかったら、出て来たのよ」

「それで……、離婚したいとでも言うのかい」私は、恐る恐る訊ねた。

「そんなこと、まだわからないわ」

「いつになったらわかるんだい」

「アレックス……。家を出てからずっといろんな気持ちが入り混じって、頭の中が混乱しているの。どうすればいいのかわからないし、何も決められないの。母と父は違うことを言うし、友達も違うことを言うの。どうしたらいいのか、わからないのは私だけみたい」

「独りになって、どうしたらいいのか決めるために家を出たんだろ。僕たち二人だけじゃなくて子供たちにも関係のあることなのに、君はその三人の話は聞かないで、ほかの人の話ばかり聞いているというのかい。もし、君が戻って来なかったら、僕たち三人の生活はめちゃくちゃになるというのに」私は抗議した。

「これは、自分で決めないといけないことなの。あなたたち三人のプレッシャーがないところでね」

「何が気に入らないのか、教えてくれと言っているだけだよ」

彼女は、憤慨したようなため息をついて言った。「アレックス、その話はもう何百回もしたはずよ」

「わかった。それじゃ、これだけでいいから教えてくれ。ほかに男でもいるのかい？」

ジュリーが急に足を止めた。通りの角に来たところだ。

「あなたには、もう、うんざりだわ」ジュリーが冷淡な口調で言った。

ジュリーはさっと振り返って、家に向かって歩き出した。私はその姿をしばらくそのまま立ちすくんで見ていたが、意を決し後から追いかけた。

「それで、いるのかいないのか、どっちなんだ」

「もちろん、いるわけないでしょ」彼女が怒鳴った。「ほかに男がいて、親の家に居座ることができるとでも思うの」

犬を連れた男が、私たち二人のほうを振り返って見ている。ジュリーと私は、黙って彼の横を大股ですり抜けた。

「ただ、訊いておきたかっただけだよ……。それだけだ」私は、ジュリーに小声で言った。

「私がどこかの男と遊びたくて、子供を置いていくと思うの。少しも、私のことなんかわかっていないのね」ジュリーが冷たく言った。

まるで、彼女に頰をぶたれたような気分だ。

「ジュリー、すまなかった。まさかとは思っていたけど、絶対ないとは言えないから、一応確認しておきたかっただけだ」

ジュリーが歩調を緩めたので、私は彼女の肩に手を回したが、ジュリーはそれを払いのけた。

「アレックス、私はずっと不幸だったわ。不幸な気持ちを感じていることに罪悪感さえ感じるわ。まるで不幸になる権利さえも与えられていないような気分よ。でも、私は不幸なの」

苛立ちながら私はジュリーの話を聞いていたが、気がつくとジュリーの家の前まで戻って来ていた。短い散歩だった。アイダが窓のところに立って無表情な顔でこちらを見ている。ジュリーと私はそこで立ち止まり、私は自分のクルマの後部フェンダーにもたれた。

「荷物をまとめて、一緒に家に帰らないか……」私がそう言いかけると、ジュリーは私の話を制止するように首を横に振った。

「駄目。まだ、気持ちの整理がついていないわ」

「わかった。もしこのまま家にずっと戻らないのなら離婚するしかない。それとも、戻って来て一緒に頑張るか、どちらかだ。でも家に戻るのが先になればなるほど、お互いの気持ちはますます離れていく。もし離婚したら、後はどうなるか君もわかるだろう。離婚した友達もいるから、わかっているはずだ。それでも本当に離婚したいと言うのかい。頼む、頼むから戻ってくれないか。一緒に頑張ったらきっとうまくいくよ。約束する」

それでも、ジュリーは首をまた横に振った。「できないわ、アレックス。これまでもずいぶん、約束を破られてきたわ」

「それじゃ、離婚したいのかい」私は、責め立てるように言った。

「わからないって言ったでしょ」

「わかったよ。僕が君の気持ちを決めるわけにはいかない。君が自分で決めないと。ただ、これだけはわかってくれ。僕は、君に戻って来てほしいんだ。子供たちも同じ気持ちだ。気持ちの整理がついたら電話をくれないか」

「最初からそうするつもりよ」

私はクルマに乗り込み、エンジンをかけた。そして窓を開け、クルマの脇の歩道に立っているジュリーを見上げた。

「やっぱり、君のことを愛しているよ」私は彼女に言った。

この言葉で、ジュリーの頑なな態度がようやく解けた。彼女はクルマに近寄ると、こちらに向かって上体を曲げた。私が窓越しに彼女の手をしばらく握ると、彼女が私にキスをした。そうするや否や、ジュリーは何も言わずに、その場を立ち去った。芝生の途中まで行くと、急に走り出した。私は、彼女の姿が玄関のドアの中に消えるのを見届けてから、クルマのギアを入れその場を去った。

21

その夜は、一〇時前に家に着いた。すっかり意気消沈しての帰宅だった。夕食はまだだったので冷蔵庫を開けてみたが、冷えたスパゲッティと食べ残しのエンドウ豆で我慢するしかなかった。飲み残しのウォツカで流し込んだが、なんとも寂しい食事だった。

もしジュリーが戻って来なかったらどうしようと、私は食べながら考えた。彼女がいなくなったら、ほかの女性とつき合うのだろうか。どこでそんな女性と知り合うのだろう。突然ベアリントンにあるホリデイ・インのバーで、見知らぬ女性にセクシーに迫る自分の姿が頭に浮かんだ。

それが自分の運命なのか。ああ、神様。そんなやり方、いまでも通用するのだろうか。

誰か自分の知っている女性でつき合えそうな人がいてもよさそうなものだ。

そう思い、私は知っている女性で独身の人の名前を挙げてみた。私とつき合ってくれるような人はいるだろうか。自分の好みはどんな人だろうか。どんな人とだったらつき合えるだろうか。考えられる女性を全部挙げるのには、そう時間はかからなかった。その中で気になる女性が一人いた。私は椅子から立ち上がると、電話の側まで行き、そのままじっと五分ほど電話機を見つめていた。

電話をしようか、どうしよう。

私は緊張した面持ちで電話をかけた。しかし、呼出し音が鳴る前に受話器を置いた。そして、また受話器をじっと見つめた。ああ、何ということだ。きっと断られるに決まっている。私はもう一度、かけてみた。一〇回ほど呼出し音が鳴ってから、誰かが出た。

「もしもし」彼女の父親だ。

「ジュリーと話をしたいのですが」

沈黙の後、「ちょっと、待っていてくれ」と返事があった。

そのまま、しばらく時間が過ぎた。

「もしもし」ジュリーが出た。

「やあ、僕だ」

「アレックス？」

「ああ、そうだ。こんな夜遅くに悪いとは思ったんだが、どうしても訊きたいことがあって……」

「離婚とか、家に帰るって話だったら……」

「いや、そんなことじゃない」私は彼女の話を制した。「君が気持ちの整理をしている間、ときどき二人で会えないかなと思って……それも、やはりまずいかな」

「そうね……、特に問題はないけど」

「よかった。今度の土曜の夜は何か予定あるかな」

ジュリーは黙ったままだが、電話の向こうで微笑んでいるのがわかる。

「デートに誘っているの」ジュリーの声がやや明るくなった。

「そうさ」

長い沈黙があった。私は再び訊いた。

「それで、僕とデートしてくれるのかい」
「ええ、いいわよ」ようやく彼女が承知してくれた。
「よかった。それじゃ、七時半に迎えに行くというのでどうだい」
「待ってるわ」

翌日の朝、またみんなを会議室に集めた。今日は、いつものメンバーのほかにボトルネックのスーパーバイザー二人も呼び出した。いつものメンバーとはステーシー、ボブ、ラルフ、それに私のことだ。呼び出したスーパーバイザーとは、熱処理炉担当のテッド・スペンサーとNCX-10担当のマリオ・デモンテの二人だ。テッドは年配の男で、スチールウールのようなごわごわした髪と金属ヤスリのような細身の体をしている。マリオも年はいっているが、こっちはふくよかな体格だ。

ステーシーとラルフは、徹夜作業で目を真っ赤に腫らしている。みんなが席に着く前に、二人が私に進捗状況を説明してくれた。

遅れているオーダーのリストアップは簡単だった。コンピュータでリストアップし一番納期に遅れているものから並び替えるのに、一時間もかからなかった。しかし、それからが大変だった。オーダーごとにすべての資材票をチェックし、どの部品にボトルネックの作業が必要なのか確認しなければならなかった。部品がわかったら、今度はその部品を作るための資材の在庫があるかどうかを確認しなければいけなかった。その作業だけで、ほとんど一晩かかったのだ。

コンピュータの有り難みが初めてわかったと、ステーシーが言っていた。

みんなの手元には、ラルフが手書きでまとめたリストのコピーが配られている。六七件分のオーダー、つまり納期に遅れて溜まっているオーダーの合計がまとめられ、遅れている日数の多いものから順に並べられている。一番納期に遅れているもの、つまりリストの一番上のオーダーで五八日、一番少ないものは一日の遅れで一件ある。

「調べてわかったのですが、遅れているオーダーの約九〇パーセントは、ボトルネックの部品が必要なオーダーです。一つあるボトルネックのどちらか一方あるいは両方を通さないといけない部品を必要としています。そのうち約八〇パーセントは、ボトルネックから部品が来なくて、組立ラインのところで足止めを食らっているオーダーです」

「というわけで、ボトルネックの部品を最優先に作業をしないといけない」そう私は二人のスーパーバイザーに説明した。

「それから熱処理とNCX-10で、どの部品をどういう順に作業したらいいのか、そのリストも作ってきました。これも納期に一番遅れているものから順に並べました。一週間ほどでリストの作成もコンピュータで全部できるようになるので、もう徹夜作業をしなくてすむようになると思います」ラルフが言った。

「よくやった、ラルフ。君もステーシーも本当によく頑張ってくれた」そう声をかけてから、私はテッドとマリオの顔を見た。「さて、ということでリストの一番上から順に作業をしてほしいんだが」

「そう難しくはなさそうですね。できると思います」テッドが答えた。

「探すのに苦労する部品もあると思いますが……」マリオが言った。

「在庫の山の中から掘り出さないといけないわね」何か問題でも?」ステーシーが訊ねた。

マリオは眉をひそめ、渋い顔をした。「いや、べつに……リストにあるのをやればいいんですね」

「そう、簡単なことだ」私は言った。「二人とも、リストに載っていないものの作業はしなくていい。フレッドたちが何か言ったら、私のところに来るよう言ってくれ。とにかくリストの順序だけはちゃんと守ってくれ」

テッドとマリオがうなずいた。

「フレッドたちに、この優先順位を変えないよう徹底しておかないといけない。順番を守ることがどれだけ重要なことか、君はわかっているな」私はステーシーに言った。

「ええ、でも所長も約束してください。営業からプレッシャーがかかっても順番を変えないと」ステーシーが答えた。

「ああ、誓う」そう断言して、私はまたテッドとマリオの二人を見た。「真剣に聞いてほしいんだが、この工場で一番重要な部署は、君たちが担当している熱処理とNCX-10だ。この工場の将来は、君たちにかかっている」

「最善を尽くします」テッドが神妙な面持ちで答えた。

「私も、ちゃんと目を光らせておきますから」ボブも気合が入っている。

ミーティングが終わると、私はすぐ人事課に向かった。組合支部長のマイク・オドネルと話をするためだ。人事課に行くと、マイクの甲高い声が聞こえた。人事課長のスコット・ドーリンはマイクの話を聞きながら、神妙な面持ちをして、座っている椅子のひじ掛けを強くつかんでいる。

「どうかしたのかね」私はマイクに声をかけた。

「どうかしたのかはないでしょう。新しい昼食のルールですよ」マイクが声を荒げて答えた。「契約違反です。第七条、第四項に違反しています」

「わかった、わかった。ちょっと待ってくれないか。この工場の状況を組合にもちゃんと説明しようと思っていたところだ」マイクの言い分を制止するように私は言った。

その後昼まで、私はずっとマイクにこの工場が置かれている厳しい状況を説明した。それと、これまでにわかったことや、どうしてルールを変えないといけないのか、その理由も説明した。

「これで、君にもわかってもらえたと思う。新しいルールで影響を受けるのは、せいぜい多くて二〇人だ」説明の最後に私はマイクにそう言った。

しかし、マイクは首を縦に振らなかった。

「いろいろと説明していただき、ありがたいんですが……」彼が口ごもった。「契約があります。この件だけ特例として認めたら、この先もうルールは変えないと言われても信用できません」

「マイク、正直言って、この先ルールをもう絶対に変えないなどと約束することはできない。しかし結果的には、みんなの仕事を守ることにつながるんだ。給料を引き下げてくれとか、福利厚生を減らしてくれなどと頼んでいるわけじゃない。少しばかり臨機応変に対応してほしいと頼んでいるだけなんだ。ルールを少しくらい変えられるだけの余裕を持ってくれ。それが結果的には、この工場の利益につながるんだ。それとも、この工場がこの先数か月後になくなってもいいのかね」

「脅しですか」

「何を言っているんだ。脅しなんかじゃない。このままだと手遅れになってしまうんだ」

マイクは黙り込んだが、しばらくしてから言った。「少し、考えさせてくれませんか。ほかの人とも相談しないといけない。後から連絡します」

まだ昼が終わって少ししかたっていないというのに、私は居ても立ってもいられなかった。今朝、みんなに指示した作業がうまくいっているかどうか気になってしかたがない。ボブに電話してみたが、部屋にはいない。作業場のどこかにいるのだろう。私は自らの目で確かめようと、作業場に向かった。

最初にNCX-10の様子を見に行ったが、そこには誰もいなかった。この機械は自動運転できるので、誰もいないことが多いのだ。しかし私が行くと機械は止まっていた。停止したままで、誰かがセットアップをしているわけでもなかった。私は急に頭に血がのぼった。

私は、早速マリオを探し出し、詰め寄った。

「どうして、この機械が止まっているんだ」

「材料がないそうです」私の問いに、マリオは機械工に確認してから答えた。

「どういうことなんだ、材料がないとは」私は声を荒げた。「周りに山積みになっているのは、何なんだ」

「リストの順番に従って作業しろと言われたじゃないですか」マリオが反抗的な口調で答えた。

「遅れている部品をもう全部仕上げたと言うのか」

「いえ、最初のバッチ二つが終わって、リストの三番目に取り掛かろうとしたら、どこを探しても材料が見つからなかったので、材料が出てくるまで機械を止めることにしたんです」

私は首を締めてやろうかと思った。

「そうしろと所長が言われたのでは。リストに載っているものだけ、リストの順番どおりにやるのでは……、そう言われませんでしたか」

「ああ、確かにそう言った。しかしできないものがあったら、その次をやらないといけないぐらいのことは気が回らないのか」

マリオは、なぜ自分が責められるのか理解できないといった表情をしている。

「それで、必要な材料はどこにあるんだ」私は訊ねた。

「わかりませんが、ボブが誰かに探させているはずです」マリオが答えた。

「よしわかった。リストの次の部品を作る段取りを始めてくれ。材料はちゃんとあるな。とにかく、この機械を休ませるんじゃない」

「わかりました」マリオが渋々と答えた。

私は怒りをあらわにしながら自分の部屋に向かった。ボブを呼び出して、いったいどうなっているのか確認しよう。部屋に戻る途中、旋盤の横を通り過ぎようとすると、ボブがそこで職長のオットーと真剣な顔で話をしていた。何の話をしているのかはわからないが、オットーはボブにつかまって、少しうろたえた顔をしている。私は立ち止まり二人の話が終わるのを待っていたが、ボブが私に気づいて、こちらに向かって歩いてきた。その傍らでオットーが大きな声を張り上げ、機械工たちを招集している。

「問題が起きた。知っているか」

「ええ、だから、ここにいるんです」

「原因は何なんだ」

「大したことではありません。ちょっとした作業上の手違いです」

ボブが言うには、必要な部品がオットーのところで約一週間放置されたままになっていたのだ。NCX-10で処理される部品が最優先などとは知らずに、他の部品の作業をしていたのだ。彼にしてみれば、他の部品と何ら変わりないし、バッチのサイズからすると、むしろ重要度が低く思われたのだ。ボブが様子を見に来たときは、大きなバッチの作業中だったので、事の重大さを説明されるまでは作業を中断することをためらっていたようだ。

「まいりました、所長……。前と同じです」ボブがぼやいた。「せっかくセットアップをして作業が始まったと思ったら、別の部品を先にやらないといけなくなって途中で中断する。前とまったく同じです」

「いや、ちょっと待てよ。少し考えてみてくれ」

ボブは、ゆっくりと首を横に振っている。「何を考えろと言うのですか」

「冷静に順序立てて原因を考えてみようじゃないか……。原因はいったい何なのか」

「NCX-10に必要な部品が届いていなかったので作業に取り掛かれなかった。それが原因です」ボブがさらりと答えた。

「原因は、この『非ボトルネック機械』のところで、『ボトルネック部品』が足止めを食っていたからだ。どうして、こうなったのか考えてみよう」

「この非ボトルネック機械の担当者は、どの部品でもいい、ただ作ることしか考えていなかった。それだけだと思います」

「そうだ。もし暇にしていたら、君みたいな奴がやって来て、うるさく言われるからだ」

「そうです。もし私が何も言わなければ、今度は私が所長にうるさく言われます」

「そのとおり。しかし忙しく作業はしていたものの、目標達成に向かって貢献していたとは言い難い」

「そうですか?」

「ああ、そうだ。貢献していない。ボブ、見るんだ」私は声を張り上げ、足止めを食らっている部品の山を指さした。「今日この部品が必要なんだ。明日じゃ駄目だ。非ボトルネック部品の中には、この先数週間、数か月、いやもしかするとずっと必要のないものもあるかもしれない。もしそんなものを作り続けていたら、オーダーを出荷してお金を儲けることの邪魔をしていることになる」

「でも、彼はそんなこと知らなかった」

「そのとおり。重要なバッチと、重要じゃないバッチの区別ができなかった……。なぜだ」

「誰も教えてくれなかったからです」

「そう、君に言われるまでは。しかし、君が工場のあっちこっちにずっと張りついているわけにもいかない。同じことがまた起こるに違いない。要は、どうやって工場全体にどの部品が重要なのかを伝達するかだ」

「何か、新しいシステムが必要だと思います」

「いいだろう。それじゃ早速そのシステムを作ってみようじゃないか。同じことを繰り返している暇はないからな。それから、ボトルネックの作業員にリストの優先順位の高いオーダーから順に作業をするよう、もう一度念を押しておこう」

ボブは、どの部品から作業したらいいのかオットーにもう一度確認をした。それからボブと私はボトルネックに向かった。

ボトルネックでの確認作業が終わると、二人で私の部屋に向かった。ボブの顔を眺めると、まだ気にかかることがあるようだ。

「どうしたんだ。まだ、何か納得できないことでもあるのか」

「所長、もし、ボトルネックの部品を優先するために、他の作業を途中で中断しなければいけないようなことが繰り返し起きたらどうなるのですか」ボブが訊ねた。

「ボトルネックのアイドルタイムはなくすことができるだろうな」

「しかし、残り九八パーセントのワークセンターのコストは、いったいどうなるのですか」ボブが続けて質問した。

「いま、その心配をするのはやめよう。いまはとにかく、ボトルネックを休ませないことに全神経を集中しよう」私は、ボブの心配を払拭するように言った。「いいか、君がしていることは正しいんだ。心配するな」

「ええ、正しいことなんでしょうが……。でも、そのためにルールを破りました」

「だったらルールを破ればいい。もともと出来の悪いルールだったのかもしれない。いまやっている作業を中断してほかの作業をするなんて、今回に限ったことではないじゃないか。しかし理由はこれまでとは違うぞ。いままでは誰かに急かされてしかたなくやっていたが、これからは自分たちで前もって予定を組んでやる。自信を持って試してみようじゃないか」

ボブはわかりましたと、うなずいている。しかし、ボブは証拠がないと信用しない男だ。正直なところ、私も同じかもしれない。

新しいやり方を試し始めてから数日がたった。いまは金曜の朝八時、最初のシフトが始まるところだ。私はカフェテリアで、ボブと一緒に従業員たちが入ってくるのを眺めていた。

先日の失敗した経験から、もっと多くの従業員にボトルネックの重要性を理解してもらったほうが、この先楽だろうと考え、従業員全員を集めて一五分間のミーティングを持つことにしたのだ。職長だけではなく、時間給の作業員も含め全員だ。午後は二番シフトの作業員にも集まってもらうし、今夜遅くも顔を出して、深夜シフトで同じことをやる予定だ。みんなが集まったところで、私は席を立ちみんなに向かって話を始めた。

「みなさん知っていると思いますが、この工場の業績はここしばらくの間思わしくありません。みなさんに理解してもらいたいのは、これから、自分たちの力でそれを変えていかなければいけないということです」私は熱っぽく語り始めた。「今朝、集まってもらったのは、今日から導入する新しいシステムについて説明させてもらうためです。このシステムを使えば、工場の生産性が向上するものと確信しています。まずは、私のほうからそのシステムをどうして導入することになったのか、その背景について簡単に説明します。その後で、ボブからもう少し詳しくシステムの内容について説明させてもらいます」

ミーティングは一五分で終わらせようと考えていたが、どうも時間が足りないようだ。私は砂時計の例を使ってボトルネックの説明と、どうして熱処理とNCX-10の作業を優先させなければいけないのか理由を簡単に説明した。このミーティングで説明しきれないことについては、ニューズレターの中で説明するつもりだ。これまでの社内新聞に代わって新しく出す予定の社内報で、工場内の出来事や改善状況などについて従業員に伝えるのが目的だ。

自分の話が終わって、私はマイクをボブに渡した。ボブは、どの作業を優先したらいいのか、その優先順位の決め方について説明した。

「今日中に、工場内のすべての仕掛品に番号札を貼ります」そう言いながら、ボブは見本を掲げてみんなに見せた。「札の色は、赤か緑のどちらかです」

「赤い札の貼られた仕掛りは最優先であることを意味し、ボトルネックでの作業が必要なすべての材料に貼られます。それぞれのワークセンターに赤い札が貼られた部品が来たら、『すぐに』その作業に取り掛かってください」

そう言った後に、ボブは『すぐに』という言葉の意味を説明した。別の部品の作業を行っている場合は、まずその作業を片づけるが、ただし三〇分以内ですますことのできる仕事の場合に限る。赤い札が貼られた部品が到着したら、一時間以内にその作業を開始する。

「ほかの仕事のセットアップを行っている最中の場合は、すぐにセットアップを中断して赤札の部品のセットアップを行ってください。ボトルネックの部品が仕上がったら、また元の作業に戻ってください」

「二つ目の色は緑です。赤い札と緑の札が両方ある場合は、赤い札の部品の作業を優先してください。これまでに貼った札はほとんどが緑ですが、まず赤い札がないことを確認してから緑の札の作業を開始してください」

「色による優先順位は、これでわかっていただけたと思います。でも、同じ色のバッチが二つあった場合、どうするかですが……この場合は、札に番号が書いてありますので、番号の小さいものから取り掛かってください」

ボブは、さらに詳しく説明をして、質問にも二、三答えた。そして最後にもう一度、私がみんなに話をした。

「このミーティングは、私の考えでみなさんに集まってもらいました。仕事の時間をわざわざ削って集まってもらったわけですが、全員揃った場で同じことを伝え、状況をよく理解していただこうと思い計画しました。それと、もう一つ……ここしばらくの間、みなさんに何もいいニュースをお伝えすることができなかったわけですが、この新しいシステムを導入することで、きっと近い将来、いいニュースをお伝えできるものと確信しています。どうか期待していてください。この工場の将来、それにみなさんの仕事は、この工場が利益を上げることができて初めて約束されます。みなさんができることでいま最も重要なのは、我々とともに働くこと、この工場を存続させるために力を合わせて頑張ること以外にありません」

その日の午後遅く、私の電話が鳴った。

「もしもし、オドネルですが……。例の昼食と休憩時間の新しいルールの件ですが、検討した結果、了承させていただくことにしました。クレームはつけませんから、実行してくださってけっこうです」

私は、早速ボブにこの知らせを伝えた。こうして小さな勝利を少しずつ収め、その週は終わった。

土曜の夜七時二九分、私はクルマをジュリーの実家の前につけた。クルマは洗車してワックスもかけ、丁寧に磨き込んである。中は掃除機もかけ、ゴミ一つない。私は助手席に置いたブーケを手に取り芝生の上へ降り立った。服はデート用にめかしこんできた。七時三〇分、玄関のチャイムを鳴らした。

すぐに、ジュリーがドアを開けてくれた。

「とても素敵よ」

「君もだ」そう言うと、彼女が恥ずかしそうにうなずいた。

彼女の両親とも、二、三言葉を交わしたが、どうもぎこちない。ジュリーの父親には工場の様子を訊かれたので、なんとか立て直すことができそうだと答えた。新しいシステムを導入したことと、それがNCX-10や熱処理にどういう効果があるかも説明した。しかし、さっぱり訳がわからないといった表情で、私の顔をまじまじと見ている。

「それじゃ、行きましょうか」ジュリーが声をかけてくれた。

「一〇時までには戻りますから」と私は冗談交じりに、ジュリーの母親に言った。

「いいわ。待っているわ」

22

「これが、先週の結果です」ラルフが言った。

「まあまあね」ステーシーが安堵したように言った。

「まあまあ？　もっと、褒めてくれてもいいんじゃないのか」ボブが言った。

「私たちの考えが正しかった証拠よ」ステーシーが誇らしげに言った。

「ああ。だが、まだ十分じゃないな」私は小さな声でポツリと言った。

新しいシステムを導入して一週間が過ぎた。みんなで会議室のコンピュータの周りに集まった。納期に遅れているオーダーで先週出荷できた分を、ラルフがコンピュータでプリントアウトしてくれた。

「これでもまだ十分でないんですか？　良くなっていると思いますが」ステーシーが怪訝そうに言った。

「先週一二件もオーダーを出荷できたんですよ。この工場にしては悪くないと思います。それに一番遅れていたオーダーもちゃんと出荷できましたから」

「これでいま現在、一番遅れているオーダーでは四五日遅れです。先週までは五八日が最高でした」ラルフが説明した。

「よしっ」ボブが声をあげた。

私は後退りしてテーブルに腰をかけた。

みんなが喜ぶのはわからないでもない。優先順位に応じてすべてのバッチに札をつけてみたが、これがなかなかうまくいった。ボトルネックへの部品の供給も順調にいっている。ボトルネックの前に在庫が積み上がっているのがその証拠だ。ボトルネックでの作業がすんだ赤い札の部品は、これまでになく迅速に最終組立てに流れている。まるでボトルネック専用の特急ラインのようだ。

QCもボトルネックの前に移したが、その結果、NCX-10に流れる直前の部品の約五パーセント、熱処理の約七パーセントが品質基準を満たしていないことがわかった。今後この数字が変わらないとすれば、その処理時間分だけスループットが増えることになる。

昼の休憩時間についても、ボトルネックに人を配置する新しいポリシーを開始した。これでどの程度スループットが向上できたのかは明確ではない。これまでどの程度無駄にしていたのかわかっていないのだから、比較しようがないのだ。少なくとも間違ったことはしていないだろう。しかし、いまだにNCX-10が時折停止するという事態が発生している。休憩中の誰もいないときに起こるらしいが、これについてはボブが原因を調査中のはずだ。

こうして新しいシステムを導入した結果、一番遅れていたオーダーもなんとか出荷できたし、出荷量も増やすことができた。しかし、まだまだスピード不足だ。これまで歩くことさえできなかったこの工場が、いまようやく独り歩きできるまでになった。しかし、本当は走っていなければいけないのだ。

コンピュータに視線を戻すと、みんなが私の顔を見つめていた。

「聞いてくれ……。どうやら、我々は間違っていなかったようだ。しかし、もっとスピードアップしなければいけない。先週一二件出荷できたことは確かに喜ぶべきことだろう。だが、その間にも新しく納期遅れのオーダーが発生している。これまでより数は少ないものの、まだまだ改善しなければいけない余地がたくさん残っている。本来は納期に遅れるようなオーダーが一件たりともあってはいけないのだ」

みんなコンピュータから離れ、テーブルの周りに集まった。ボブが、これまでの作業に加えてさらにどんな改善策を実行すべきか、そのプランについて説明を始めた。

「ボブ、いい考えだがもっと重要なことがあるはずだ。ジョナがもう一つ提案していたことがあったろう。そっちはどうなっているんだ」

ボブが視線をそらした。

「……それは、まだ検討中です」

「水曜のミーティングまでに、ボトルネックをどうオフローディングしたらいいのか、考えをまとめておいてくれ」

ボブはうなずいているが、黙ったままだ。

「できるのか？」私は念を押した。

「なんとか頑張ってみます」

その日の午後、私の部屋に品質管理マネジャーのロイ・ラングストンと社内広報担当のバーバラ・ペンの二人を呼んだ。バーバラは、新しいルールが導入されたときなど説明の記事を書いたりするのが仕事だ。先週、社内報の第一号を出したばかりだが、今度はロイと新しいプロジェクトに取り掛からせることにした。

ボトルネックから出てきた部品は、ボトルネックに入る前と外観はほとんど変わらない。専門のスタッフが注意して見ないと、その違いがわからないものもある。問題はどうすれば普通の作業員でもその違いを容易に見分けることができるかだ。ボトルネックでの作業がすんだ部品は、迅速に次の工程に流し、最終組立てラインで製品として完成させ出荷しなければならない。何かいい考えがないか、二人からアイディアを聞こうと思って呼んだのだ。

「赤い札を導入してボトルネックを通過する部品は見分けることができるようになりました。後は扱いに注意しなければいけない部品を、どうわかりやすく示したらいいかです。ボトルネックでの作業がすんだ部品は、金（ゴールド）だと思って大切に扱ってもらわないといけないわけですから」バーバラが言った。

「いいたとえだね」私は答えた。

「黄色のテープを貼るのはどうですか。ボトルネックから出てきた部品の札に黄色のテープを貼るんです。黄色いテープがついていれば、大切に扱わないといけないとすぐにわかります。もちろん社内報でも説明して、それから掲示板にポスターを張り出すのもいいでしょう。掲示板に張り出したものは、セクションごとに職長が作業員に読み上げることになっていますから。それから工場内に横断幕を掲げるのはどうですか」

「いい考えだと思う。ただし、ボトルネックでの作業をスローダウンさせずにテープを貼ることができればだが」

「もちろん、支障をきたさない方法でやります」今度はロイが言った。

「いいだろう。ただし、派手に宣伝しまくっただけで終わってもらっては困る」

「それは十分承知しています」ロイが微笑みながら答えた。「現在、ボトルネックやそれに続く工程での品質については、問題があればその原因をシステマティックに見つけ出すようにしています。どこに問題があるのか狙いが定まれば、ボトルネックを通る部品やその作業に対応した手順を考案します。いったん手順が定まれば、今度はその手順に対応できるよう作業員に対しトレーニングを行います。しかし、もちろんこれには少し時間がかかります。そこで短期的には既存の手順をダブルチェックして、ボトルネックでの作業での精度を確かめます」

二人の考えについてしばらく話し合ったが、基本的にはどれもよさそうなので、私はさっそく全面的に取り掛かるように、また随時私への報告を怠らないようにと指示を出した。

「ご苦労さん」席を立ち、部屋を出ようとした二人に私は声をかけた。「ところでロイ、ボブもこのミーティングに来るはずじゃなかったのか」

「最近、あの人は忙しくてなかなかつかまらないんです」ロイが渋い顔をして言った。「後で、彼にもいまの件については報告しておきますから」

ちょうどそのとき、電話が鳴った。手を伸ばし受話器を取り、もう一方の手で部屋から出ていくロイとバーバラに手を振った。

「もしもし、ドノバンですが」

「ボブか、いま頃病気だから休みますなんて言うなよ。いま、ミーティングが終わったところだ。君も来るはずじゃなかったのか」私はからかうように言った。

しかし、ボブはそんな言葉を気にする様子もない。

「所長、見てもらいたいものがあるのですが」ボブが神妙な口調で言った。「少し、時間ありますか」

「ああ。でも、いったい何なんだ」

「それは、こちらにいらっしゃってからお話しします。搬入ドックで待っていますから来てください」

早速、搬入ドックに向かうとボブが待っていた。こっちです、と私に手で合図をしている。別に手など振らなくてもすぐにわかるのだが。ドックにはトラックが後ろ向きにつけられている。その荷台の真ん中には木製の台の上に大きな物体が置かれ、グレーのキャンバス地のカバーで覆われてロープで荷台に固定されている。私が二人、頭上のクレーンを使ってこの物体をトラックの荷台から降ろそうとしている。私がボブに近づくと、この物体が宙に浮いた。それを見ているボブは慎重な面持ちで口を抑えている。

「気をつけろよ」宙づりのこの物体が前後に揺れるのを見て、ボブが声をかけた。

ゆっくりとクレーンは物体をトラックからコンクリートのフロアに降ろした。それを待って作業員が吊り上げていたチェーンをはずした。ボブはゆっくりと近づき、ロープを作業員にはずさせた。

「すぐにお見せしますから」ボブが私に声をかけた。

私は黙って待っていたが、ボブは待ちきれない様子だ。ロープが全部はずされると、ボブは自らカバーに手をかけ、待ってましたとばかりに一気にこれをはがした。

「ダダーン!」と声をかけながらボブが披露したのは、これまでに見たこともないような古い機械だった。

「いったい、これは何だ」

「ジーメグマです」ボブが言った。

ボブはボロ切れを手にとると、ホコリをさっと拭き取った。

「もう、この型の機械は生産していません」

「そうか……、そうだろうな」

「所長。この機械こそ、いまこの工場に必要な機械なんです」

「何十年も前は最新鋭の機械だったんだろうが、いま頃いったいこの機械で何ができるんだ」

「NCX-10と比較されても困るのですが、でもこの機械とあそこにあるスクリューマイスター、それから角に置いてあるあの機械があれば、NCX-10と同じ作業ができるんです」ボブはジーメグマを手でさすると、ドックの反対奥の機械を指さしながら言った。

私は三台の機械を眺めたが、どれも旧式でいまはどれも使われていない様子だ。ジーメグマに近寄りまじまじと観察させてもらった。

「そうか、これが在庫の保管スペースと引き換えに売り払った例の機械だな」

「そうです」ボブが答えた

「まさにアンティークだな。ほかの機械もだ。これでちゃんとした製品が作れるのか」

「自動でないので、誰か人が運転しないといけないし、ミスは増えるかもしれませんが、生産能力を増やすには手っ取り早い方法です」

私はニヤリと微笑んだ。「少し先が明るくなってきたな。この機械、いったいどこから見つけてきたんだ」

「サウスエンド工場に今朝電話してみたら、この機械がまだ二台残っていて、一台持って行ってもいいと言うので保守の人間を一人連れてすぐに向こうに行ってみたんです」

「それで、いくらかかったんだ」

「運ぶのにかかったトラックのレンタル料だけです。サウスエンド工場の連中からは、スクラップとして経費で落とすのでただで持って行っていいと言われました。こちらが買い取るとなると手続きなど処理が大変なので、そのほうが楽なんです」

「まだ、動くのか」

「向こうの工場でチェックしたら、ちゃんと動きました。もう一度確認してみましょう」

保守の人間が機械の電源コードを近くの鉄柱にあるコンセントに差し込み、ボブが電源スイッチをオンにした。一瞬間をおいてから、どこからともなく回転音が唸り始めた。アンティークな送風装置からは溜まったホコリが勢いよく吹き飛ばされている。ボブが私の顔を見た。黙ったままだが、歯を見せ大きな笑顔を浮かべている。

「どうやら、使えそうです」ボブが言った。

23

激しい雨が窓を打ちつけ、オフィスの外の景色は灰色にぼやけて見える。週の半ばを迎えた朝だ。机の上に置かれているのはヒルトン・スミスのところで作成している『生産性レポート』だ。今朝オフィスに来たら、私のボックスに入っていた。目を通そうとしたが、一ページ目の最初の段落より先に進むことができない。窓の外の雨を眺めながら、ずっとジュリーのことを考えていた。

例の土曜の夜は、ジュリーとデートに出かけた。特にロマンチックというわけではなかったが、二人で楽しい時間を過ごすことができた。映画の後、食事をして、最後はジュリーを家に送りがてら公園を通って少しドライブをした。とりたてて何もなかったが、二人にとってはとても貴重な時間だった。彼女と一緒にいて、リラックスできたのがうれしかった。最初のうちは、まるで高校生に戻ったかのような緊張した気分だったが、しばらくすると、その緊張感が心地よく感じられた。ジュリーの家に着いたのは夜中の二時頃で、彼女の母が玄関の灯りをつけるまで、しばらくクルマの中でジュリーと抱擁を交わした。

それ以来、彼女とはときどき会っている。先週も二度ほど会った。一度目は、彼女の実家と我が家のちょうど中間にあるレストランで会った。翌朝は、夜更かししたせいで体を引きずるように会社に出て行ったが、彼女と楽しい時間を過ごせたのだから文句は言えない。

特に打ち合わせたわけではないが、暗黙の了解で、ジュリーも私も「離婚」や「結婚」という言葉は口にしないようにしている。一度だけ話に出たことがあったが、そのときは学校が休みになったら、すぐにジュリーのところに子供たちを預けることで話がまとまった。そのときは、なんとか決着をつけようとしたが、暗黙の了解が急に頭に浮かび、口をついて出ることはなかった。

なんとも妙な関係だ。結婚前と似た感覚だ。違うことと言えば、いまは互いのことを知り尽くしている点だ。一度は嵐に押し潰されそうになった二人の関係だが、いつ再びあの嵐が戻って来ないとも限らない。じっと静かに考え込んでいたが、ドアをノックする音に我に返った。秘書のフランが、ドアの影からこちらを覗いている。

「テッドが来ています。何か、お話があるようですが」

「何の件だね」

そう私が訊ねると、フランは部屋に入りドアを閉め、小走りにデスクに近寄り小声で私に言った。

「詳しくは知りませんが、一時間ほど前、ラルフと口論しているところを見たと誰かが言っていました」

「そうか、わかった。教えてくれてありがとう。テッドを入れてくれ」

部屋に入ってきたテッドは怒りをあらわにしている。熱処理で何かあったのかと私は彼に訊ねた。

「所長、あのコンピュータ野郎を私のところから追い払ってくれませんか」

「ラルフのことか。何があったんだ」

「私のことを秘書か事務員とでも思っているのか、しょっちゅうやって来ては、くだらない質問をああだこうだと訊いていくんです。今度は、熱処理の作業状況について何か特別な記録をつけろと言うんです」

「どんな記録かね」

「よくわかりませんが……、炉に入れたもの全部の詳しい記録をつけろと言っています。炉に入れた時間と取り出した時間、それに熱処理作業の間隔もです。それでなくても忙しいのに、こんなことで邪魔されてはたまりません。熱処理のほかにも三つのワークセンターを見ていますから」

「なぜ、時間を記録しろと言っているんだ」

「そんなこと、私にはわかりません。必要なデータはもう十分あるはずですし、ただ数字をいじって遊んでいるだけだと思います。そんなことをやっている暇があるのは彼の勝手ですが、人に迷惑をかけないでやってもらいたいものです。私には、やらないといけない仕事がほかにたくさんありますから」

テッドの苦情をずっと聞いていてもしょうがないので、私は話を遮るようにうなずきながら彼に言った。

「わかった。私のほうから話をしておくから」

「ラルフが近づかないようにしてくれますね」テッドが、再度訊ねた。

「とりあえず、後で連絡するから」


テッドが部屋を出て行ってから、ラルフを呼び出すようフランに指示した。どうも腑に落ちない。ラルフは人といざこざを起こすような人間ではないはずだ。しかし、テッドのことはずいぶんと怒らせてしまったようだ。

「お呼びですか」ドアの側にラルフが立っている。

「ああ、入って腰掛けてくれ」

ラルフは、私のデスクの前にある椅子に腰を下ろした。

「テッドに、何を言ったんだ」私は早速訊ねた。

ラルフは目を丸くして言った。「部品が熱処理炉の中に入っている時間を正確に記録してもらおうと思っただけです。そんなに難しいこととは思わないのですが」

「どうして、彼に頼んだんだ」

「理由は二つあります。まず、いま手元にある熱処理のデータがあまり正確ではないようなんです。所長のおっしゃるように、熱処理がこの工場の運命を左右するぐらい重要なものならば、もっと正確なデータを集めないといけないと思ったのです」

「どうして、いまあるデータがあまり正確ではないと思うのかね」

「ええ、実は先週出荷した分の合計を見て気になることがありまして……。ボトルネックでの実際の処理量をもとに先週どのくらい出荷できていたのか二、三日前に計算してみたんです。実際に出荷したのは一二件でしたが、私の計算では、一八件から二〇件出荷できていないとおかしいんです。誤差が大きかったので、最初は自分の計算が間違っていたと思い、もう一度見直して計算もダブルチェックしてみたのですが、計算はどうやら間違っていないようなんです。NCX-10のほうは計算がだいたい合っていたのですが、熱処理のほうは誤差が大きかったんです」

「だから、データが間違っていると思ったわけか」

「そうです。それで、テッドのところに話しに行ったのですが……」

「それで」

「ええ、ちょっと変なことに気づいたんです。テッドにいくつか質問してみたのですが、非常に口が堅いんです。それはいいんですが、ちょうど彼のところに行ったとき、炉に部品が入っていたので、いつ頃仕上がるか訊いてみたんです。炉での実際の処理時間が標準に比べてどうか、測ることができると思ったからです。テッドが三時頃に終わると言ったので、私はその場を一度離れ、三時頃にまた戻ってみたんです。

でも誰もいなかったので一〇分ほど待っていたのですが、誰も来ないのでテッドを探しに行ったんです。見つけて話を聞くと、炉の作業員はほかのエリアで作業していて、でもすぐに戻って炉から部品を取り出させると言っていました。そのときはそれ以上何も考えなかったのですが、五時半頃、退社する前にもう一度行ってみて、実際に何時に取り出したか訊こうと思ったんです。でも行ってみると、同じ部品がまだ炉に入っていたんです」

「予定の仕上がり時間から二時間半もたっているのに、まだ出されていなかったというのか」

「ええ、そうなんです。それで二番シフトの職長のサミーを見つけて、どうなっているのか訊いたんです。彼が言うには、その日の夜は人手が足りなくて、その作業は後回しになっていたんです。部品は炉に入れておいても痛まないので、問題ないと言うんです。私がいる間に炉の火は落としたのですが、部品が出てきたのは夜八時頃だったようです。べつにテッドに喧嘩を売っているわけではありませんが、一回ずつ実際の熱処理時間を記録しておけば、もっと正確な数字をもとに予想を立てられると思ったんです。現場の作業員の何人かにも訊いてみたのですが、熱処理ではこうした遅れはよくあるようです」

「本当か、ラルフ……。熱処理のところで必要なデータを全部集めてくれ。テッドのことは心配しなくていい。NCX-10のところでもデータを取ってくれ」

「ええ、もちろんそうしたいのですが……。少し大変な仕事なので、テッドや彼の作業員に時間だけでも記録してもらおう思ったのですが」

「わかった。私に任せておいてくれ。まあ、とりあえずは、ご苦労だった」

「ありがとうございます」

「ところで、もう一つの理由は何だ。二つ理由があると言わなかったか」

「ええ、でも大して重要なことではないので……」

「いいから、教えてくれ」

「これは、できるかどうかわからないのですが……。ボトルネックを利用して、いつオーダーを出荷できるか予想できないかと思ったのです」

なるほどと、私はその可能性について考えてみた。

「面白いじゃないか。考えがまとまったら教えてくれ」そう私はラルフに声をかけた。


私は早速ボブを部屋に呼び、ラルフから聞いた話を伝えた。私のたいそうな剣幕に、ボブの耳は突ん裂くようだったに違いない。椅子に腰掛けているボブを横目に、私は部屋の中を歩き回った。

私の話がようやく終わると、ボブが弁明を始めた。「所長、炉で熱処理をしている間は作業員は何もすることがないんです。炉に部品を入れて扉を閉めたら後は六時間、八時間と待つだけです。その間何をしろと言うんですか。そこに立って待っていろとでもおっしゃるのですか」

「処理の間何をしようと、そんなことはどうでもいい。ただ、出し入れが遅れて時間を無駄にしてもらっては困る。ほかで何をやっていたか知らないが、作業員が戻って来るのを五時間も待っていたんだ。その間に、もう一つバッチを処理できたじゃないか」

「それはそうですが……。それでは、こうしたらどうですか。炉に入れて熱処理をしている間だけ、作業員を別のエリアに貸し出す。しかし、時間になったらすぐに戻す。そうすれば……」

「駄目だ。最初の二日ぐらいはみんな気をつけているだろうが、すぐに忘れてまた元に戻ってしまう。炉の前には常時、人を待機させて毎日二四時間部品の出し入れがすぐにできる体制にしておかなければ駄目だ。まずは、責任者の職長を常時待機させてくれ。それから、今度様子を見に行くまでに、もっとちゃんと管理しておくように……でなければ、承知しないぞとテッドに伝えておいてくれ」

「わかりました。でも、そうすると各シフトごとに人が二人、いや三人ぐらい必要になりますが」

「それだけでいいのか。ボトルネックの時間を無駄にしたら、いくらコストがかかるか覚えているか」

「わかりました」彼はまいりましたとばかりの様子だ。「実は、私もNCX-10がときどき止まっているという件で気づいたことがあるんですが……。それが、ラルフの話によく似ているんです」

「どういうことだ」

ボブの説明では、NCX-10は確かにときどき停止し、それも一度に三〇分、いや、それ以上停止することがあるらしい。しかし、それが昼の休憩中のことではないのだ。NCX-10のセットアップ中に昼休みの時間になってもセットアップが終わるまで作業は続けるが、セットアップに時間がかかる場合は、交代で食事をとりながら作業を続けるので、昼休み中はちゃんとカバーしている。しかし、機械が午後の作業の真っ最中に止まりセットアップ担当の作業員が非ボトルネックの機械のセットアップで忙しいときは、新しいセットアップに取り掛かるまで二〇分、三〇分、四〇分もそのまま停止していることがあるのだ。

「それなら、NCX-10でも熱処理と同じことをしたらどうだ」私は、そうボブに提案した。「機械工にアシスタントを一人つけて、常時NCX-10の前に待機させよう。機械が止まったら、すぐに次の作業に取り掛かれるようにするんだ」

「私は、かまいませんが……。報告書に書くコストが増えるのでは。熱処理とNCX-10から出てきた部品の直接人件費が増えることになると思います」

私は椅子にドサッと腰を下ろし、ボブに言った。

「一つずつ、片づけていこう」

翌朝のスタッフ・ミーティングに、ボブがいくつか提案を用意してきた。四つのアクションプランだ。最初の二つは、前日に私とボブが話し合った内容に関連したことで、NCX-10には機械工一名とアシスタント一名、熱処理炉には職長一名と作業員二名を常時待機させるというものだ。この体制を三つのシフト全部で行う。残り二つの提案は、ボトルネックの負荷をいかに減らすかについてだ。まず、もし例の旧型機械三台を三交代のうち一つのシフトだけでいいから動かせば、NCX-10による部品の生産量を一八パーセント増やすことができるというのだ。最後の提案は、熱処理のところに溜まっている部品を一部、近くの下請けに出すというものだった。

ボブの提案を聞きながら、ルーが何と言うだろうと私は考えていたが、予想どおりルーが難色を示した。

「これまでに学んだことから判断すると、ボトルネックに人を回してスループットが増えるのなら、それはいいことだと思います。コストが増えたとしても売上げが増え、その結果キャッシュフローが向上するならば、それも正当化できるでしょう。だけど、どこからそんな人を調達してくるのですか」

これまでに解雇した人を呼び戻せばいいとボブが答えた。

「いや、それはできない。本部の方針で、一度解雇した従業員の再雇用は禁止されています。本部の許可なしでは無理です」

「いまこの工場にいる人間で、できる人はいないの」ステーシーが訊ねた。

「他の部署から人を取ってこいと言うのかい」ボブが訊き返した。

「そうだ。ボトルネックじゃないところから人を回せばいい。理論上は生産能力が余っているはずなのだから」ボブの質問に、私は平然と答えた。

黙ったまましばらく考え込んでいたボブだが、納得したのか、熱処理に回す人間を探すのは問題ないと言っている。それから例の旧式機械だが、運転できる古株の機械工もまだちゃんといると言う。年功序列のおかげで、まだレイオフされずに残っていたのだ。しかしNCX-10のセットアップ要員を常時二名待機させなければいけないことには、頭を悩ませているようだ。

「ほかの機械のセットアップは、誰がするんですか」ボブが訊ねた。

「ほかの機械だったら、アシスタントの連中でも慣れているだろうから、セットアップぐらい自分たちでできるだろう」私は答えた。

「まあ、そうですね。試してみるのも悪くはありませんが……」ボブが渋々と言った。「でも、ボトルネックに人を回して、非ボトルネックがボトルネックになってしまったらどうするのですか」

「重要なのは、フローを維持することだ。作業員を別のところから借りてきて流れが止まってしまったら、元の持ち場に戻して、また別の場所から人を調達する。それでもまだフローを維持できなかったら、そのときはしかたがない、本部と掛け合って残業かレイオフした従業員の再雇用を認めてもらうしかないだろう」

「わかりました。やってみましょう」

横で話を聞いていたルーも承知してくれた。

「よし。じゃ、やってみよう」私はみんなに声をかけた。「それから、ボブ、仕事のできる奴を選んでくれよ。これからは、仕事のできる人間しかボトルネックを担当させない」

そんなわけで、我々は早速、対応策を実行に移した。

NCX-10には専任のセットアップ要員が配置され、旧式機械の運転も開始した。下請け業者は部品の熱処理の仕事を回してもらって喜んでいるようだ。熱処理班にはシフトごとに二名ずつ要員が割り当てられ、常時待機して炉の部品の出し入れに備えている。ボブは各ワークセンターの責任者の配置に大変なようだが、熱処理に職長を常時一名配置してくれた。

職長にとっては熱処理はそれほど大した仕事ではないらしい。特にやり甲斐があって面白いわけでもないし、部下が二人だけというのもあまり魅力的ではないらしい。左遷されたと思われないように、私はシフトが代わるたびに毎回顔を出すようにした。職長連中には、熱処理部品の数を増やすことができれば、その分見返りも大きいとほのめかしてもみた。

それからすぐのことだったが、注目すべき事態が起きた。ある朝早く、三番目の深夜シフトの終わり頃に顔を出してみたときのことだった。職長のマイク・ヘイリーは大柄の黒人で、腕はまるで袖がはち切れんばかりの太さだ。先週の彼のシフトでの部品の熱処理量が、他のシフトと比較して一〇パーセントほど多かったのだ。夜中のシフトは他のシフトと比べて通常はスローなので、いったい何が理由なのか――「もしかしたらマイクの太い腕にその秘密が隠されているのでは」と、不思議に思い始めていたところだった。とりあえず、理由を探ろうとマイクのところに話を聞きに行ってみた。

近くに行ってみると、二人のアシスタントは何もしないで突っ立っているのではなく、部品を運んでいた。熱処理炉の前には、仕掛品がきちんと二つに分けて積まれていた。この二人のアシスタントがやったのだ。私はマイクを呼んで何をしているのか訊ねた。

「準備をしているんです」マイクが答えた。

「何の準備だ」

「炉が一つ空いたら、すぐに部品を入れることができるように準備しているんです。ここに積み上げてある部品は処理温度ごとに分けてあります」

「つまり処理温度ごとにバッチを分けて、異なるバッチでも処理温度が同じだったら一緒に処理するわけか」

「ええ、こういうやり方は本当はやらないことになっているんですが、部品をもっと速く処理しないといけないということだったので……」

「ああ、そんなことは気にしなくていい。だけど、優先順位はちゃんと守って作業してくれているだろうな」

「ええ、もちろんです。こちらに来てください。見せたいものがあります」

マイクは熱処理炉の制御盤の前を通って、使い古したデスクのところまで行くと、コンピュータのプリントアウトを手にした。納期に遅れているオーダーで今週出荷しなければいけないもののリストだ。

「22番を見てください」プリントアウトを指さしながら彼が言った。「RB-11は五〇個必要で、処理温度は六五〇度です。でもRB-11、五〇個だけでは炉はいっぱいになりません。ですがリストの下のほうを見ると、31番の固定フィットリングが三〇〇個必要なんです。このリングの処理温度も、六五〇度です」

「つまり、最初のアイテムを五〇個入れた後に固定リングを入れるというわけだな」

「ええ、そうです。前もって分けて積んでおけば、炉に入れるのも速いですから」

「なるほど、いい考えだ」

「ほかにもいい考えがあります。もっとたくさん処理できるはずです」

「どんな考えなんだ」

「いまはクレーンや手作業で炉の出し入れをしていますが、その作業に長い場合で一時間も時間がかかることがあります。しかし、やり方を変えれば、二分程度に短縮することが可能です」と言いながら彼は炉を指さした。「それぞれの炉の中には部品をのせるテーブルがあります。その下にローラーがついていてスライドさせて出し入れしています。ですから、鉄のプレートでテーブルをもう一つ作り、中のテーブルごと交換できるようにすればいいんです。技術の人間の協力が必要ですが、もしそれができれば、前もって部品をテーブルの上に積んでおきフォークリフトでも使ってテーブルごと交換するだけでいいんです。一日二時間節約できれば、一週間で熱処理できる部品の数はずいぶん増えると思います」

私は、視線を炉からマイクに移して言った。「マイク、明日の夜は仕事を休んでくれ。君の代わりに誰か別の職長にやらせるから」

「それはかまいませんが」彼はニヤリと笑って言った。「でも、どうしてですか」

「明後日、昼のシフトに出てほしいんだ。早速、君のアイディアを全シフトで試してみるから、いま、説明してくれた手順をちゃんと書いてまとめておいてくれないか。私からボブに連絡しておくから、まとめ方はボブに訊いてくれ。しかし、いいアイディアだ」


その日の朝遅く、ボブが私の部屋にやって来た。

「おはようございます」

「やあ、おはよう。マイクのことでメモを置いておいたが読んでくれたかね」

「はい、もうすでに作業に取り掛からせています」

「そうか。給料引き上げが解禁になったら、マイクの給料も上げてやらないといけないな」

「ええ」満面に笑みを浮かべながら相槌を打つと、ボブは立ったままドアに背をもたれかけた。

「ほかに何か」私がそう訊ねると、

「いい知らせがあります」と、ボブが答えた。

「どんないい知らせだ」

「ジョナ先生が、熱処理をしている部品が本当に全部熱処理する必要があるのかどうか訊いたときのことを覚えていますか」

はっきり覚えていると私は答えた。

「実は、必要もないのに熱処理をしている部品を三つ発見したんです。その作業を指示していたのが、なんと自分たちだったんです」

「どういう意味だ」

彼の説明によると、五年ほど前、機械作業の効率を上げようといくつかのワークセンターで取り組んだことがあった。作業速度をスピードアップしようとカッティング・ツールでの研削厚を増やし、一度に削る厚さをそれまでの一ミリから三ミリに増やしたのだ。しかし、一度に削り取る量が増えたために金属の強度が低下し、その結果熱処理が必要になったというわけだ。

「でも皮肉なことに、無理して効率を上げた機械は非ボトルネックでした。ですから処理能力は十分あるので少しくらいスローダウンしても、需要には十分対応できます。もし、以前のやり方に戻せばスピードは落ちますが、熱処理はしなくてすみます。そうすれば熱処理炉の負荷を二〇パーセントほど減らすことができます」

「すごいじゃないか。でも、エンジニアリング班の承認をもらわないといけないな」

「それなんですが、もともと五年前にやり方を変えたのはエンジニアリング班ではなく、私たちですから……」

「つまり、変えたのは自分たちだから、いつ元に戻そうと我々の勝手ということか」

「そのとおりです。以前のやり方はもともと許可されている方法ですから、エンジニアリング班から変更許可をもらう必要がないんです」

早速、私はすぐ以前のやり方に戻すようボブに指示を出した。ボブが部屋を出て行った後、私は驚嘆の思いに浸って椅子に腰掛けていた。一部の作業の効率を下げるのに、工場全体の生産性は逆に増えるのだ。本社の連中には、決して信じてもらえないだろう。

The Goal
VI
つかの間の祝杯

24

　金曜の午後だ。外の駐車場では、朝のシフトの従業員がクルマに乗り込んで退社するところだ。ゲートはいつものことながら混雑している。私は自分の部屋で考え事をしていたが、半開きになったドアから突然バンッと大きな音がした。

　何かが天井のタイルにはじけ飛んだ。私は飛び上がり、どこか怪我はしていないかと自分の体をチェックしたがどうやら無事なようだ。いったい、何がはじけたのか、今度はカーペットの上の残骸を探した。シャンペンのコルクだった。

　ドアの外から笑い声が聞こえたと思ったら、次の瞬間、みんなが私の部屋にぞろぞろと押し入って来た。ステーシー、ボブ、ラルフ、フラン、秘書二人にほかにも何人かいる。ルーもいる。ボブはコルク栓を抜いたボトルを手に持っている。フランが発泡スチロール製のカップを私に手渡してくれた。みんなにも同じカップを配っている。それに、ボブがシャンペンを注いでくれた。

「いったい、何のお祝いだ」私は訊ねた。

「みんなに注ぎ終わったら乾杯しますから、そのとき言います」ボブが答えた。

　ボトルがあと何本か開けられた。近くには、シャンペンのボトルが何本も入ったケースが置かれている。みんなのカップにシャンペンが注ぎ終わると、ボブがカップを高々と上げた。

「製品出荷の新記録達成に乾杯」彼が声をあげた。「ルーがこれまでの記録を調べたのですが、この工場の一か月の出荷件数でこれまで一番多かったのは三一件、金額ベースで二〇〇万ドルでしたが、今月はこの記録をみごとに上回りました。オーダー数で五七件、金額ベースでは……、えーっと、四捨五入してですが、なんと三〇〇万ドルを達成しました」

「オーダーの出荷量が多かっただけでなく、在庫の量も計算してみたのですが、先月から今月までの間に正味一二パーセントも仕掛品が減りました」今度はステーシーが言った。

「そうか、それじゃ、乾杯しないといけないな」

みんな揃って、乾杯した。

「うん……。このシャンペン、私たちにお似合いの味ね」ステーシーが言った。

「特徴のある味だ」ラルフがボブに向かって言った。「君が選んだのかい」

「いいから飲めよ。飲めば飲むほど、味が出るシャンペンだ」

もう一杯飲もうかと思っていたら、私の側にフランがやって来た。

「所長」

「何だね」

「ピーチ副本部長から電話です」

いま頃、いったい何の用だろう。私は首を横に振りながら答えた。

「わかった、君のデスクから電話をとるから」

私は部屋を出てフランのデスクまで行き、受話器を手に取り点滅しているボタンを押して電話に出た。

「もしもし、ロゴですが」

「いま、ジョニー・ジョンズと話していたんだが」ビルが唐突に言った。

私は自然とメモ用紙とペンを手に取り、どんな命令が飛んできてもすぐに書き取れるように準備していた。ビルが話し出すのを待っていたのだが、しばらく何も言わない。

「何か、問題でも」私は訊ねた。

「いや、そうじゃないんだ」彼が言った。「その反対で、ずいぶん喜んでいたよ」

「どうしてですか」

「最近、君のところで納期遅れのオーダー出荷をずいぶんと頑張ってくれているからだと言っていたよ。何か特別なことでもやっているのかね」

「ええ、まあ、そんなところです。これまでとはやり方を少し変えてみたんです」私は答えた。

「そうか。今日電話したのは、実は、君に礼を言いたいと思ってね。これまで君のところで問題が起きたときは私もいつも関わってきたわけだが、今回はずいぶんと頑張ってくれているようなので、私とジョニーから礼を言わせてもらおうと思ってね」

「それは、どうも」私は、狐につままれたような気分だった。「わざわざ電話をいただき、ありがとうございます」


「サンキュー、サンキュー、サンキュー」ステーシーのクルマが私の家の前に着くと、私はステーシーに向かってとりとめもなくサンキューを繰り返していた。「わざわざ、家まで送ってくれてありがとう。君は、最高にすばらしい人だ……。本当だ」

「そんなこと言うのやめてください」ステーシーが言った。「でも、お祝いできてよかったですね」

彼女がクルマのエンジンを止めた。自分の家を見上げると、灯りが一つついているだけで、あとは真っ暗だ。家には早くに電話を入れて、夕食は私抜きでするよう母に言っておいた。ビルから電話があった後、パーティーが延々と続いたので正解だった。メンバーのうち半分くらいが残って、その後一緒に夕食に出かけた。ルーとラルフは途中で抜けたが、ボブとステーシーと私、それからあと三、四人一緒に食事の後バーにも行って、もう夜中の一時半になってしまった。すっかり酔ってしまっていたが、なんともいい気分だった。

私のクルマはバーの駐車場に置いてきた。この酔い具合では、運転は危ないからだ。ステーシーは最後の二時間はクラブソーダに飲み物を切り替えて、親切にもボブと私の運転手を買ってでてくれた。ボブは一〇分ほど前に家に送り届け、キッチンのドアからそっと中に引きずり入れてきた。しばらくボーッとしていたが、別れ際にわからぬことを口走っていた。ボブがちゃんと覚えているかどうか定かではないが、彼の奥さんに頼んで、今日の午後バーまでクルマを取りに連れて行ってもらうことになっている。

ステーシーがクルマを降り、反対側に回って私のドアを開けてくれた。おかげで、私はなんとかクルマから出ることができた。足元はフラフラで、クルマにもたれてなんとか立っていた。

「所長がそんなに笑っているの、見たことありませんわ」ステーシーが言った。

「今日は、いいことがいっぱいあったからな」

「会議のときも、いつもこうハッピーでいてくれたらいいんですけど」

「よし、これからは会議のときも、いつも笑顔を絶やさないようにしよう」私は宣言した。

「わかりました。玄関までお送りしましょう」

ステーシーが私の腕をつかんで支えながら、玄関まで連れて行ってくれた。

玄関のドアまで来ると、私は「コーヒーでもどう」とステーシーを誘った。

「いいえ、けっこうですわ。もう遅いですから、私も帰らないと」

「そうかい」

「ええ」

私はおぼつかない手で玄関の鍵を取り出し、鍵穴に入れた。ドアが開いたが、中のリビングルームは真っ暗だった。私はステーシーのほうを振り返り、握手しようと手を差し伸べた。

「ありがとう、今夜は楽しかった。本当に楽しかった」

握手をしながら、私は何の気なしに足を一歩後ろに踏み出そうとしたが、ドアの上り段につまずいて体のバランスを失った。

「おっと」

次の瞬間、私とステーシーは一緒に床に倒れ込んだ。一瞬、焦ったが、ステーシーもおかしかったようで笑っている。大笑いして涙まで流している。それにつられて私も笑い始めた。二人一緒に床を笑い転げた。そのとき、急に灯りがついた。

「何という人なの」

見上げると、急に明るくなって眩しかったのだが、誰かがそこに立っていた。

「ジュリー、こんなところで何をしているんだい」

返事もせず、彼女はドタドタを大きな足音を立てながら、キッチンの奥に行ってしまった。

立ち上がり、ふらついた足で彼女の後を追うと、車庫へ通じるドアが開くのが見えた。車庫の灯りがついて、その灯りの中にジュリーの影が見えた。

「ジュリー、待ってくれ」

彼女の後を追って車庫の中に入ろうとすると、車庫のシャッターがガタガタと開く音がした。車庫の中に入ると、ジュリーはすでにクルマに乗り込むところだった。そして、バタンとクルマのドアを叩きつけるように閉めた。私はフラフラしながらクルマに近づき大きく腕を振ったが、エンジンのスタート音がした。

「今夜はずっと、あなたが帰って来るのを待っていたの。あなたのお母さんの話に六時間もつき合わされたけど我慢していたわ」クルマの窓ガラスを下ろして、彼女が叫んだ。「それなのに、あなたはどこかの売春婦と酔っ払って帰って来たのよ」

「ステーシーは、売春婦なんかじゃないよ。彼女は……」

そう言いかけると、ジュリーはクルマのギアをバックに入れ、猛烈なスピードでクルマを車庫から出し、ステーシーのクルマの横をぎりぎりにすり抜けて通りに出て行った。私は車庫の灯りの下に一人立ったまま残されてしまった。タイヤがアスファルトと擦れてキーッという音を立てている。彼女は行ってしまった。


土曜の朝、私は目を覚ますと二度ほど唸り声をあげた。最初の唸り声は、まだ酔いが残っていたせいだ。もう一つはジュリーのことを思い出してだ。

ようやく体が動くようになってから、着替えてコーヒーを飲もうとキッチンに行った。キッチンには母がいた。

「昨日の夜、ジュリーが来ていたの知っているでしょ」私がコーヒーを注いでいると、母が言った。

母の説明で、何がどうなっていたのかようやくわかった。昨夜、母に電話を入れたすぐ後に、ジュリーがやって来た。私に急に会いたくなって、それに子供たちの顔も見たくなったので、衝動的にやって来たのだ。私を驚かせようと思っていたらしいが、まさにそのとおりになってしまった。

少ししてから、私はジュリーの実家に電話を入れた。ジュリーの母親のアイダは前と同じように、「もう、あなたとは会いたくないって言っているわ」と冷たい返事だった。

月曜の朝、工場に出勤すると、ステーシーが朝からずっと私のことを探しているとフランから伝えられた。自分の部屋に入り椅子に腰掛けたとたん、ステーシーがドア越しに顔を覗かせた。

「おはようございます。いま、お話しできますか」

「ああ、入りたまえ」

彼女は何か気になることがある様子だ。椅子に腰を下ろしたが、私と視線を合わせるのを避けている。

「金曜の夜、君に家まで送ってもらったときのことだが、すまない。あんなことになって」

「いいえ、そんなこと。奥さんは帰っていらっしゃいましたか」

「いや、帰って来なかった。しばらく実家にいるらしい」

「私のせいですか」

「いや、そうじゃない。以前から少し問題があってね」

「所長、でも、やはり私にも少しは責任があると思います。私から奥さんに話をさせていただけませんか」

「いや、君がそんなことをする必要はないよ」

「いいえ、私に話をさせてください」ステーシーが言い張った。「奥さんのご実家の電話番号を教えてください」

ステーシーの強硬な態度に、試してみるのも悪くないと思い、私はジュリーの実家の電話番号を教えてしまった。彼女は番号を書き取ると、今日中に電話を入れると約束した。話が終わったのに、ステーシーはそのまま席を立とうとしない。

「ほかに、何か」私は訊ねた。

「ええ、もう一つ」

そう言った後、しばらくステーシーは黙ったままだ。

「いったい、何だね」

「あまりいい話ではないんですが……。でも、たぶん間違いないと思います」

「ステーシー、もったいぶらないで言いたまえ。何の話なんだ」じれったくなって私は催促した。

「ボトルネックが広がったんです」

「どういう意味だ、ボトルネックが広がったとは。伝染病でも広がっているのかね」

「いえ、つまり、ボトルネックが一つ増えたんです。もしかしたら、もっとあるかもしれません。まだはっきりしていないんです。これを見てください」そう言うと、彼女は持ってきたコンピュータのプリントアウトを手にデスクの横に来た。「これは、最終組立ラインの前で作業待ちしている部品の一覧です」

私は彼女と一緒にリストに目を通した。いつものようにボトルネックの部品は数が足りない。しかし、ここのところ非ボトルネック部品にも数が足りないのが出てきたのだ。

ステーシーが説明を始めた。

「先週取り掛かったオーダーでDBD-50を二〇〇個作らないといけないのがあったのですが、必要な一七二種類の部品のうち一七種類ができていなかったんです。そのうち、赤い札がついていた部品は一つだけで、残りは緑の札でした。赤い札の部品は、木曜に熱処理が終わって金曜には準備できていたんですが、ほかの部品がまだだったんです」

私は後ろに背をもたれ、自分の鼻柱をつまんだ。

「なんてことだ。いったい、どうなっているんだ。組立ラインに最後に来るのはボトルネックの部品のはずだと思っていたのに、今度は緑の札の部品の材料が不足しているのか。業者の問題か」

ステーシーが首を横に振った。「いいえ、資材の調達に問題はありませんし、外の業者に作業を外注している部品もありません。問題は明らかに内部的なものです。ですから、ボトルネックが増えていると考えられます」

私は椅子から立ち上がり、部屋の中をゆっくりと歩き回った。

「スループットが増えたせいで、熱処理やＮＣＸ-10だけでなく、他のリソースの能力を超えるレベルまで工場全体の負荷が増えたのかもしれません」ステーシーが静かな口調で言った。

私はうなずいた。確かにその可能性はある。ボトルネックの生産性が以前より増えたせいで、工場全体のスループットは増え、納期遅れのオーダーの数も減った。しかしボトルネックの生産性を上げることで、ほかのワークセンターに対する需要も増えた。もしほかのワークセンターに対する需要が一〇〇パーセントを超えたら、新しいボトルネックが発生したことになる。

「ということは、ボトルネック探しをもう一度最初からやり直さないといけないということなのか。やっと、ボトルネックの問題が解決したと思ったところだったのに……」私は、ため息をつきながら言った。

ステーシーは手にしていたプリントアウトをたたんだ。

「わかった。とりあえず、できるだけのことを調べてくれ。どの部品がどれだけ足りないのか、どの製品に影響があって、どの工程を通るのか、それからどのくらいの頻度で不足しているのかなどだ。私はもう一度、ジョナに連絡して彼の意見を訊いてみよう」

ステーシーが部屋を出て行った後、フランに電話をかけるよう頼んだ。ジョナの居場所を探してもらうためだ。私は窓の側に立ち、外の芝生を眺めながら考えにふけった。ボトルネックの生産性を上げるために新しいシステムを導入してから在庫の量は減った。いい兆しだ。一か月前、工場内は非ボトルネック部品の山だらけで、その間を抜けるように歩かなければいけなかった。あちこちに部品が山積みにされ、その量も少しずつ増えていた。しかし、ここ二週間ほどは組立てに必要な部品の在庫も一部減ってきた。なにしろ先週は、私がこの工場に来て初めて、在庫の山に邪魔されないで組立ラインまで真っ直ぐ歩くことができた。しかし、また新たな問題が発生した。

「所長」内線のスピーカーからフランの声が聞こえた。「先生に電話がつながりました」

私は受話器を取った。「先生ですか。実は、また新たな問題が発生して……」

「どうしたんだね」彼が訊ねた。

状況を伝えると、ジョナが工場を訪れてから具体的にどんな対策をとったのか質問されたので、一通り説明をした。品質検査をボトルネックの前に移したこと、ボトルネックの部品の取り扱いに注意するよう従業員をトレーニングしたこと、NCX-10を補助するために旧式機械を三台入れたこと、新しい昼食ルールを導入したこと、ボトルネック専任の要員を配置したこと、熱処理炉に入れるバッチのサイズを増やしたこと、新しい優先システムを導入したことなどだ。

「優先システム？」興味深そうな声でジョナが訊ねた。

「ええ」私はそう答えた後、赤と緑の札のこととシステムの内容を彼に説明した。

「もう一度、君の工場に行ったほうがよさそうだな」ジョナが言った。

その夜、家に帰ってからのことだ。電話が鳴った。

「もしもし」ジュリーの声だ。

「やあ」私は神妙な声で答えた。

「私が謝らないといけないようね。金曜の夜はごめんなさい。ステーシーから電話をもらったの。私、恥ずかしいわ。すっかり勘違いして」

「ああ、気にしなくていいよ……。勘違いは、お互い様だよ」

「アレックス、いまは『ごめんなさい』としか言えないわ。私が会いに行ったら、あなたが喜ぶと思っていたの」

「君があんなふうに去らなければ、僕はうれしかったけどね。それに君が来るってわかっていれば、仕事が終わったらすぐに帰っていたのに」

「ええ、電話してから行けばよかったわ。でも、なんとなく急に会いたくなったから」

「わざわざ夜遅くまで待っていなくてもよかったのに」

「そうね。でも、もうすぐ帰って来るかなとずっと思っていたの。待っている間、あなたのお母さんがずっと変な目で見ていたのよ。ようやく、お母さんも子供たちも寝たと思って一時間くらいしたら、今度は私が眠くなって、あなたが入って来るまでソファの上で寝ていたの」

「そうか……。それじゃ、もう一度友達になってくれるのかい」

電話の向こうでジュリーの安堵のため息が聞こえた。

「ええ、いいわ。いつ会えるかしら」

この間のやり直しに金曜日はどうかと、私は提案した。しかし、彼女がそんなに待てないと言うので、水曜日ということで話はまとまった。

25

次の日の朝、空港で私は飛行機から降りてくるジョナを出迎えた。

一〇時には、工場の会議室に着いた。テーブルの周りにはルー、ボブ、ラルフ、それにステーシーが座っている。ジョナがゆっくりと私たちの前を歩きながら言った。

「基本的な質問から始めよう。まず、どの部品が問題の原因だったのか正確に突き止めることはできたかね」

ステーシーがリストを手に取り、上にかざした。彼女の前には書類がまるで要塞のように積まれ、どんな質問もＯＫといった構えだ。

「はい、なんとか突き止めました。昨夜も、データと現場の状況を突き合わせながらダブルチェックして原因を探してみました。その結果ですが、三〇もの部品に問題が広がっているようです」

「資材は、ちゃんと投入したのかね」ジョナが訊ねた。

「ええ、もちろんです。そちらのほうは問題ありません。スケジュールどおりに投入しています。でも、最終ラインまでスムーズに流れないで、新しいボトルネックの前で足止めを食っているんです」

「ちょっと待ってくれ。どうして、新しいボトルネックだとわかるのかね」

「それは、部品が溜まっているので、ボトルネックに違いないと……」

「なるほど……。結論を出す前に、工場に行って少し現場の様子を見たいのだが」ジョナが言った。

というわけで、全員で工場に向かった。最初に様子を見に行ったのはフライス盤が何台か置かれているエリアだ。その側には、緑の札が貼られた在庫が山積みになっている。ステーシーがそれに近寄り、最終組立てに必要な部品を指さした。組立てに足りない部品のほとんどがここで足止めを食らい、そのいずれにも緑の札が貼られている。ボブが職長を呼んで、ジョナに紹介した。ジェイクという名のがっしりした体格の男だ。

「ええ、ここにある部品は全部、ここ二、三週間、いやそれ以上かもしれませんが、ここに山積みになったままです」ジェイクが言った。

「いますぐ必要な部品なのに、なぜ放ったらかしなんだ」私は訊ねた。

ジェイクが肩をすぼめて言った。「どの部品が必要なのか教えていただければ、いますぐ作業に取り掛かることもできますが、でもそうすると、新しい優先システムを破ることになります」

ジェイクが、近くのパレットの上に並べられた別の資材を指さした。

「あっちは全部、赤い札です。あれを全部やってからでないと、緑には取り掛かれません。そういう指示だったので」

なるほど。だんだん状況がのみ込めてきた。

「つまり、ボトルネックの部品ばかり作業している間に、緑の部品がどんどん溜まってしまったというわけね」ステーシーが言った。

「ええ、ほとんどが。一日に作業できる時間は限られていますから」

「ボトルネックにかける時間は、どのくらいかね」ジョナがジェイクに訊ねた。

「作業時間全体の七五パーセントから八〇パーセントぐらいだと思います。熱処理とNCX-10に行く部品は全部まずここを通るので、赤い札がやって来る間は緑を作業する時間があまりありません。新しいシステムが始まってから、赤い札の部品がなくなることはほとんどありませんでしたから」

しばらくの沈黙があった。私は山積みになった部品、フライス盤、ジェイクへと視線を一巡させた。

「どうしたらいいんですか」私が訊こうと思っていたことをボブが質問した。「札を貼り替えるのですか？　足りない部品の札を緑から赤に替えたほうがいいのでは」

「足りなくなった部品があったら、それから先にやるように誰かが監視するしかないだろう」苛立ちを感じながら、私は言った。

「いや、そんなことをしても解決にはならない」ジョナが言った。「そんなことをしたら、これから先もずっと同じことを繰り返さなければいけないことになる。それこそ事態を悪くするだけだ」

「でも、ほかにどんな方法が」ステーシーが訊ねた。

「まずは、ボトルネックの様子を見に行こう。もう一つ注意しないといけないことがある」

NCX-10に近づくと、機械よりも先に在庫の山が目に入った。一番大きなフォークリフトでないと、一番上まで届かないくらいの高さに積み上げられている。ただの山ではなく、いくつもの頂きをもった大きな山脈のようだ。この機械がボトルネックだとわかる以前に比べ、在庫の山はさらに大きくなっている。積まれている箱や部品を載せるパレットには、すべて赤い札が貼られている。この山の後ろに、NCX-10の巨体が見え隠れしている。

「どこを通って行ったらいいんだ」在庫の間のスペースを探しながら、ラルフが声をあげた。

「こっちだ」ボブが言った。

みんなボブの後に続き、迷路のような在庫の山の間をすり抜けNCX-10にたどり着いた。

積み上げられた在庫を眺めながらジョナが言った。「見ただけではっきりとわからないが、この機械でこなせる少なくとも一か月分、いやそれ以上の仕事が溜まっているのでは。おそらく熱処理のほうも同じようなことになっているだろう。在庫がこんなに溜まっている原因は何だね」

「前の工程で、みんな赤い札を優先して作業しているからです」私が答えた。

「それも原因の一つかもしれないが、どうしてこれだけ多くの在庫がここに溜まらなければいけないんだ」

誰も答えない。

「どうやら、ボトルネックと非ボトルネックの基本的な関連について少し説明しないといけないようだな」

そう言うと、ジョナは私を見た。「ところで、以前君に『みんながいつも働いている工場は非常に非効率的だ』と言ったのを覚えているかね。これで、その意味もわかってもらえそうだ」

ジョナは近くにある品質検査ステーションまで行くと、検査員が欠陥品に印をつけるのに使っているチョークを手に取り、コンクリートのフロアにひざをついて、NCX-10を指さしながら言った。

「これが、ボトルネックのX何とかという機械だ。面倒だから、Xと呼ぶことにする」

ジョナはフロアにチョークでXと書き、今度はNCX-10の先にある機械を指さして言った。

「このXに部品を供給するのは、非ボトルネックの機械とその作業員だ。ボトルネックがXなので、非ボトルネックをYとしよう。さて簡単に説明するために、ボトルネックを一つ、非ボトルネックも一つとしよう……」

ジョナは、チョークでフロアに次のように書いた。

Y
↓
X

関連ある二つの物を互いにつなぐのが部品の役目で、矢印は部品の流れを表している、とジョナが説明を始めた。Xに部品を供給する非ボトルネックであれば、どの非ボトルネックを想定してもかまわないと、ジョナが付け足した。

「非ボトルネックの定義上、Yは余剰能力を抱えている。そのため、YはXより早く需要を満たすことができる。X、Yともに一か月当たりの最大作業時間を六〇〇時間としよう。Xはボトルネックなので、Xは需要を満たすのに六〇〇時間全部必要だ。しかし、Yは四五〇時間、あるいは最大作業時間の七五パーセントの時間で需要に対応できるとしよう。このYが、すでに四五〇時間の作業を終えたらどうするかだ。何もさせないで、遊ばせておくのかどうかだということだ」

「いえ、何かほかにすることを探します」ボブが自信ありげに答えた。

「しかし、Yはすでに市場の需要を満たしているんだよ」ジョナが言った。

「それじゃ、翌月分の仕事に早めに取り掛からせます」

「でも、作業するものが何もなかったら」

「それでしたら、もっと資材を投入させます」

「それが問題なんだ。Yの余った時間で作った部品はどうなるんだね。作った在庫はどこかに置かなければいけない。Yは、Xよりも速い。Yをずっと働かせておくと、Xへの部品の供給はXから出て行く量よりも多い。ということは……」

ジョナは仕掛品の山に近づいて、派手な身振りを交えて言った。

「Xの前に在庫の山ができる。さらに、この工場がスループットに換えることができる以上の材料を投入する。するといったいどうなる」

「余剰在庫」ステーシーが間髪入れずに答えた。

「そのとおり。しかし、逆の組み合わせだったらどうなる。XがYに部品を供給しているとしたらだ」

ジョナがチョークでフロアに今度は次のように書いた。

X ──→ Y

「Yの六〇〇時間のうち、どれだけの時間を生産的に使うことができると思うかね」ジョナが訊ねた。

「これも、四五〇時間だけでは」ステーシーが答えた。

「そうだ。もしYへの部品の供給がXからだけとすると、Yが作業できる時間はXからの供給量によって決定される。Xの六〇〇時間イコールYの四五〇時間。つまり、Yは四五〇時間仕事をした後は何もやることがなくなってしまう。ところが、それでまったく問題はないのだ」

「ちょっと待ってください」私は言った。「この工場では、ボトルネックが非ボトルネックに部品を供給しているところもあります。たとえば、NCX-10の後は非ボトルネック工程です」

「しかし、その非ボトルネックには、ほかのボトルネックからも部品が流れてくるんじゃないのかね。もしYをそういう具合にずっと働かせていたら、どうなるかわかるかね」

「これを見てくれ」

ジョナがチョークで三つ目の図を書いた。

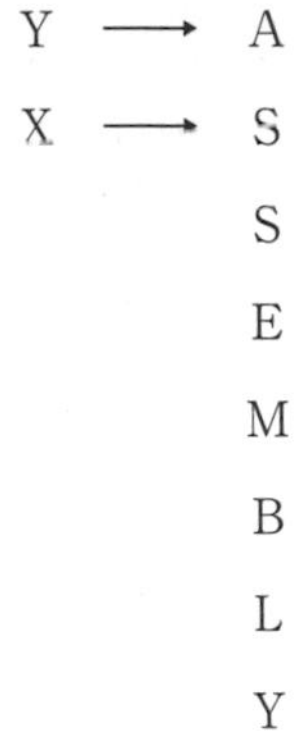

A S S E M B L Y

X ⟶

Y ⟶

この場合、ジョナの説明では、ボトルネックを通らない部品もある。非ボトルネックだけで処理され、直接Yからアセンブリー、つまり組立ラインに流れるのだ。ボトルネックを通る部品ももちろんある。これはXからアセンブリーに流れ、Yからの部品と一緒に合わせて組み立てられ完成品になる。

現実には、Yのルートは複数の非ボトルネック、つまりある非ボトルネックから次の非ボトルネックへ、そしてまた別の非ボトルネックへと順に流れ、最後にアセンブリーへとたどり着く。Xのルートの場合は、同じように非ボトルネックがいくつか続いた後にボトルネックに部品が供給され、その後また非ボトルネックへと流れる。我々の工場の場合、Xの後に非ボトルネックがいくつか続き、X、Yいずれのルートから流れてきた部品でも処理することができる、とジョナが説明を続けた。

「でも簡単に説明するために、この図ではXとYの数を一つずつにしてみた。いくつ非ボトルネックがあってもYをずっと働かせていたら、同じ結果になるからだ。たとえば、作業可能な時間中、XとYを常時動かしたとしたら、効率はどうなるかね」

「非常に効率的では」ボブが躊躇なく答えた。

「いや、違う」ジョナがそっけなく言った。「Yからの在庫がどんどん最終組立てに押し寄せて来たら、いったいどうなると思うのかね」

ボブが肩をすぼめて言った。「客からのオーダーを組み立てて出荷するだけでは」

「どうやって?」ジョナが訊き返した。「この工場で作っている製品の八割はボトルネックの部品が必要なんだ。ボトルネックから部品がまだ届いていないのに、何か別の部品で代用しようとでも言うのかね」

ボブが頭をかきながら言った。「ええ……、そう言われてみれば」

「だから組み立てることができなければ、また在庫が溜まる。ただ、今度はボトルネックの前でなく、最終組立ラインの前に在庫が溜まるというわけですね」ステーシーが言った。

「なるほど」今度はルーが声をあげた。「すると、また何百万ドルものお金が何もしないで眠ってしまうことになるわけだ」

「わかったかね」ジョナが言った。「もう一度言うが、スループットを決めるのは非ボトルネックではない。一日二四時間、非ボトルネックを動かしても、それは変わらない」

「わかりました。しかし、ボトルネックの部品が必要でない残り二〇パーセントの製品はどうなるのですか。ボトルネックの部品が要らなければ、効率よく生産できるのでは」ボブが訊ねた

「そう思うかね」ジョナが訊ねた。

ジョナは、フロアにもう一つ図を書いた。

Y ⟶ PRODUCT A

X ⟶ PRODUCT B

今度はXとYは別々に動く、とジョナが説明を始めた。それぞれ市場からの需要も異なる。

「この場合、Yは六〇〇時間のうち何時間動かせるかね」ジョナが訊ねた。

「六〇〇時間全部です」ボブが自信ありげに答えた。

「いや、そうじゃない。一〇〇パーセント使えるように思えるかもしれないが、もう一度よく考えてみたまえ」

「需要を満たすのに必要な時間だけでは」私が言った。

「そのとおり。定義上、Yには余剰生産能力がある。Yをずっと動かせば、また余剰在庫ができてしまう。しかし今度は仕掛りの在庫ではなく、完成品の在庫だ。この場合の制約条件は生産過程ではなく、販売力にある」

ジョナの話を聞いて、私は倉庫に詰め込まれた完成品のことを思い出した。あの在庫の少なくとも三分の二は非ボトルネックだけで作った製品だ。効率を上げようと非ボトルネックを動かしていた結果、需要をはるかに超える在庫を作ってしまったのだ。残りの三分の一の在庫はどうだろうか。ボトルネックの部品を使ってはいるが、倉庫の棚に何年も積み上げられたままのものばかりだ。古くなってもう使い物にならないものもある。一五〇〇台ある在庫のうち、月に一〇台も売れればいいほうだ。ボトルネックの部品を使っている製品で競争力のあるものは、組立ラインで仕上がったらほとんど即日、出荷される。出荷されるまで二、三日倉庫で待たされるものもあるが、オーダーが溜まっているため、数は少ない。

ジョナを見ると、今度はフロアに描いた四つの図に数字を書き込んでいる。

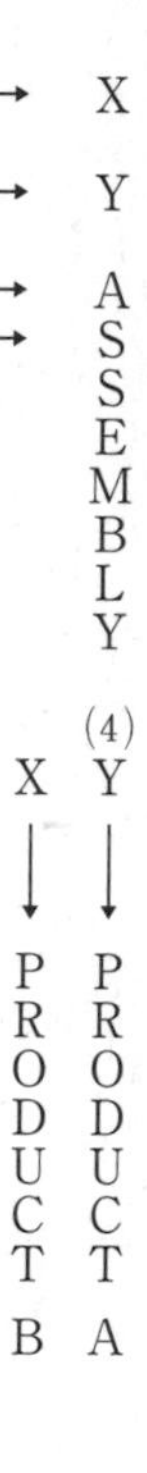

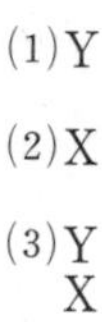

「XとYを使って、四つの組み合わせを考えてみたわけだ。もちろん、XとYの組み合わせはまだほかにもたくさん考えられるが、この四つの組み合わせが基本で、これだけで十分だ。これをオモチャのブロックのように使えば、製造現場での流れをすべて説明できる。真理を求めるのに何千、何万もの組み合わせは必要なく、この四つのモデルを使って何が起きたのかを確認するだけで、真理を簡単に説明することができる。誰か、このモデルを使ってこの工場で似た状況がないか説明してくれないかね」

この工場でYがスループットを決めることはない、とすぐにステーシーが指摘した。Xのレベルを超えてYを動かせば、余剰在庫が生まれるだけでスループットが増えることはない。

「そのとおり。その考えから論理的に結論を出せば、どんな場合にも適用できる簡単なルールを導き出せる。つまり非ボトルネックの使用レベルは、それ自体の能力ではなく、他の制約条件によって決定される」

ジョナはそう言いながら、NCX-10を指さした。

「この工場での制約条件はこれだ。非ボトルネックをこの機械よりたくさん働かせても、生産性は向上しない。その正反対なのだ。余剰在庫を作り出すだけで、つまり目標に反することをしていることになる」

「それではいったいどうしたらいいんですか」ボブが頭を抱えて言った。「みんなを働かさなければ、アイドルタイムが発生し、効率が下がります」

「だから、どうだと言うのかね」ジョナが平然とした口調で答えた。

ジョナの返事にボブは唖然としている。「えっ……、どういうことですか」

「君の後ろを見るんだ。君たちが作った在庫の山を見るんだ。勝手に大きくなったわけではない。君たちが作ったんだ。どうしてだね。それは君たちの仮定、つまりみんなを一〇〇パーセント、いつも働かせないといけないという考えが間違っていたからだ」

「一〇〇パーセントは無理だとしても、こちらとしては、それなりの数字を出してもらわないと困るんです。九〇パーセントぐらいはなんとか……」ルーが言った。

「どうして、九〇パーセントなのかね。六〇パーセントや二五パーセントでは駄目なのかね。制約条件に基づいていなければ、そんな数字などまったく意味を持たない。資材があれば作業員を休ませずにいつも働かせておくことは簡単だが、しかし、どうしてそんなことをする必要があるのかね。お金を儲けたくないというのなら、話は別だが」

「つまり、人を働かせることと、利益を上げることは別物だとおっしゃるわけですね」それまで、黙っていたラルフが満を持して言った。

「そうだ。いま、説明したXとYの四つの組み合わせから論理的に二つ目のルールを導き出すことができるのだが、君のいま言ったことがそれに近い。正確には、『リソースを使用することと、リソースを活用することは別だ』という言い方が正しい」

どちらのルールにも当てはまることなのだが、『リソースを活用する』とは、目標達成に向かって工場を動かすためにリソースを使うことであり、一方、『リソースを使用する』とは、単純に機械や装置のスイッチを入れたりする物理的な作業のことで、利益が出ようと出まいが関係ない——というのがジョナの説明だ。だから、非ボトルネック、つまりリソースをただ単純に最大限まで働かせることは、まさに愚の骨頂なのだ。

「このルールでは、工場内のすべてのリソースの能力を個別に最大化してはいけない。リソースが個別に最大化されているシステムは、全体的にはまったく最適なシステムではないのだ。それどころか、非常に非効率的なシステムのはずだ」とジョナの説明が続いた。

「なるほど」私は相槌を打った。「でも、それがわかったところで、どうやってフライス盤に溜まっている部品を最終組立てまでスムーズに流すことができるのですか」

「こことフライス盤のところに溜まっている在庫について、いま説明したルールに照らし合わせて考えてみたまえ」

「わかったわ」ステーシーが言った。「問題の原因は、ボトルネックが処理できるよりも多くの資材を投入しているからでは」

「そのとおり。非ボトルネックがアイドル状態にならないように資材を投入し続けているからだ」

「そうだとしても、フライス盤は非ボトルネックではなく、ボトルネックでは」私は訊ねた。

ジョナが首を横に振りながら言った。「いや、フライス盤はボトルネックではない。君の後ろにある、余剰在庫がその証拠だ。いいかい、フライス盤は本来ボトルネックではない。君たちがボトルネックにしてしまったんだ」

ジョナの説明では、スループットが増えると新しいボトルネックが生まれることもある。しかし普通の工場では生産能力に余力があるため、こうしたスループットが多少増えたくらいでは、こんな事態は起きないのだ。我々のスループットの増加率は二〇パーセントだった。電話で話したとき、ジョナは新しいボトルネックが発生したとは思っていなかったらしい。

スループットは増えたが、在庫投入の手は緩めず作業員をフルに働かせた。そのためフライス盤への負荷が増え、ついにその生産能力を超えるに至った、というのが事の真相だ。最優先の赤い札の部品はどんどん処理されていくが、緑の札の部品はとり残されて山積みになってしまった。その結果、NCX-10と熱処理に余剰在庫が発生しただけでなく、ボトルネック部品の量が多すぎたため、別のワークセンターのフローを詰まらせ、非ボトルネック部品が組立ラインに流れなくなってしまったのだ。

「わかりました。ようやく、何が間違っていたのか理解できました。どうやって直したらいいのか教えてくれませんか」ジョナの説明が終わるのを待って私は訊ねた。

「会議室に戻るまで、それぞれみんな、自分で考えてみてくれないか。戻ってから話をしよう。答えはとても簡単だ」ジョナが、みんなに声をかけた。

26

その答えがいかに簡単なことなのか、その夜帰宅するまではピンとこなかった。キッチンの椅子に座り、メモを取ろうとノートと鉛筆を用意して今日あったことを思い起こしていると、シャロンがキッチンに入って来た。

「パパ」彼女が、腰を下ろしながら言った。

「何だい。何か用かい」

「ううん、べつに。パパが何してるのかなって思っただけ」

「仕事をしているんだよ」

「何か手伝えることある」

「うーん……、どうかな。ちょっと難しい仕事なんだ。すぐに退屈してしまうよ」

「そう。私がいないほうがいいってこと?」

胸にグサリとくる言い方だ。

「いや、いたかったら一緒にいていいよ」私は、慌てて言った。「一つ問題をやってみるかい」

「うん」うれしそうにシャロンが返事した。

「そうだな、どうやって質問したらいいかな。お兄ちゃんやパパがやっているボーイスカウトのこと知っているかい」

「シャロンは知らないよ。僕は知ってるけどね」と言いながら、デイブが勢いよくキッチンに入って来た。ツルツルの床を滑るように飛び込んで来て近くで止まった。「シャロンはこの間のハイキングのこと、何も知らないよ。僕だったら手伝えると思うよ」

「デイブ、お前は将来いいセールスマンになるよ」

「私だって、ハイキングのことぐらい知ってるわ」シャロンが抗議した。

「行ってもいないくせに」デイブは、馬鹿にしたような口調だ。

「みんなが話しているのを聞いたのよ」

「わかった、わかった。二人とも手伝ってくれ」私は、二人をなだめるように言った。「いいかい、問題を言うよ。森の中を子供たちが一列になってハイキングをしています。列の真ん中を歩いているのはハービーです。ハービーがもっと速く歩けるように、ハービーが背負っていた荷物を降ろしてやりました。それでもハービーは、みんなの中で歩くのがやっぱり一番遅いんです。みんなハービーを追い越してもっと速く行きたいと思っています。でも、そうしたら列の長さは広がって、見えなくなってしまう子供もいます。だから、ハービーは真ん中から動かすことができません。さて、どうやって列の長さが広がるのを防ぐことができるでしょうか」

二人とも真剣な顔をして考えている。

「さあ、二人とも別の部屋に行って。一〇分、時間をあげるから、そしたらどっちの答えがいいか比べてみよう」

「勝ったら、何かもらえる?」デイブが訊いた。

「そうだな……。あまり無理なものでなければ、何でもいいよ」

「何でも？」シャロンが目を大きく開けて言った。

「無理なものでなければね」私は念を押した。

というわけで、二人ともキッチンから出て行き、ほんの一〇分ほどだけだが、私はまた平静さを取り戻した。しばらくすると、二人がキッチンの壁の角からこちらに顔を覗かせている。

「もう、できたのかい」声をかけると、二人一緒にキッチンに入ってきて椅子に腰掛けた。

「私の答え聞きたい？」まず、シャロンが言った。

「僕の答えのほうがいいよ」今度は、デイブだ。

「そんなことないわ」シャロンが、デイブに食ってかかった。

「わかった、わかった」私は二人の間に割って入った。「それじゃ、まずシャロンの答えから聞かせてくれないかい」

「ドラムよ」シャロンが言った。

「え？」

「パレードなんかのときに使う太鼓のこと」

「ああ、あれか。パレードのときはみんな間を開けないで、足並みを揃えて行進するよね」

顔を輝かせているシャロンの横から、デイブが馬鹿にしたような目で彼女のことを眺めている。

「そうか、みんな太鼓のリズムに合わせて行進しているわけか。なるほど。でも、ハービーの前の人が速く歩きすぎないようにするにはどうやったらいいのかな」

「ハービーに太鼓を叩かせればいいのよ」

「そうだね、悪くないね」

「でも、僕のアイディアのほうがいいよ」今度は、デイブの番だ。

「よし、じゃ今度はデイブ博士の考えを聞かせてもらおうかな」

「みんなをロープで結ぶんだよ」

「ロープ?」

「ほら、山登りなんかで使う紐だよ。長いロープでみんなを腰のところで結ぶんだ。そしたら遅れる人もいないし、一人だけ誰か先に行くこともなくなるよ」

「なるほど……。そいつはいい考えだ」

つまり列の長さは、ロープより長くなることは決してない。工場に置き換えると、ロープは在庫を全部合わせたものにあたる。ロープの長さはもちろん前もって決めておくこともできるし、そうすれば正確にコントロールすることができるわけだ。みんな同じ速さで歩かなければいけない。息子のクリエイティビティーに私は感心した。

「要するに、ロープで結ぶっていうことは、工場でいったら機械全部を何かでつなげてしまうっていうことかな。組立ラインみたいなものだな」

「そうだよ、組立ラインだよ。物を作るのに一番いいのは組立ラインだって、父さん前に教えてくれたことあったじゃない」

「ああ、一番効率的な方法だよ。父さんの工場でもほとんどの製品は、最後に組立ラインを使って作るんだ。でも工場全体に組立ラインを通して使おうと思っても、それはちょっと難しいんだ」

「そうなの?」デイブが訊いた。

「だけど、二人ともなかなかいいアイディアだ。二人のアイディアを少し工夫すれば、父さんの工場で使えるかもしれない」

「どんなふうに?」シャロンが訊ねた。

「いいかい、列が長くならないようにするには、みんなが同じリズムに合わせて行進したり、みんなをロープで結ぶ必要もないんだ」私は子供たちに説明を始めた。「列の先頭の子が、ハービーより速く歩かないようにするだけでいいんだよ。そうすれば、みんな離れないで進むことができるんだ」

「だから、ハービーから先頭の子までをロープで結べばいいんだ」デイブが言った。

「それとも、ハービーと先頭の子の間に何か合図を決めておいて、先頭の子が速く歩きすぎたら、ハービーから『待て』とか、『もっとゆっくり歩け』とか、合図をするの」シャロンも負けていない。

「そのとおり。二人ともよくわかったね」

「じゃ、何かくれる?」シャロンが褒美をねだった。

「何が欲しい? いっぱいトッピングがのっているピザかな、それとも夜に映画に行くとか……」

二人ともしばらく黙って考え込んでいる。

「映画もいいけど……。でも、いま一番いいのは、ママが家に帰って来ること。パパが連れて帰って来てくれない?」

今度こそ、みんな黙り込んでしまった。

しばらくして、デイブが最初に口を開いた。「でも、駄目だったら、無理しなくていいよ」

「ああ……。でも、父さんも一所懸命やっているんだよ。とりあえずは映画でもどうだい」

子供たちが寝静まってから、私は独り、本当にジュリーが戻って来てくれるのかどうか考え込んでいた。

彼女のことに比べれば、在庫のことなどずっと簡単そうに思える。少なくともいまはそうだ。どんな問題でも解決方法さえわかれば何てことはない。

私は、子供たちのアイディアを工場で実践させてもらうことにした。ハービー、つまりボトルネックから、いつ在庫をシステムに投入したらいいのか合図を出すのだ。合図といっても、もちろん工場では太鼓やロープではなくコンピュータを使う。

今日はあの後、会議室に戻ってからみんなで話し合いをしたが、資材の投入量が多すぎたことは認めざるを得ないということでみんな意見が一致した。ボトルネックの前に五、六週間分もの在庫を積み上げておく必要はないのだ。

「ボトルネックの仕事がなくなっても、すぐに赤い札の部品の資材を一気に投入するのではなく、投入を少し控え気味にすれば、フライス盤で緑の札の部品を処理する時間もできます。そうすれば、組立ラインまで部品がスムーズに流れるのでは」

ジョナがうなずいた。「そのとおり。ボトルネックが資材を必要とするペースに合わせて、赤い札の部品の資材をタイミングよく投入する方法を見つければいい。ボトルネックのペースに正確に合わせることが大切だ」

「わかりました。でもボトルネックが必要としているときにちょうど資材が届くように、どうタイミングよく資材を投入したらいいのですか」私は訊ねた。

「所長の心配していることはよくわかります。逆の問題、つまりボトルネックに仕事がなくなるような事態を起こすわけにはいきませんから」ステーシーが言った。

「今日から赤い札の投入を止めても、そんなことが起きるまで一か月はかかるよ」ボブが、ステーシーに向かって言った。「でも、確かにそうだ。ボトルネックを休ませればスループットが減る」

「必要なのは、ボトルネックと資材の投入スケジュールをつなぐ何らかの信号だ」私は提案した。

「すみません、ちょっと考えたのですが……。両方のボトルネックのデータを取っているので、これをベースに何らかのシステムを作り、資材投入のタイミングを予測することができるのでは」意外だったが、今度はラルフが意見を言った。

要点がつかめなかったので、何を言わんとしているのか、私は彼に訊ねた。

「ボトルネックのデータを取り始めてからなんですが、それぞれのボトルネックが、いつ何の作業をするのか何週間も前から予想できることに気づいたんです。どんな仕事が溜まっているのかさえわかれば、平均的なセットアップ時間とそれぞれの部品の処理時間を使って、いつどのバッチがボトルネックから出てくるのか計算できるんです。それぞれのワークセンターごとに考えればいいわけで、他の工程との依存関係も特に気にする必要がないので、統計的変動値も平均してかなり正確に予測することができるはずです」

彼が観察したところでは、材料が最初の工程からボトルネックに届くまで、二週間プラスマイナス一日、二日程度だ。

「つまり、セットアップ時間と処理時間に二週間を足せば、投入した資材の作業にいつボトルネックが取り掛かるかがわかるわけです」ラルフの説明は続いた。「実際にボトルネックからバッチが出てくるたびにデータを更新すれば、さらに正確に赤い札の資材をいつ投入したらいいのか計算できるはずです」

「すばらしい」ジョナが、ラルフに向かって言った。

「ラルフ。すごいじゃないか。だけど、本当にどのくらい正確に予測できると思うんだ」私もジョナに続いた。

「前後一日ぐらいの誤差だと思います。ですから、それぞれのボトルネックに三日分くらいの仕掛りの在庫があれば、十分だと思います」

みんな感心してラルフに賞賛の言葉を浴びせていると、ジョナが言った。「しかし同じデータを使って、実際にはそれ以上のことができるはずだ」

「どんなことですか」ラルフが訊ねた。

「組立ラインで発生する在庫の問題にも対応できるはずだ」

「ボトルネック部品の余剰在庫だけでなく、非ボトルネック部品の在庫についても対応できるということですか」私は訊ねた。

「そのとおり」

「すみません、私にはどうやったらいいのかわかりませんが」と、ラルフは少し悪びれた表情だ。

するとジョナが早速、ラルフと我々全員に説明を始めた。もしボトルネックに基づいて赤い札の資材を投入するスケジュールを決めることができるのなら、最終組立てのスケジュールも決めることができる。ボトルネック部品が最終組立てにいつ着くのかがわかれば、逆算して非ボトルネックの資材についても、それぞれの工程に沿って、いつ投入したらいいのか計算できる。つまりボトルネックを使って、工場中のすべての資材の投入タイミングを決定することができるというのだ。

「これだったら、ボトルネックを生産工程の先頭に持っていくのと同じ効果が期待できる。まさに私がやりたいと思っていたことだ」私は、みんなに向かって言った。

「やりましたね」と、ラルフがうなずいている。「しかし、いま言ったことをコンピュータでできるようになるまで、どのくらい時間がかかるかはまだわかりません。赤い札の資材投入スケジュールはけっこう早くできると思うのですが、後は少し時間がかかるかもしれません」

「おいおい、頼むよ。君みたいにコンピュータに強い奴だったら、すぐにできるだろ」ボブが、ラルフに発破をかけた。

「とりあえず何か作ることはできるかもしれないけど、ちゃんと働くかどうかは保証できない」

「まあ、いいから、リラックスするんだ」私は、ラルフに言った。「とりあえずはフライス盤の負荷を減らしてやれば、当面はなんとかなるし、それで少しは時間を稼げるだろう。その間に何か基本となるようなものを作ってくれ」

「君たちはリラックスしていてもいいが、私は、そうはいかない。これからシカゴに行かないといけないので。あと三五分で、飛行機が出てしまう」みんなのやり取りを聞いていたジョナが言った。

「やばいな」私はつぶやきながら、自然と腕時計に目をやった。「もう、行かないと」

ジョナと私は、ドタバタと急いで事務所を飛び出した。途中ずっと違反速度でクルマを飛ばしたが、事故を起こさず無事ジョナを空港まで送り届けた。

「君のところのような工場には非常に興味がある。これからも報告を続けてくれないか」

「もちろん、そのつもりです」

「そうか、よかった。それじゃ、また」

そう言うと、ジョナはクルマから降り、手を振りながら駆け足で空港のターミナルドアに吸い込まれて行った。その後、彼から電話はなかったので、飛行機には間に合ったのだろう。

翌朝、どうやって新しい方法を導入するかについて、早速みんなで話し合った。しかし、その話に入る前に、ボブが釘を刺した。

「もしかしたら、大きな問題が起きるかもしれません」

「何のことだ」私は訊ねた。

「工場中の効率が下がったらどうするのですか」

「それはしかたない。リスクを覚悟でやってみるしかないだろう」私は、躊躇なく答えた。

「ええ、でも工場中のあちこちに、何もしていない人間が出てくることになりそうですが」

「ああ、そんなことは承知している」

「それじゃ、本当に何もしていない奴がいてもいいわけですね」ボブが念を押した。

「いけないの?」ステーシーが訊ねた。「払う給料は決まっているのだから、何もさせないからってコストが増えるわけじゃないわ。作業していようが何もしないで待っていようが、経費は増えないのよ。でも……、在庫は違うわ。増えれば増えるほど、お金が眠ってしまうことになるのだから」

「わかった」納得しましたとばかりにボブが言った。「しかし、報告書はどうしますか。月末、この工場を存続させるか閉鎖するかを決めるとき、この工場の効率が落ちているのがわかったら、ピーチ副本部長がどう思うか心配です。本部の連中は効率が下がるのをずいぶん嫌っていますから」

部屋の中が静まり返った。しばらくして、ルーが口を開いた。「所長、彼の言っていることも、もっともです」

私は、しばらく黙って考えた。部屋の中にはエアコンの回る音がブーンブーンと鳴り響いている。

「みんな、いいか」私は意を決し、みんなに向かって言った。「このシステムをいま始めなければ、工場を救う大きなチャンスを失うことになる。本部の連中の顔色をうかがって、こんなチャンスを逃すつもりはない。どうだ、このままやってみようじゃないか。もし効率が下がったら、それはそのときだ」

私の言葉が昔の英雄の演説にでも聞こえたのか、みんなしんみりとしている。

「というわけだ……。ボブ、アイドルタイムが増えても、作業員の尻を叩いたりするな。来月の報告書に、そんなこと書かないでくれよ」

「任せておいてください」ボブが胸を叩いて答えた。

The Goal
Ⅶ
報告書

27

「……結論から言うと、ベアリントン工場の売上げが増えたおかげで、前月は七か月連続の赤字はなんとか食い止めることができました。ほかの工場は相変わらず赤字か、ぎりぎりなんとか利益が出たという状態です。ベアリントンの収益が改善し、今年初めての黒字が出たわけですが、部門全体の収益体制が完全に立ち直るまでには、やらなければならないことがまだまだたくさんあります」

そう言い終えると、イーサンは、ビルがうなずくのを確認してから席に着いた。私は、長テーブルのちょうど真ん中辺りに座っている。今日は、各工場からマネジャーが集められて会議だ。ビルの右側には、ヒルトン・スミスが座っている。私の工場が褒め称えられるのを聞き、気にくわないのか、苦い顔で私を睨みつけている。私はゆったりと椅子に腰掛け、大きな一枚ガラス窓の外の景色をじっと眺めていた。初夏の日差しの中、街が明るく輝いている。

五月ももう終わった。非ボトルネックの部品が足りなくなるという問題こそあったが、それもいまでは解決し、五月はなかなかの月だった。いまはラルフが考案した新しいシステムも導入し、資材の投入を計算して行っている。ボトルネックのペースに合わせて資材を投入するあのシステムだ。両方のボトルネックにコンピュータの端末を設置し、部品の処理が終わると、すぐに最新の情報をデータベースに記録するようにしている。この新しいシステムのおかげで、かなりの効果が上がり始めている。

ラルフが新システムで実際に少し実験してみた結果、いつ製品を工場から出荷できるのか、前後約一日の範囲で予測できることがすぐに確認できた。この予測のおかげで、営業には客からのオーダーと予定納品日をまとめたレポートを作って渡すことができるようになった（営業部の人間でこのレポートを信用してくれる人がいるかどうかは定かではないが、これまでのところはかなり正確に予測できている）。

「ロゴ君」ビルが、私の名前を呼んだ。「この中で、まともな利益を上げることができたのは君の工場だけだ。まずは、君から話をしてもらおう」

私は報告書の表紙を開き、重要なポイントについて説明を始めた。五月はいい月だった。在庫を減らすことに成功し、いまも加速度的に減り続けている。資材の投入もタイミングを計って行っているため、仕掛品が溜まって生産工程が詰まることもない。ボトルネックの部品も、タイミングよくボトルネックに流れるようになった。工場全体のフローは、これまでと比較にならないほどスムーズになった。

効率も資材の投入を抑え始めた当初は落ちたが、心配していたほどではなかった。余剰在庫の消費は早かった。出荷のペースが急激に上がり余剰在庫が急激に減ったため、非ボトルネックへの資材の投入を再開し、効率もまた改善し始めている。近いうちに、以前と同程度の効率になるとボブも自信ありげに言っていた。

しかし一番喜ばしかったのは、納期遅れのオーダーがなくなったことだ。信じられないことだが、一掃することができた。その結果、カスタマー・サービスも改善し、スループットももちろん向上した。復活への確かな足音が聞こえる。しかし、本部が定める報告書の中でその全容を明らかにすることは難しい。

説明を終えテーブルの端に目をやると、ヒルトンがビルに何か耳打ちしている。しばらく沈黙が続いた後、ビルがうなずきながら私に向かって言った。

「よくやった、アレックス」堅苦しい口調だ。

私の番は、これで終わりだ。ビルは、今度は、別のマネジャーに報告を発表するよう求めた。私は腰を下ろしたが、ビルの反応がいま一つなのに多少苛立ちを感じた。イーサンのように、もう少し褒めてくれてもよさそうなものではないのか。工場を立て直し、鼻高々な気分でやって来たのだ。「よくやった」だけでは物足りない。

しかし考えてみれば、私の工場がどれだけ変わったのかビルには知る由もないのだ。わかってもらうべきだろうか。彼に詳しく説明したほうがいいのだろうか。ルーに同じことを訊かれたが、当面は黙っていようということにした。

話そうと思えば、いつでも話せる。ビルのところに乗り込んで何もかも詳しく説明して、後は彼の判断に任せる。事実いずれそうするつもりだが、時期尚早だ。ちゃんとした理由もある。

ビルとはこれまで長いこと一緒に仕事をしてきたので、彼の人となりは裏表よく知っている。頭は切れるが、新しいことが好きなタイプではない。まだ余裕のあった二年前くらいだったら、黙って見ていてくれたかもしれない。だが、いまは違う。もしいま、彼のところに行って何もかもぶちまければ、きっと以前のやり方、つまり標準的なコスト会計に基づいて工場を運営するよう口を出してくるに違いない。だから、私のやり方（本当はジョナのやり方だが）が正しいことをもっときちんと実証できるまでは、しばらく待ったほうが無難だろう。いまは、まだ早すぎる。ずいぶんとルールを破ってきたので、まだ全部を話すことはできない。

しかし、そんな余裕はあるのだろうか。ずっと気になっていることだ。工場閉鎖は取りやめたと、ビルが言ったわけでもない。この報告書を見せれば、ビルが何か言ってくると思っていたのだが、いまのところ、まだ何の話もない。テーブルの端に座っているビルに目をやると、何か気になることがあるような表情だ。いつもの彼らしくない。ほかの連中の報告発表が続いているが、心ここにあらずといった顔つきだ。時折、ヒルトンが割って入り、ビルのコメントを求めているが、いったい何を考えているのだろうか。

会議は、昼食後一時間ほどして終わった。会議が終わったら、ビルと一対一で話をしようと会議中から考えていた。彼の後を追って会議室から廊下に出て声をかけた。話がしたい旨を伝えると、ビルは自分の部屋に私を案内してくれた。

「それで、いつになったら工場閉鎖を取り消してくれるのですか」ドアが閉まると、私は単刀直入に質問した。

彼はゆったりとした大きな布張りの椅子に腰を掛け、私は向かい合った椅子に腰を下ろした。二人の間には机がなく、親密な感じがする。

ビルが、真っ直ぐ私の目を見て言った。「どうして、取り消すと思っているんだ」

「私の工場は、立ち直りつつあります。もっと利益を伸ばすことができます」

「ほう、そうか。アレックス、確かに五月はよくやってくれた。でも、まだ第一歩にすぎない。今月も、来月も、再来月も同じ結果を出せるかね。私が興味あるのはそっちのほうだ」

「やってみせます」私は、胸を張って言った。

「正直に言わせてもらうが、この結果を君がこれから先もずっと継続できるとはまだ確信していない。あれだけ納期遅れのオーダーが溜まっていたんだ。一所懸命出荷したのはわかるが、コストはどうやって節約したんだね。特に目につくようなことは見当たらないじゃないか。長期的に工場を利益の出る体質にするには、経費を一〇パーセントから一五パーセント引き下げないといけないんだ」

私は、胸に釘を打ち込まれたような重い気分になった。「もし来月も利益を上げることができたら、少なくとも工場閉鎖の予定を引き延ばしてもらえますか」

ビルは、首を横に振りながら言った。「先月程度では駄目だ。もっと大きく改善してもらわないと」

「どのくらいですか」

「先月より一五パーセントアップできたら、考えてもいい」

私はうなずいた。「わかりました。できます」私の返事に、ビルが目をまばたかせた。

「いいだろう。もし結果を出してくれて、ずっと続けることができたら工場は閉鎖しない」

私の顔に笑みが広がった。ビル、君のためにもやっているのだから、工場を閉鎖するなど愚の骨頂だ

――私は心の中でつぶやいた。

ビルが立ち上がり、私たちの話は終わった。

ラジオのボリュームを上げ、アクセルをぐっと大きく踏み込むと、クルマはフリーウェイの入り口を勢いよく駆け上がって行った。体内ではアドレナリンが湧き上がり、頭の中ではいろんな考えがクルマのスピードより速く駆けめぐっている。

思い起こせば、ほんの二か月前は転職も覚悟し、履歴書をどこかに送ろうかとも考えていた。しかし、あと一か月、一か月続けて利益を上げることができれば工場を閉鎖しないと、ビル本人の口から聞くことができた。もう少しだ。もしかしたら、本当にできるかもしれない。あと、一か月だ。

しかし、一五パーセントのアップは楽なことではない。

納期遅れのオーダーは驚異的なスピードで減り、製品の出荷量も驚くような数字を記録することができ

た。先月、前年、いつと比べてもはるかにその上をいく。その結果、収入も増え、帳簿上はこのうえない出来のように見える。だが、溜まっていたオーダーをすべて出荷してしまったいま、これまで以上のペースでオーダーを出荷しないといけないということは……。

もしかしたら、とんでもない難題を背負わされたのではないかという不安が脳裏に浮かんだ。一五パーセント売上げアップするのに、そのオーダーはどこから取ってきたらいいのだ。

ビルが期待しているのは、先月の繰り返しではない。もっと、大きな数字を求めているのだ。まだ彼の口からは何も約束してもらっていない。私は、今後数週間のオーダー予定を思い出しながら、ビルが求めている増加分を達成するのに必要なオーダーがあるのかどうか頭の中で計算してみた。しかし、すぐに足りないのではという恐怖の念が頭の中を埋めた。

いいだろう。スケジュールを前倒しにして出荷すればいい。七月の第一週分、第二週分のオーダーも六月中に出荷すればいいのだ。

でも、その後はどうするのだ。何もすることがなくなって、大きな穴を開けることになりかねない。結局のところ、もっとオーダーを取ってくる必要があるのだ。

ジョナは最近どこにいるのだろうと、ふとジョナの顔が脳裏に浮かんだ。

スピードメーターに目をやると、いつの間にか一三〇キロもスピードが出ていた。私はクルマの速度を落とし、ネクタイを緩めた。工場に早く戻ろうと、事故を起こしては大変だ。よく考えてみると、工場に着く頃にはもう退社時間だ。

ちょうどそのとき、フォレストグローブ方面に向かうハイウェイのインターまで、あと二マイル（三・二キロ）という標識が目に飛び込んできた。ジュリーと子供たちには、ここ二日ほど会っていない。学校が休みに入ってから、子供たちはジュリーの実家に行っているのだ。

私は、インターで方向を変え次の出口で降りた。通りの角のガソリンスタンドで公衆電話を見つけ、事務所に電話を入れた。電話に出たフランに二つのことを伝えた。会議がうまくいったことをボブ、ステーシー、ラルフ、ルーに伝えてほしいこと、それと今日はもう事務所に戻らないということだ。

ジュリーの実家に着くと、みんなが快く迎え入れてくれた。しばらく、デイブとシャロンの話相手をした後、ジュリーが二人で散歩しようと誘ってくれた。外は、爽快な夏の昼下がりだ。ちょっと行ってくるよとシャロンを抱きしめると、彼女が耳元で小さな声で言った。「パパ、いつになったら、みんな一緒におうちに帰れるの」

「もうすぐだよ」私は、彼女に言った。

それだけでは物足りないのか、シャロンは同じ質問を何度も繰り返した。こっちが訊きたいくらいだ。

ジュリーと私は公園まで行き、しばらく歩いた後、川の側のベンチに腰掛けた。座ったまましばらく黙っていたので、どうかしたのかとジュリーが訊いてきた。私は、シャロンに訊かれたことをジュリーに言った。

「私にも同じことをいつも訊くのよ」

「シャロンが？　何て答えるんだい」

「もうすぐよって、いつも答えているわ」

私は笑いながら言った。「僕も同じことを言ったよ。でも本気かい？」

彼女はしばらく黙った後、私のほうを見て笑顔で言った。「ここ数週間のあなたは、一緒にいてずいぶん楽しくなったわ」

「ありがとう。僕も同じだ」

彼女が私の手を取って言った。「でも……、ごめんなさい。アレックス、家に帰るのはまだ怖いの」

「どうしてだい。君と僕の関係だって、ずいぶん良くなったじゃないか。何を怖がっているんだい」

「いまは楽しいわ。それはそれでいいの。こうしてあなたと一緒に過ごす時間が、私には本当に必要だったの。でも家に戻ったら、どうなると思う。最初の二日ぐらいはいいかもしれないけど、一週間たったら、もう喧嘩しているかもしれないわ。その後一か月、半年、一年たったらまた前と同じに戻ってしまうんじゃないかって心配なの。私の言っていること、わかる?」

私は、ため息をついた。「ジュリー、僕と一緒に暮らすのがそんなに嫌だったのかい」

「アレックス、そうじゃないの。ただ……、わからないわ。あなたは私のことなんか、少しも見てくれていなかったし」

「仕事でいつも問題ばかりあるんだ。頭の中は、そのことでいっぱいだったんだ。僕に何をしてほしかったっていうんだい」

「何でもいいから、もう少し時間が欲しかったわ。私が子供の頃、父さんはいつも同じ時間に仕事から家に帰って来て、夕食はいつも家族揃ってとっていたわ。父さんは、いつも夜は家にいたの。でも、あなたとは、いつ何が起きるかわからないわ」

「君のお父さんと比べないでくれよ。君のお父さんは歯医者だから、毎日診察が終わったら家に帰れるんだよ。僕の仕事は違うんだ」

「アレックス。私が気に入らないのは、あなたがほかの人と違うことなの。ほかの人はみんな、仕事に行っても同じ時間に帰って来るわ」

「ああ、君の言っていることはわかるよ。確かに僕はほかの人とは違う。一つのことに夢中になると、徹底して夢中になってしまう。もしかしたら、育った環境に関係しているのかもしれない。僕の家族を見てくれよ。夕食を一緒にするなんて、めったになかった。いつも誰かが、店番をしていないといけなかったんだ。仕事のおかげで飯を食えるのだから、仕事が最優先というのが親父の決めたルールだったんだ。みんな、それがわかっていたから一緒に働いたんだ」

「あなたの家族が違うってことはわかるけど、それがいったい何の証明になるの。私が幸せだと感じることができなかった理由をわかってほしいの。もう、あなたのことを愛していないいんじゃないかとずいぶん悩んだ時期もあったわ」

「だったら、どうして僕のことをやっぱり愛していると思ったんだい」

「また、喧嘩したいの?」

私は、彼女から視線をそらした。

「いや、喧嘩するつもりなんかないよ」

ジュリーがため息をついている。「いい、何も変わっていないのよ……。違うかしら」

長い時間、二人とも口を閉じたままだ。ジュリーが立ち上がって、川のほうへ歩いていった。一瞬だったが、まるで彼女がまた逃げて行ってしまうような気がした。しかし、彼女は私のほうへ戻って来て、またベンチに腰掛けた。

彼女が言った。「一八歳のとき、自分の人生はもうすべて計画していたの。大学、教職免許、結婚、マイホーム、子供――順番もそのままよ。全部決めていたの。食器の模様、子供の名前、家の形、絨毯の色、全部もう頭の中にあったわ。全部決まっていたのよ。絶対にすべて実現させようと思ったわ。私にとっては、大切なことだったの。でもいま……、全部実現したけど、だけど、どこか違うの。大したことじゃないけど」

「ジュリー、どうして君の人生は計画したとおりじゃないといけないんだ。自分のイメージと完璧に同じでないといけないのかい。どうして、そうしたいのか自分でその理由はわかっているのかい」

「そういうふうに育ったからよ。あなたはどうなの。どうしてこんな葉巻がいるの。どうして毎日二四時間働かないといけないの」

一瞬、二人の間に沈黙が走った。

「ごめんなさい。ただ、頭が混乱しちゃって」

「いや、いいよ。考えさせられる質問だよ。どうして、普通の人と同じように九時から五時までの仕事で満足できないのか、自分でもわからない」

「アレックス、こんなこと全部忘れてしまいましょう」彼女が言った。

「いや、駄目だ。その反対に、もっと質問して徹底的に考えてみようじゃないか」

ジュリーが、懐疑的な目で私を見ながら言った。「たとえば、どんなこと」

「たとえば……、なぜ結婚するのか。二人にとって何を意味しているのか。僕の考えでは、結婚の目標とは、ただパーフェクトな家に住んで、時計に合わせてただ生活するだけのことではないんだ。君にとっては、それが目標かい」

「私は、少しでいいから夫から必要とされるだけでいいわ。でも、あなたの言っている『目標』って何なの。結婚するときは、ただ結婚するだけでしょ。目標なんてないわ」

「じゃ、どうして結婚するんだい」私は訊き返した。

「責任、愛……。それに、みんな結婚するでしょ。アレックス、あなたの質問はあまり意味がないわ」

「意味があっても、なくてもいい。僕たちは、一五年も一緒に暮らしてきたんだ。なのに結婚とは何なのか、いったい、何のためにしているのか、ちっとも理解していない。だから訊いているんだ」私は、強い口調で言った。「ただなんとなく一緒に暮らして、周りのみんなと同じことをやって、その結果、君と僕は、人生とは何かについてまったく異なった考えをしている」

「私の両親は、もう三七年も一緒よ。だけど、そんなこと考えたことないと思うわ。誰も『結婚の目標は何か』なんて訊かないわ。ただ、好きになったから結婚するだけよ」

「それで、説明がつくじゃないか」

「アレックス。お願いだから、こんな話やめましょう。答えなんかないわ。こんな話ばかりしていたら、すべて駄目になるわ。もしこんな質問をして、私には裏があるなんて言いたいのなら……」

「ジュリー、べつに君に裏があるなんて思っていないよ。でも、何が悪いのかわからないのは君だよ。恋愛小説の主人公と僕たちを比べる代わりに、もっと論理的に考えてみれば……」

「私、恋愛小説なんか読まないわ」

「じゃ、君の結婚観はいったいどこから来たんだい」

　彼女は黙っている。

「僕が言いたいのは、これまでのそれぞれの結婚観なんかしばらく忘れて、自分たちのありのままの姿を見直してみたらどうかということなんだ。それからいったい、二人でどうしたいのか考えて、それがわかったらその方向に進めばいい」

しかし、ジュリーは私の話に耳を傾けている様子はない。彼女が立ち上がった。

「そろそろ、戻りましょう」彼女がぽつりと言った。

戻る途中、二人はまるで真冬の氷山のように冷たく押し黙ったままだった。ただ、二人並んで歩いているだけだった。私は通りの一方を、ジュリーは反対側を見ながら歩いている。二人で玄関のドアを入ると、ジュリーの母が夕食に招いてくれたが、用があるからと誘いを断った。子供たちに別れを告げ、ジュリーに手を振って私は玄関を出た。

クルマに乗り込もうとすると、後ろからジュリーが駆けて来る足音が聞こえた。

「今度の土曜、また会える？」彼女が訊ねた。

私は、静かに微笑んだ。「ああ、もちろん。楽しみだ」

「さっきは、ごめんなさい」

「もうしばらく、お互い頑張ってみよう。そのうち、うまくいくよ」

二人に、笑顔が戻った。

28

家に着いたのは、ちょうど太陽が西の空に沈みかけた頃で、空は薔薇色に染まっていた。ガレージからキッチンに通じるドアを開けようとすると、電話の鳴る音が聞こえたので、急いで戻って受話器を取った。

「おはよう」ジョナの声だ。

「おはよう?」窓の外は太陽がいまにも沈もうとしているときだったので、私は思わず笑ってしまった。「こちらは、太陽が沈むところですよ。いったい、どこからかけているんですか」

「シンガポールからだよ」

「それは、それは」

「こっちは、これから太陽が昇るところだ。普段だったら他人の自宅になんかは電話をかけないんだが、これからしばらく連絡が取れなくなりそうなので、一応その前に電話でもしておこうと思ってね」

「連絡が取れなくなるとは?」

「話が長くなるのでいまは詳しく説明できないが、そのうちまたゆっくり話をさせてもらうよ」

「そうですか、わかりました」いったいどんな理由があるのだろうかと、私は一瞬間をおいた。「それは残念ですね。またアドバイスしてほしいことがあって、ちょうどこれから連絡しようと思っていたところでしたので」

「また、何か問題でも？」

「いいえ、全体的にはうまくいっていますが、ただ先日、副本部長からもっと利益を上げないと工場を閉鎖すると言われたので」

「まだ、利益が上がっていないのかね」

「いいえ、利益は着実に伸びています。ですが、工場を救うにはもっとペースを上げないといけないんです」

電話の向こうから軽く笑う声が聞こえた。「もし私が君の立場だったら、閉鎖のことなんか気にはしないよ」

「でも、副本部長の話では閉鎖される可能性がまだ高いようです。閉鎖中止と言われるまでは、気を抜けません」

「アレックス、本気で工場をもっと改善したいと思っているのなら、私も最後までつき合わせてもらうよ。でも、さっき言ったように、しばらく連絡できなくなるから、話だったらいましよう。とりあえず、現在の様子を教えてくれないか」

私は、こと細かに工場の現状について説明した。これだけやって理論的にはもう限界にきているように思えたので、ほかにできることがあるのかどうか私はジョナに訊ねた。

「ほかに何かあるかだって？　何を言っているのかね。まだ、始まったばかりだよ。とりあえず、こうしてみたらどうかね……」と、ジョナの話が始まった。

翌日、私は朝早く出勤し、自分の部屋でジョナのアドバイスを思い起こしていた。外はこれから日が昇るところだ。シンガポールで一足先にジョナが眺めていた光景だ。コーヒーを一杯飲もうと部屋を出ると、コーヒーメーカーのところにステーシーが立っていた。

「おはようございます」ステーシーが挨拶した。「昨日の本部での会議は、うまくいったそうですね」

「まあまあだったよ。でもビルを納得させるには、まだやらないといけないことがたくさんあるみたいだ。ところで昨日の晩、ジョナとまた話をしたよ」

「ずいぶん改善できたって報告されたんですか」

「ああ。そうしたら次のステップを試すように言われたよ。ジョナは『論理的ステップ』って呼んでいたがね」

ステーシーの顔が少し曇った。「何ですか、その論理的ステップというのは」

「非ボトルネックのバッチサイズを半分にするんだ」

ステーシーは考え込みながら、一歩後ろに下がった。「でも、どうしてですか」

「そのほうが、もっとお金が儲かるからだよ」私は、ニヤリと笑いながら答えた。

「どういうことですか。どうしてそのほうが儲かるんですか」

「ステーシー、君は資材管理の責任者だろ。バッチのリイズを半分にしたらどうなるか、君が教えてくれないか」

彼女はじっと考えながら、コーヒーをすすった。額にしわを寄せ、真剣に考え込んでいる。ようやく考えがまとまったのか、彼女が口を開いた。「バッチサイズを半分に減らしたら、工場内の仕掛品の量はこれまでの半分になるはずです。ということは、仕掛りへの投資がこれまでの半分ですむということです。もちろんサプライヤーとの調整が必要ですが、理論的には在庫が半分に減り、在庫にとられるキャッシュも半分ですむ。その結果、キャッシュフローが改善するということでは?」

ステーシーの話を聞きながら、私は何度もうなずいた。「そのとおり。そういうメリットもあるな」

「でも、そのためにはサプライヤーからの資材の調達頻度をこれまでより増やし、逆に一回当たりの調達量は減らしてもらわないといけません。購買部の担当になりますが、かなりタフな交渉になることは目に見えていますし、全部のサプライヤーが応じてくれるかどうか……」

「それは、なんとかなるだろう。我々だけでなく彼らにとってもメリットがあるのだから、いずれみんなイエスと言うはずだ」

「でもバッチのサイズを小さくしたら、それだけ機械をセットアップする回数が増えるということでは？」

横目でこちらを見ながら、ステーシーが皮肉っぽく言った。

「ああ、そうだ。でも心配することはない」

「心配することはない？」ステーシーが、疑わしそうな目でこちらを見た。

「ああ、心配する必要はない」

「でも、ボブが……」

「ボブのことだったら大丈夫だ。セットアップの回数が増えても大丈夫だ」私は、自信ありげに答えた。

「それより、君の言ったことで気づいたんだが、メリットがほかにもある。それもいますぐにでも期待できるメリットだ」

「どんなメリットですか」

「知りたいかい」

「ええ、ぜひ」

「いいだろう。それじゃ、みんなを集めてくれ。全員揃ったところで説明しよう」

ミーティングの召集役をステーシーに任せたのはよかったのだが、おかげで町で一番高いレストランでランチを食べながらミーティングするはめになってしまった。もちろん、食事代は経費で落とさせてもらった。

「みんな一緒ということになると、この時間しか空いていなかったものですから。そうでしょ、ボブ」テーブルに着くなりステーシーが言った。

「そうなんです」

私は、別に怒っているわけではなかった。みんなのこれまでの働きを考えたら、このくらいのことをさせてもらっても当然だろう。さっそく、私は今朝のステーシーとの話の内容についてみんなに説明を始めた。ステーシーにみんなを集めてから説明すると約束していたメリットについても説明した。

昨夜ジョナと電話で話したとき、資材が工場を通過する時間についても彼からいろいろと説明を受けた。つまり資材が工場に入ったときから完成品の一部として工場から出て行くまでの時間のことだが、そのトータル時間を四つの段階に分けることができるというのだ。

まずはセットアップ、つまり段取りで、機械や装置などのリソースの準備を行っている間だ。

次はプロセスタイム、つまり処理時間だ。機械や装置などのリソースを使って部品への作業を行う時間で、これを経て部品はその形を変え、付加価値が高まる。

三つ目はキュータイム、つまり部品の処理に必要な機械や装置などのリソースがほかの部品の処理を行っている間、その機械の前で列を作って待っている時間のことだ。

四つ目はウエイトタイム。三つ目のキュータイムと同じ待ち時間なのだが、こちらはリソースを待っているのではなく、完成品に組み立てるのに必要なほかの部品が届けられるのを待っている時間だ。

ジョナの説明では、どの部品でもそうなのだが、セットアップと処理時間に必要な時間は少なく、キュータイムとウエイトタイムの時間が長い。つまり部品が工場を通過するトータルな時間における、この二つの待ち時間の比重が大きい。

ボトルネックを通過する部品についていえば、キュータイムの時間が特に長くなる。ボトルネックの前で長い時間待たされることになるからだ。非ボトルネックだけを通過する部品は、組立ラインでボトルネックからの部品待ちの時間が長くなるので、逆にウエイトタイムが長くなる。つまり、いずれの場合でもボトルネックが部品の通過時間を左右し、結果、仕掛品などの在庫やスループットまでをも決定づけることになるのだ。

これまでバッチのサイズはＥＢＱ（Economical Batch Quantity＝経済的バッチ量）方式によって決めてきた。昨夜ジョナと電話で話したときは詳しくは説明してもらえなかったが、ＥＢＱの仮定にはいくつもの欠点があるというのだ。そこでジョナは、現在のバッチサイズを半分の量にしろと言ったのだった。バッチサイズを半分にすれば、各バッチの処理時間も半分になる。つまりキュータイムとウエイトタイムも半分になり、結果、部品の工場通過時間も約半分に減らすことができる。通過時間が半分に減れば……。

「リードタイムの合計が圧縮され、仕掛りなどの在庫の待機時間が減ることで、部品の流れもスピードアップされる」と、私は集まったみんなに説明した。

「オーダーの生産ペースがスピードアップされれば、顧客へも早く出荷できる」と、ルーが言った。

「それだけじゃないわ」ステーシーが言った。「リードタイムが短くなれば、もっと早く対応できるわ」

「そうだ。市場に早く対応できるのであれば、これを利用しない手はない」私は言った。

「オーダーを早くこなすことができれば、客も増えるというわけですね」と、ルーが言った。

「その結果、売上げも増える」私は続けて言った。

「私たちのボーナスも……?」ステーシーが上ずった声で言った。

「いいですね。でも、ちょっと待ってください」ここで、ボブが待ったをかけた。

「どうした。何か問題でもあるのか」私は訊ねた。

「セットアップ時間はどうなるのですか。バッチサイズを半分にするのはかまいませんが、その分セットアップの回数が増えます。直接作業費はどうなるのですか。コストを下げるには、セットアップのコストを下げる必要があるのでは」

「誰かが質問をすると思っていたよ。みんなでよく考えてみようじゃないか。ジョナが昨日電話で教えてくれたことなんだが……、ボトルネックに部品が溜まって作業時間が失われていくことについては簡単なルールがあったが、これは覚えているかね? ボトルネックで一時間失われることは、工場全体で一時間失われることに等しいというやつだ。これに対応する別のルールがもう一つあるというのだ」

「ええ、覚えています」ボブが答えた。

「ジョナが昨夜教えてくれたルールは、逆に非ボトルネックの作業時間を一時間増やしたところで、それは妄想にすぎないということだ」

「妄想?」ボブが怪訝な顔をしている。「どういう意味ですか、増えた時間が妄想とは。作業時間が一時間増えれば、それだけ作業する時間が増えるということでは?」

「いや違う。現在は、ボトルネックの作業ペースに合わせて資材の投入ペースを抑えているわけだが、これを始めてから、非ボトルネックにアイドルタイムが発生している。つまり機械が何もしない時間を使って非ボトルネックのセットアップをするわけだから、セットアップの回数が増えたとしてまったくOKなのだ。非ボトルネックのセットアップの回数を減らしたとしても、システム全体では少しも生産性は上がらない。つまり、節約した時間とお金は妄想にすぎないということだ。セットアップの回数が倍に増えたとしても、非ボトルネックのアイドルタイムを全部必要とはしないはずだからだ」

「わかりました。説明はよくわかりました」ボブが答えた。

「さて、ジョナのアドバイスだが、まずバッチサイズを半分にして、それができたら今度は営業の連中を説得してキャンペーンをはらせ、顧客にこれまで以上に早く納入することを約束してオーダーを取ってくるようにしろというのだ」

「そんなことできるのですか」ルーが疑い深そうな顔で訊ねた。

「すでに優先システムのおかげでリードタイムは以前に比べて大幅に短縮され、ボトルネックの生産性も向上している。リードタイムは、以前は三か月から四か月だったのが、いまでは二か月あるいはそれ以下に短縮されている。もしバッチサイズを半分にしたら、リードタイムはどの程度まで短縮できると思うかね」私はみんなに問いかけた。

みんな、咳払いや「えー」だの、「あー」だの言うばかりで、誰も答えない。

しばらくして、ようやくボブが口を開いた。「バッチサイズを半分にしたら、必要な時間がいまの半分に減り、六週間から八週間ではなく約四週間……、いや場合によっては三週間ですむということでは」

「もし私が営業の連中のところに行って、三週間で納入すると顧客に約束してもよいと伝えたら……」私は言った。

「ちょっと待ってください」ボブが慌てて言った。

「少し無理しすぎでは」ステーシーも少し戸惑っている。

「わかった。それじゃ四週間じゃどうだ。四週間だったら大丈夫だろ」

「大丈夫だと思います」ラルフが答えた。

「そうですね……、なんとかなると思います」ステーシーも同意してくれた。

「そのぐらいのリスクはとってもいいと思います」ルーも賛成だ。

「それじゃ、四週間ということで話を持っていってもいいか」私はボブに訊ねた。

ボブは大きく背もたれにのけ反って、しばらく考え込んでから言った。「まあ、ボーナスが増えるのは悪くないですからね。いいでしょう、やってみましょう」


金曜の朝、私は本社に向かってクルマを走らせた。本社に着くとちょうど、昇りかけた太陽の日差しが本社ビルのガラス窓に反射し眩しく輝いていた。なかなかの光景で、しばし頭の中が空っぽになった。今日はジョニー・ジョンズと彼のオフィスでミーティングがあるのだ。電話をかけてアポを取ったのだが、私とのミーティングには快く応じてくれた。だがミーティングの用件については、こちらが期待していたほどの反応は示してくれなかった。我々の計画を彼に納得してもらうには、私の交渉術次第ということらしい。プレッシャーなのか、気がつくと私は自分の指の爪を噛んでいた。

ジョニーのオフィスにはデスクと呼べるようなものはない。その代わりに、クローム仕上げの脚の上に大きなガラス板が置かれたテーブルが置かれていた。グッチの靴とシルクの靴下を見てもらいたいのだろうか、両手の指を組んで頭の後ろに回し、椅子の背もたれに大きくのけ反りながら、見てくれとばかりに足元を見せびらかしている。

「それで……、調子はどうなんだ」ジョニーが訊ねた。

「絶好調さ。今日の話も、そのことなんだ」私は答えた。

ジョニーがすぐに平然とした表情を取り繕うのがわかった。

「いいか、聞いてくれ。君に相談したいことがあるんだ。絶好調と言ったのも決して誇張ではない。本当に絶好調なんだ。知っていると思うが、納期遅れのオーダーもなくなったし、先週の頭からは、予定の納期どおりに生産できるようになった」

「確かに、オーダーが遅れているとクレーム電話が鳴ることもなくなった」うなずきながらジョニーが言った。

「ポイントは、本当にうちの工場が改善したことなんだ。これを見てくれ」そう言いながら、私はブリーフケースの中から、最近の顧客オーダーをリストアップしたコンピュータのプリントアウトを取り出した。表には納期、ラルフが予想した出荷予想日、それに実際にオーダーが出荷された日が示されている。

「これを見てわかるように、オーダーの出荷日を前後二四時間以内の誤差で予測できるんだ」ガラス張りのテーブルの上に置かれた表を眺めているジョニーに向かって私は言った。

「ああ、そのことはすでに人づてに聞いている」ジョニーが答えた。「これはみんな日付か?」

「そうだ」

「こりゃ、大したものだ」

「最近出荷したオーダーと一か月以上前のオーダーを比べてもらえればすぐにわかることだが、うちの生産リードタイムは大幅に短縮している。リードタイムが四か月なんてことは、もううちの工場ではあり得ない。客からオーダーを取ってきてから、出荷するまでの時間は現在では、平均で約二か月だ。これだけリードタイムが短くなれば、オーダーが取りやすくなると思わないか」

「ああ、もちろんだ」

「それじゃ、四週間だったらどうだ?」

「四週間? アレックス、冗談はやめてくれ。四週間なんてそんな無茶な話はやめてくれ」

「いや、できる」

「おいおい、オーダーがずいぶん減った去年の冬でさえ、四か月で納入すると客に約束していながら、結局六か月もかかったんだぞ。それが今度はオーダーを取ってきてから出荷するまでたったの四週間でできるというのか」

「もし無理な話なら、わざわざこうして相談になんか来なかったよ」心の中に一抹の不安はあったものの、私は自信ありげにジョニーに言った。

ジョニーは、訝って鼻を鳴らした。

「ジョニー、つまりもっと仕事が必要なんだ。納期遅れのオーダーはなくなったし、現在受注しているオーダーの残高も減ってきている。だからこれからもっと仕事が必要なんだ。需要はあるはずだから、競合相手に仕事を取られているだけなんだ」

「200型モデル二〇〇台とか、DBD-50三〇〇台を本当に四週間で仕上げることができると言うのか?」目を細めていぶかるように、私の顔を眺めながらジョニーが訊ねた。

「試してみてくれ。オーダーを五件、いや一〇件でも大丈夫だから、取って来てくれ。できることを証明してみせるよ」

「でも、もしできなかったら我が社の信用はどうなるんだ」

私はテーブルのガラス越しにジョニーの足元を見た。

「ジョニー、賭けをしよう。もし四週間で納入できなかったら、君に新品のグッチの靴を一足プレゼントしようじゃないか」

彼は、笑いながら呆れたように首を振った。「いいだろう、その賭けにのらせてもらうよ。君の工場で作っている全製品に関して、六週間以内に納入できることを顧客に約束してもよいと営業マン全員に指示を出そう」

四週間でないことに私は多少抗議したが、ジョニーは勘弁してくれとばかりに両手を上げた。

「君に自信があるのはわかる。どうだろう、どのオーダーでもいい、もし五週間以内で出荷できたら、逆に私が君に新しい靴を一足プレゼントするということで」

29

満月の光が、寝室の窓越しに私の眼に差し込んでくる。静かな夜だ。ベッドサイドの置時計に目をやると、針は午前四時二〇分を指している。隣では、ジュリーがまだ寝息をたてて寝ている。

頬杖をついて、私はジュリーの顔を見下ろした。茶色の髪が枕の上に広がり、月明かりに照らされる彼女の寝顔は美しい。私は、そのまましばらく彼女の顔を眺めていた。いったい、どんな夢を見ているのだろう。

私は悪夢にうなされ、目を覚ました。工場の夢だった。ベンツに乗ったビル・ピーチに追われて、工場の通路を逃げ惑っている夢だ。轢かれそうになると機械の間に逃げ込んで身を隠すか、通りがかりのフォークリフトに飛び乗るのだった。ビルはクルマの窓から顔を出し、私に向かってまだまだ改善不足だとわめき散らしている。ついに、搬出口まで追い詰められた私はダンボールの箱の山を背にした。前方からは、ビルのベンツが何百キロもの猛スピードで私に向かって突っ込んでくる。私は、眩しく光るヘッドライトから目を覆おうとした。まさに轢かれる寸前というところで、目が覚めた。顔を照らしていたのは、ヘッドライトではなく月明かりだった。

すっかり目が覚めてしまい、努めて忘れようとしていたジュリーとのことも気になりだして、もう眠りにはつけなかった。彼女を起こしてはいけないと思い、私はベッドをそっと抜け出した。

今夜、家の中はジュリーと私だけだ。私たち二人を邪魔する者は一人もいなかったのだが、昨晩は特にこれといって特別な用意はしていなかった。そこで、ワインとチーズ、それにパンを買い込んで家に戻り、二人でくつろぐことにした。

真っ暗なリビングルームの窓から外を眺めると、まるで自分以外の世界はすべて眠っているような静かさだ。私は眠ることができなくて多少いらついていた。頭から、あることが離れなかったからだ。

昨日、スタッフ・ミーティングを行った。いい知らせもあったが、悪い知らせもあった。いい知らせはいくつかあったが、その中でも特に営業が頑張ってオーダーを取ってきてくれたのはうれしかった。ジョニーと話をしてから、新たに契約を六件ほど取ってきてくれたのだ。それ以上に、効率が前にも増して向上している結果が出ていたのはうれしかった。これまで、私たちがやってきたことが正しかったことの証明だ。資材の投入を抑え、熱処理やNCX-10の処理速度に合わせて資材の投入タイミングをとり始めた当初は、効率が幾分低下した。余剰在庫を消費していたからだが、スループットが向上した結果、急速に余剰在庫が減り、効率は回復してきた。

その後、二週間前からはバッチのサイズも小さくした。非ボトルネックのバッチサイズを半分にしてからも効率は順調で、作業員のアイドルタイムが以前に比較して減ったような感じさえする。

バッチサイズを小さくする以前は、余剰在庫が山積みになっているワークセンターがある一方で、作業することがなくてアイドル状態になる部署があるのも稀ではなかった。前のワークセンターで大きなバッチ全体の処理が終了するのを待っていたために、アイドル状態になるのが主な理由だ。誰かが急かさない限り、バッチ全体の処理が終わるまでは次のワークセンターに部品は流れていかない。事実、いまもそれは変わらない。しかし、バッチサイズを小さくしてからは、部品は以前より早く次のワークセンターに流れるようになった。

つまり、これまでは非ボトルネックを一時的にボトルネック化するようなことをしていたわけだ。その結果、それより後の工程のワークセンターをアイドル状態にしてしまい、効率にも悪影響を及ぼしていた。いまでこそ非ボトルネックならばときどきアイドル状態になっても大丈夫だとわかっているが、実際のところアイドルタイムは以前に比べ減っている。バッチサイズを小さくしてから、作業はこれまでになくスムーズに流れているのだ。変な話なのだが、アイドルタイムも実際より目につかない。アイドルタイムが細かく分断されたためだ。以前は一度に二時間も三時間もやることがなくぶらぶらしていた作業員もいたが、いまでは一〇分、二〇分と細かい時間単位で待機している。ただし、仕事の量は以前と同じだ。誰の目から見ても、いまのほうがベターだ。

さらに、いい知らせがあった。工場内の在庫レベルがいままでになく低くなったのだ。作業場を歩けばすぐわかるのだが、その結果は著しい。これまで山積みにされていた部品やサブ・アセンブリーは以前の半分にまで減った。まるで何台ものトラックで乗りつけて、大量に部品を運び去った後のような様相を呈している。まあ、それに近いことが起こったには違いない。余剰在庫を完成品として次々と出荷したのだ。もちろん、新たな仕掛りなどの在庫で作業場を埋め尽くすような愚かなことはやっていない。現在ある仕掛りは、すべてオーダーのあるものだけだ。

しかし、悪い知らせもあった。そのことをちょうど考えているとき、背後の暗闇からカーペットを歩く足音が聞こえてきた。

「アレックス？」

「ああ」

「どうして、こんな真っ暗なところにいるの」

「眠れないんだ」

「何かあったの」

「いや、別に」

「それじゃ、ベッドに戻りましょうよ」

「少しだけ、考え事をしていたんだ」

そう言うと、しばらく沈黙が続いた。ジュリーはもう寝室に戻ったと思っていたら、後ろから彼女が優しくもたれかかってきた。

「工場のこと?」

「ああ」

「うまくいっているんだと思っていたけど、何か問題でも?」

「コストの評価方法のことで、ちょっと気になることがあってね」

ジュリーは、私の横に腰を下ろした。

「よかったら、私に話してくれない」

「そうだね。聞いてくれるかい」

「ええ、もちろんよ」

私は、ジュリーに話し始めた。バッチサイズを小さくしたせいでセットアップの回数が増え、部品のコストは上がったように見える。

そう説明を始めると、ジュリーが「それはいいことじゃないのよね?」と訊ねた。

「理論的にはそうなんだが、でも経済的には何も変わらないいんだ」

「どうして」

「そうだな……。じゃ、どうしてコストが上がったように見えるかわかるかい」

「いいえ、わからないわ」

私は立ち上がって明かりをつけ、近くにあった紙と鉛筆を手に取った。

「いいかい、たとえばだけど、部品が一〇〇個あったとしよう。これを処理するための機械をセットアップするのに二時間、つまり一二〇分かかるとしよう。部品一個当たりの処理時間は五分。部品一個当たりのセットアップに必要な時間は一二〇分を一〇〇で割って、一・二分。つまり、経理の連中に言わせると、部品一個当たりのコストは直接作業時間五分、これに一・二分をプラスした合計六・二分を基準に算出することになるんだ。ここでバッチのサイズを半分にしてみよう。バッチサイズを半分にしても一回のセットアップ時間は変わらない。でも今度はセットアップ時間を一〇〇個で割るのではなく、五〇個で割ることになる。ということは、部品一個当たり処理時間五分とセットアップ時間二・四分の合計七・四分の直接作業が必要ということになる」

続けて、私はコストの計算方法についても説明した。まず原材料費がある。次に直接作業費。そして最後に間接費と呼ばれるものがある。これは基本的には直接作業費に係数を掛けて算出する。我々の工場の場合、この係数は約三だ。だから理論上、直接作業が増加すれば、間接費も上がることになる。

「ということは、セットアップの回数が増えれば、部品の製造コストも増えるということね」ジュリーが応えた。

「まあ、だいたいそんなところだよ。だけど、我々が支払わなければいけない経費は実際には何も変わらないんだ。従業員が増えたわけでもないし、セットアップを増やしたからといって特に支払い経費が増えたわけでもない。実際には、バッチサイズを小さくしてから、部品のコストは下がっているんだ」

「下がった？　どうして」

「在庫が減り、売上げが上がったことでキャッシュが増えたからだよ。つまり、同じ間接費や直接作業のコストがより多くの製品に分散されたためなんだ。コストが同じでも、より多くの製品を作って売ることで、経費は上がるどころか下がったというわけなんだ」

「そのコスト評価に何か問題でもあるの」

「通常の方法では、作業員は常にフル稼働していることを前提としているから、セットアップの回数を増やすには人をもっと雇わないといけないことになるんだ。実際には、そうじゃないんだけどね」

「じゃ、どうするの」

私は、窓の外を見上げた。太陽はすでに隣の家の上まで昇っていた。私は手を伸ばし、ジュリーの手を取った。

「どうするかだって？　君を連れて外に朝食にでも行こうかな」

事務所に着くと、ルーが私の部屋に入ってきた。

「何か、また悪いニュースでも？」私は、軽くジョークを飛ばした。

「例のコストの件ですが、なんとかなりそうなんです」

「ほう？　どうやるんだね」

「部品コストの計算に使っているベースを変えるんです。これまでは過去一二か月を基準にしたコスト係数を使っていましたが、これを過去二か月に変えるんです。スループットはここ二か月で急上昇したので、これを基準とすればなんとかなるはずです」

「なるほど」私はその可能性を察しながら、うなずいてみせた。「確かに、うまくいくかもしれないな。去年の係数を使うより、ここ二か月のほうがこの工場の現状を正確に反映しているからな」

「そうです、そのとおりです。しかし、我が社の経理基準では認められていません……」そう言いながら、ルーは私の反応を見計らっていた。

「そうかもしれない。だけど、私たちにはそれなりの根拠がある。去年の工場といまの工場は違うんだ。以前とは比べものにならない」私は、語気を荒げた。

「問題は、イーサンです。彼は、絶対に私たちの言うことなど認めないでしょうから」ルーが言った。

「だったら、どうしてこんなこと提案したんだ」

「もし、事前に知られては認めてくれないと言っているんです」

「なるほど」私はうなずいた。

「ざっと見ただけでは、わからないようにすることはできると思います。でも注意深くチェックされたら、すぐに見破られるでしょうが」

「見破られたら、それこそやばいということだな」

「そうです。でも、もしリスクを承知で賭けてみる気なら……」とルーが言いかけたところで、「あと二か月ぐらい時間が稼げるかもしれない。その間に我々の成果を示すことができれば……」と私が付け足した。

私は立ち上がり、部屋の中をゆっくり歩き回りながら、頭の中で考えをめぐらしていた。

しばらくして、私はルーの顔を見て言った。「ビルに部品のコストが上がったのを見せて、それでも先月よりさらに向上しましたなどと彼を納得させることは無理だ。しかし、もしこの数字を見てコストが上がっていると思われたら、いずれにしてもそれでおしまいだ」

「それじゃ、やってみるのですか」

「ああ、もちろんだ」

「わかりました。でも、もしばれたら……」

「余計なことは心配するな。うまくごまかせるように考えておくよ」

ルーが部屋から出て行こうとすると、秘書のフランがジョニーからの電話を知らせにやってきた。私は急いで受話器を取り上げた。

「もしもし」私は勢いよく返事した。ジョニーとは、先日話をしてからすっかり意気投合してしまった。あれ以来、彼とはほとんど毎日のように電話で連絡を取り合っている。日によっては三度も四度も話をすることがある。「今日は、どんな用だい」

「バッキー・バーンサイド、知っているだろ」ジョニーが訊ねた。

「バーンサイドか、忘れようったって、忘れられないよ。相変わらずクレームばかりつけてくるのかい」

「いや、最近はそうでもない。彼の会社からのオーダーは、現在一つも残っていないからな。実は、そのことで電話をしたんだ。何か月かぶりに彼のところから発注したいと言ってきているんだ」

「何のオーダーだい」

「12型モデルだよ。一〇〇〇台ものオーダーなんだ」

「すごいじゃないか」

「そうとも言えないんだ。実は、今月末までに全部納入してくれって言うんだ」

「おいおい、たったの二週間しかないじゃないか」

「そうなんだ。営業担当が在庫を調べたんだが、あれはいま五〇台くらいしか在庫が残っていないんだ」

つまり、この仕事が欲しければ、今月中に残りの九五〇台を製造しなければいけないとジョニーは言っているのだ。

「ジョニー。いいかい、もっとオーダーを取って来てくれと確かに君に頼んだし、すでに君はそれに応えてくれた。だけど、二週間で一〇〇〇台っていうのはちょっときついよ」

「アレックス、君に言われなくても無理なことぐらいはわかっているよ。ただ、念のために君の耳にだけは入れておこうと思ってね。もしかしたらってこともあるだろう。一〇〇〇台売って一〇〇万ドル強の売上げだからな」

「ああ、でも、どうしてそんなにたくさん、急に要るんだ」

ジョニーの説明によると、もともとこのオーダーは、12型モデルと類似した製品を作っている大手の競合相手に出されていたものだったらしい。もう五か月も前に発注したのだが、いまだに納品されておらず、結局納期までには間に合いそうにないことがいまになってわかったのだ。

「最近、うちが早く納品できることをクライアントに約束しているのを耳にして、こちらに乗り換えてきたということらしい。かなり切羽詰まっている様子だ。もしこのオーダーが取れて、納期までに出荷できれば、それこそ我が社の信用回復につながるに違いない」

「ああ、確かに。オーダーが取れるにこしたことはないんだが、ただ……」私は、ためらった。

「売上げが落ちた時期に、12型モデルをどんどん作って完成品の在庫を増やしておいたら、このオーダーも難なくこなせたと思うとちょっと悔しいがね」

私は、苦笑いした。以前なら、ジョニーの言ったことに同意していたかもしれないが、いまは違う。

「残念だよ。このオーダーをこなすことができれば、これからも彼のところから大きなオーダーを続けて取れるかもしれないからな」

「どのぐらいのオーダーだい」私は訊ねた。

「このオーダーをこなせば、メインのサプライヤーになれるチャンスだと先方はほのめかしていたよ」

私は、しばらく黙って考え込んだ。

「わかった、ジョニー。君はどうしてもこのオーダーを取りたいんだね」私は訊ねた。

「欲しくて欲しくて、喉から手が出そうさ。だが、無理なら諦めるよ」

「先方には、いつまでに返事しないといけないんだい」

「たぶん今日中に、遅くても明日までには返事しないといけないだろうな」ジョニーが答えた。「でも、どうしてだい。できるのかい?」

「方法はあるかもしれない。まずは、こちらの状況を確認させてくれ。後で電話するから」そう言って、私は電話を切った。

電話を切ると、私はすぐにボブ、ステーシー、ラルフを私の部屋に集めた。みんなが集まったところで、さっそくジョニーからのリクエストを伝えた。

「普通だったらこんなリクエスト問題外だと思うのだが、だけど『ノー』と断る前にできるかどうか、検討だけはしてみようじゃないか」私は、みんなに向かって言った。

みんな、こんなこと話し合っても時間の無駄だと言わんばかりの表情だ。

「とりあえず、何かできることがないかだけでも話し合ってみよう」再度、私はみんなに声をかけた。

午前中は、この話し合いで時間が潰れてしまった。みんなで資材票を確認したり、ステーシーには原材料の在庫を調べてもらったり、さらにラルフには手元に必要な資材が揃ってから、どのくらいの時間で一〇〇〇台製造できるか概算してもらった。午前一一時にはラルフの計算も終わり、ボトルネックでは、12型モデルの部品だったら一日約一〇〇個のペースで部品を仕上げることができるとの予想が立った。

「ですから、技術的には、このオーダーをこなすことは可能です」ラルフが言った。「でもほかのオーダーはストップして、二週間このオーダーだけに取り組めばの話ですが……」

「いや、それはしたくない」私は答えた。たった一社のために、ほかの顧客との関係を犠牲にするわけにはいかないからだ。「何か別の方法はないか」

「たとえば、どんな方法ですか」まったく興味なさそうな顔をして、独り遠目に眺めていたボブが訊ねた。

「二週間前からバッチサイズを半分にしたわけだが、その結果、在庫の工場通過時間を大幅に短縮することができた。おかげでスループットも増えた。もし、バッチサイズをさらに半分にしたらどうなると思うかね」

「うわっ、それは考えつかなかった」とラルフが言った。

ボブは少し興味が湧いてきたのか、身を乗り出して言った。「もう一度、半分にするんですか。所長、悪いですが、すでに受注しているオーダーの量を考えれば、そんなことをしても何の役にも立たないと思います」

そう、ボブが言ったところで、「でも」とラルフが割って入った。「すでに受けているオーダーの中には、納期よりかなり早めに出荷が予定されているものも多くあります。優先システムを使ってスケジュールを組み直せば、納期前に出荷するのではなく、納期に合わせて出荷するようにすることができます。そうすればボトルネックの時間を空けることもできるし、誰も犠牲にしなくてすみます」

「なるほど、ラルフ」私は言った。

「だけど、それでも一〇〇〇台は無理です」ボブは、あくまで抵抗したいようだ。「二週間なんかでは、絶対無理です」

「それじゃ、もしバッチサイズをもう一度半分にしたら、すでに受注しているほかのクライアントからのオーダーの出荷に支障をきたすことなく、二週間でいったい何台バーンサイドのオーダーを仕上げることができると思うかね」

「それは、ちょっと調べてみないとわかりませんが……」ボブはあごを引いて、難しげな顔をして答えた。

「私も調べてみます」そう言うと、ラルフはさっと立ち上がり、コンピュータに向かうのか部屋を出て行こうとした。

ボブもラルフの計算には関心があるらしい。「私も一緒に行くよ。一緒に検討しようじゃないか」と、ボブはラルフに声をかけて後を追った。

ラルフとボブが新たな可能性に向かって悪戦苦闘している一方、今度はステーシーが在庫について新たな知らせを持って部屋に戻って来た。必要な資材は一つの例外を除いてすべて手持ちの在庫か、サプライヤーから数日中に調達できることが確認できたというのだ。

「12型モデルの電子制御モジュールだけは問題ありです」ステーシーが言った。「必要な数だけ在庫もないし、ここで組み立てる技術も持っていません。カリフォルニアに一社、サプライヤーがあるのですが、数が数だけに配送時間も含めて四週間から六週間以内の納品は無理だと言うんです。ですから、諦めたほうがいいかもしれません」

「ちょっと待てよ、ステーシー。ちょっとした戦略の変更を考えているんだが、一週間ごとだったら、何個ぐらいずつ納品してもらえるのかわかるか。それから、最初の納品はいつ頃になるかもだ」私は訊ねた。

「わかりません。でもそういうやり方では、値引きはしてもらえないかもしれません」

「どうしてだ」私は訊ねた。「合計数は変わらないし、ただ小分けして納品してもらうだけじゃないか」

「そうですね。ですが、搬送コストは増えます」

「ステーシー、いまは一〇〇万ドルのオーダーが取れるかどうかの話をしているんだ」

「わかりました。でも、トラックでここまで運んでくるのに少なくとも三日から一週間はかかります」

「それじゃ、空輸してもらったらどうだ。そんなに大きな部品じゃないはずだ」すかさず、私は応えた。

「ええ……」ステーシーが口ごもった。

「いくらかかるか、調べてみてくれないか。一〇〇万ドルのオーダーの利益全部が、飛行機代でふっ飛んでしまうとは思えないがね。もしこの部品が手に入らなければ、この話はなかったことになる」

「承知しました。先方に問い合わせて、できるかどうか確認してみます」ステーシーが答えた。

夕方になっても、まだすべての詳細は確認が取れていなかった。しかし、ジョニーに返事できるだけの情報は集まった。

「12型モデルのオーダーを引き受けると、バーンサイドに伝えてくれないか」私はそうジョニーに伝えた。

「本当かい」ジョニーは、興奮気味の声だ。「やってくれるんだな」

「ああ、ただし条件付きだ。まず最初に一〇〇〇台全部を二週間で納品するのは、どうあがいてみても無理だ。一週間当たり二五〇台ずつ、四週間に分けて納品するのでよければ引き受ける」

「ああ、わかった。それなら先方も承知してくれるかもしれない。でも、最初の納品はいつになる?」

「オーダーをもらってから二週間後だ」私は答えた。

「確かだな」ジョニーが念を押した。

「ああ、任せてくれ」私は、自信ありげに答えた。

「本当に自信あるのか」

「もちろんだ」

「わかった。それじゃ、さっそく先方に電話して、のってくるかどうか確認してみるよ。でも、アレックス。いま、言ったこと確かだろうな。また、前みたいなことにならないかどうかだけが心配だ」

二時間ほどして、自宅の電話が鳴った。

「アレックスか? やったよ。オーダーが取れたんだ」電話の向こうで叫ぶジョニーの声が、右耳を突ん裂いた。

左耳には、一〇〇万ドルを数えるレジの音が聞こえてきそうだった。

「それから、君が提案した納品を小分けするってやつ、そのほうが一〇〇〇台全部一度に納品してもらうより先方も都合がいいんだとさ」

「そうか、やったな。さっそく、作業に取りかからせてもらうよ。今日から二週間後に二五〇台出荷すると、先方に伝えてくれ」

30

月が変わり、月初めにスタッフ・ミーティングを開いた。ルー以外は、全員集まっている。ボブの報告によれば、ルーは少し遅れてくるそうだ。席に着いた私だが、なぜだかそわそわした気分だ。ルーが来るのを待つ間、みんなに出荷状況を報告してもらうことにした。

「バーンサイドのオーダーはどうなっている？」私は訊ねた。

「最初の出荷は、予定どおり出ました」ボブが答えた。

「残りはどうだ」

「問題ないと思います」ステーシーが答えた。「制御ボックスが届くのが一日遅れましたけど、時間的に余裕があったので出荷を遅らせることなく組み立てることができました。今週分の資材は、サプライヤーから予定どおり届いています」

「そうか。バッチのほうはどうだ。小さくしてから、問題はないか」

「作業の流れは、以前にも増してスムーズです」ボブが答えた。

「よしよし」

ちょうどそのとき、ルーが部屋に入ってきた。先月の数字を集計していて遅くなったのだ。彼は椅子に腰を下ろすと、真っ直ぐ私の顔を見た。

「それで？」私は訊ねた。「一五パーセントアップは達成できたのか」私は満を持して言った。

「いいえ」ルーはそう答えると、もったいぶるかのようにしばらく間をおいてから言った。「一五パーセントではなく、一七パーセントでした。バーンサイドのオーダーのおかげです。今月もこの調子を保てそうです」

続けてルーが、第2四半期までの実績について大まかに説明してくれた。どうやら、安定して黒字が出せるようになってきたようだ。在庫も三か月前の四〇パーセント程度にまで減らすことができ、スループットは倍増した。

「ずいぶん苦労したが、どうやらやったみたいだな」私はみんなに声をかけた。

翌日、昼食から戻ると、デスクの上に真新しい白い封筒が二つ置かれていた。表の左上角には、我がユニウェア部門のロゴが入っている。私は一方の封筒を開け、固く折りたたまれた便箋を開いた。短い段落が二つだけしか書かれておらず、最後にはビルの署名入りだ。バーンサイドの件で、よく頑張ってくれたとお褒めの言葉だ。もう一つの封筒も、これもまたビルからのものだった。これも短く要点が簡潔に書かれている。我々の工場のパフォーマンス評価を本部で行うから準備するようにとの正式通知だ。

最初のレターを読んで緩んでいた顔が、二通目を読んでますます緩んでしまった。もし、三か月前にこのレターをもらっていたとしたら、それこそ恐怖のどん底に突き落とされていただろう。通知には書かれていないが、工場を閉鎖するか、存続するかを決定するための評価であることは間違いない。今回は、何らかの正式な形での評価になるだろう。しかし、いまはもう恐怖におののくようなことはない。逆に歓迎したいところで、心配することなど何もない。我々の成果を見せてやるいい機会だ。

営業が頑張ってオーダーを取ってきてくれたおかげでスループットは向上し、在庫は以前よりぐっと減りいまも減少し続けている。またオーダーが増えた結果、部品の数が増え、部品一つ当たりのコストも減って、経費も下がった。いよいよ金儲け本番といったところだ。

翌週、私は人事課長のスコット・ドーリンを伴い、二日ほど出張で工場を留守にした。部門全体の勤労担当者や各工場から所長が集まってセントルイスで会議が開かれ、それに出席するためだった。その主題は、組合との賃金交渉でいかに賃金引下げの合意を勝ち取るかだったが、私にとっては頭を悩ませる話だった。私たちの工場では、特に賃下げの必要などないからだ。いずれにせよ、組合と揉めるのは明らかだったし、場合によってはストライキなどという事態も予想され、また最悪の場合、苦労して築き上げてきた顧客との関係にも悪影響を及ぼしかねなかったので、みんながあれこれ戦略を練って提案しても、私はあまり話に身が入らなかった。それに会議がうまく準備されておらず、結局ほとんど何も決まらずじまいだったのも良くなかった。私は会議が終わると、急いでベアリントンに戻った。

午後四時頃、工場に戻った私は事務所棟のドアをくぐった。秘書の脇を通り過ぎようとすると、彼女が待ってくださいと手を上げた。私が戻ったらすぐに会いたいという、ボブからのメッセージだ。ボブを呼び出すと、数分後、堰を切ったように彼が私の部屋に飛び込んで来た。

「どうしたんだ、ボブ」

「ヒルトン・スミスが今日、ここにやって来たんです」ボブが答えた。

「ここに来ただって。何しに？」

「二か月ほど前、ロボットのビデオを撮るとか言っていたの覚えていますか」

「ああ。だけど、あれはボツになったはずじゃないのか」

「それが、また話がぶり返してきたらしいんです。それも今度はヒルトンが言い出したようなんです。部門の生産性担当部長になって、会長に代わって出番というところらしいんです。今朝、C通路脇のコーヒーメーカーのところでコーヒーを飲んでいたら、ビデオの撮影クルーがいきなり何人か入って来て、いったい何の騒ぎかと思っていたら、すぐ側にヒルトンが立っていたんです」

「来ることを知っていた者はいたのか」

ボブによると、社内広報のバーバラが知っていたとのことだ。

「知っていながら、誰にも連絡しなかったのか？」

「事前に急にスケジュールが変更になって、所長もスコットも出張でいなかったので、彼女の判断で組合からの許可も取り全部手配したそうです。ちゃんとメモを各部署に回したらしいのですが、今朝まで誰も知らなかったのです」

「余計なことをしてくれたもんだ」私はつぶやいた。

その後もボブの説明が続いた。彼によると、撮影クルーはさっそくロボットの前で撮影の準備を開始した。溶接用ロボットではなく、資材を積み上げるのに使っているやつだ。しかし、すぐに問題が起こった。ロボットが動いているところを撮影したかったのだが、ロボットにさせる作業が何もなかったのだ。仕掛りなど溜まっている在庫もなければ、当分部品が流れてきそうにもなかった。

生産性向上に関するビデオを撮るのに、ロボットがただ何もせずに背後でじっと止まっているのはもちろんまずい。何かを生産していなければいけないのだ。というわけで、一時間ほどボブとアシスタント数人で、このロボットにさせる作業がないか工場中を探し回った。その間、ヒルトンはただ座って待っているのに耐えかねて、工場の中をあちらこちらと見学し始めた。様子がいままでと少し違うことに彼が気づくまで、そう時間はかからなかった。

「ロボットに作業させる資材を持って戻ったら、ヒルトンが急にバッチサイズについていろいろ訊いてきたんです」ボブがそのときの様子を説明し始めた。「所長が本部とどんな話をされているのかよく知らなかったので、ヒルトンからの質問にどう答えていいのかよくわからなかったんですが……、とりあえずは所長には報告しておいたほうがいいと思いましたので」

まるで、はらわたをぎゅっとつかまれたような気分だ。ちょうどそのとき、電話が鳴った。私は自分のデスクで電話を取った。相手は本部のイーサンで、いましがたヒルトンと話をしたというではないか。どんな話になるかわからないので、私はボブに退室するよう求めた。さっそくボブは部屋を出てドアが閉められた。イーサンとの話は数分で終わり、私はすぐにルーを探した。

部屋を出た私は早速策を練り始めた。

二日後、本部からの監査チームが工場にやって来た。監査チームを率いるのは、ユニウェア部門の副経理部長のニール・クラビッツだ。五〇前後の男で、握手すると手の骨が砕けるのではないかと思うほどきつく握りしめる。顔はいままでに見たことのないようなユーモラスな表情をしている。ドカドカと入って来たかと思ったら、あっという間に会議室を占拠されてしまった。製品コストを決めるベースを変更したことは、あっけなく見破られてしまった。

「これは、ルール違反だ」そう言いながら、ニールは眺めていた資料から顔を上げ、メガネ越しに上目づかいにこちらを睨みつけた。

これに対し、ルーはどもりながらも、確かに本部の方針には沿っていないが、ここ二か月の実績をベースにコスト計算したことにはそれなりの根拠があると訴えた。

「このほうが、現実をより正確に反映しているんです」と、私も応戦した。

「ロゴ君。悪いが、ルールには従ってもらわないと困る」ニールが冷たい口調で言った。

「ですが、この工場はもう以前の工場とは違います」私は必死に訴えた。

テーブルの反対側に陣を構えている監査チームの五人は、冷たい表情で私とルーの顔を眺めていた。こらえ切れなくなり、私は首を横に振った。この連中に何を言っても無駄だ。決められたルールしか頭にないのだから。

監査チームは、さっそくルールに従ってコスト計算を始めた。その結果、コストが上がったのは言うまでもない。彼らが工場を去ってすぐ、私はビルに電話をかけた。連中が本部に戻る前に、ビルと連絡を取りたかったからだ。しかし、ビルは出張中で本部にはいなかった。そこで今度は、イーサンはと電話に出た秘書に訊ねたが、こちらもいなかった。それだったらヒルトンにつなぎましょうかと、向こうのほうから訊ねてきた。ユニウェア部門の幹部で本部にいるのは彼だけらしかったが、こちらは丁重にお断りした。

その後の一週間は、いつ本部から叱責があるかと戦々恐々としていた。だが、何も音沙汰がなかった。ルーのところには、イーサンから注意があった。定められたルールに従うよう警告するメモと、四半期の報告書を従来のコスト計算方法に基づいて計算し直し、工場のパフォーマンス評価までに提出するようにとの正式な業務命令が届いたのだ。しかし、ビルからは何もなかった。

その数日後の午前中、私はルーと修正済みの月次報告書を前に二人でミーティングを行っていた。数字を見て私はすっかり意気消沈してしまった。従来の方法では、目標の一五パーセントアップは無理だから だ。一二・八パーセントまでしか伸びず、ルーの計算していた一七パーセントとは大きなギャップがある。

「ルー、なんとかもう少し上乗せできないか」私は、すがるような気持ちだった。

「うちが提出する資料は、これからはイーサンが入念にチェックするでしょうから、これ以上はどうあがいても無理です」

ちょうどそのときだった。事務所の外から、聞き慣れない音が次第に近づいてくるのが聞こえてきた。

ブーン、ブーンと、だんだん音が大きくなってくる。

ルーと私は、互いの顔を見合わせた。

「ヘリコプターか?」私は言った。

ルーは窓の側まで行くと外を見回した。

「ヘリコプターが、うちの芝生に着陸しようとしています」ルーが叫んだ。

私も慌てて窓際に駆けつけると、赤と白の光沢ある機体のヘリが着陸寸前のところで、土埃や刈った芝生が旋風に舞い上げられていた。しばらくして、ローターブレードはまだ回ったままだったが、ヘリのドアが開いて、中から男が二人降りてきた。

「あの人、ジョニーに似ていませんか」ルーが言った。

「ああ、確かにジョニーだ」私は答えた。

「もう一人は誰でしょうか」ルーが訊ねた。

見慣れない顔だった。私は、二人が芝生から駐車場を横切って歩いて来るのをじっと眺めていた。大柄で白髪、それに大きな腹と大股で横柄そうな歩き方を眺めていると、ぼんやりと遠い過去の記憶がよみがえってきた。誰なのか思い出した。

「神様」思わず、私の口からこぼれた。

「しかし、ここに来るのにわざわざヘリコプターとは、いったい……」

「バッキー・バーンサイドだ。神様より面倒な奴だよ」

ルーが何か言おうとしたが、その前に私はすでに部屋を飛び出していた。まず、ステーシーの部屋に駆け込んだ。彼女も一緒にミーティングをしていた連中も全員、窓際に立ち外の光景に釘づけになっていた。

「ステーシー、急いでくれ。いますぐ話したいことがある」

ドアのところまで来た彼女を私は部屋の外に連れ出した。

「バーンサイドの12型モデルはどうなっている。現状は？」私は訊ねた。

「最後の出荷は二日前に出ましたが……」

「スケジュールどおりに出たのか？」

「もちろんです。前の出荷と同じで問題ありませんでした」

それを聞いた私は肩越しに「ありがとう」とステーシーに声をかけながら、また走り出した。

「ボブ！」今度はボブの部屋だ。

しかし姿が見えないので、秘書のところに行った。

「ボブはどこだ」私はボブの秘書に訊ねた。

「たぶん、お手洗いだと思いますが」

今度はトイレまでダッシュだ。勢いよくトイレに駆け込むと、ボブが手を洗っているところだった。

「バーンサイドのオーダーだが、何か品質面で問題はなかったか？」

「いいえ」驚いた表情をしてボブが答えた。「特にないと思いますが」

「それじゃ、何かほかに問題はなかったか？」私は続けて質問した。

ボブはペーパータオルを手に取り、さっと拭いた。「いいえ、すべて順調にいきました」

「それじゃ、いったい何をしに来たんだ」そう言いながら、私は壁に背をもたれた。

「誰か来たんですか」ボブが訊ねた。

「ああ、バーンサイドが来たんだ。ジョニー・ジョンズと一緒にいま、ヘリコプターで着いたばかりだ」

「はあ？」

「一緒に来るんだ」私はボブに言った。

二人でロビーに行ったが、そこには誰もいなかった。

「いま、ジョニー・ジョンズが客と一緒にここに来なかったかね」と、私は受付の女性に訊ねた。

「ヘリコプターでいらっしゃったお二人ですか。いいえ、あの方たちでしたら、ここへは寄らずそのまま工場へ入って行きました」

ボブと私は工場に向かって急いだ。作業場へ通じる二重ドアをくぐると、オレンジ色の照明と工場ならではの騒音に包まれていた。通路の反対側にいたスーパーバイザーの一人が私たちに気づき、頼みもしないのにジョニーとバーンサイドがいる方向を指さして教えてくれた。通路を進むと、前方に二人の姿が見えた。

バーンサイドは、辺りにいる作業員に近寄っては全員と片っ端から握手している。本当なのだ。握手をし、肩を叩いては、何かを言っている。顔は満面の笑みだ。

ジョニーも一緒に歩きながら、バーンサイドと同じことをしている。バーンサイドが握手していた手を引くと、すぐに今度はジョニーがまた手を差し出すのだ。まるで、二人でポンプのレバーを上げ下げしているようだ。

私たちが近づいてくるのに気づいたのか、ジョニーがバーンサイドの肩をポンと軽く叩き、一言二言何かつぶやいている。彼は満面に笑みを浮かべ、大きく腕を広げながらこちらに大股で向かって来た。

「礼を言わなければいけない相手は君か。最後に主役登場だな。ご機嫌いかがかね」唸るような低い声でバーンサイドが言った。

「ええ、まあまあです、バーンサイド社長」私は挨拶した。

「ロゴ君、今日は君の工場の人たち全員と握手したくて来たんだ」彼が言った。「簡単な仕事じゃなかったのに、うちのオーダーをみごとに仕上げてくれた。本当にみごととしか言いようがない。前に頼んでいた会社は五か月たっても何もできていなかったのに、君たちはそれをたったの五週間でやってくれた。本当にすごいよ、君たちは」

返事をしようと思ったら、横からジョニーが割って入った。「いや、実は今日バーンサイド社長と昼食をご一緒させてもらっていたんだが、君たちの話になって、どんなにこのオーダーのために頑張ってくれたのか、どれだけみんなが努力してくれたのか、話をさせてもらったんだ」

「いや、その……、ただ全力を尽くしただけです」と、私は答えた。

「ほかの人たちとも握手したいんだが、いいかね」バーンサイドが訊ねた。まだ、回っていないところがあるらしい。

「ええ、もちろん」

「仕事の邪魔にならないかね」

「いいえ、少しも。どうぞ、どうぞ」

私はボブのほうを振り返り、小声で言った。「バーバラに、カメラを持っていますぐにここに来るよう伝えてきてくれないか。それから、できるだけたくさんフィルムを持って来るようにと」

ボブは足早に事務所に向かった。ジョニーと私はバーンサイドの後について、通路をあちらこちらと回り、作業員一人ひとりと握手を交わした。

ジョニーも本当にうれしそうだ。バーンサイドが少し先に進んで、我々の会話が聞こえなくなったところで、ジョニーが私に向かって言った。「君の靴のサイズは？」

「一〇・五だけど、どうしてだい」私は訊き返した。

「賭けに負けたからだよ」

「いいよ、そんなの。気にしなくていいよ」

「アレックス、来週、バーンサイドの会社と12型モデルの長期契約について話をすることになっている。年間一万台の契約だ」

その数字を聞いて、私は思わずめまいがしそうだった。

「会社に戻ったら、すぐに営業部全員に知らせるつもりだ」歩きながら、ジョニーは話を続けた。「君の工場で作っている製品全部をプッシュするために、新たなキャンペーンを張ろうと思っている。なにしろ、まともな製品を納期内に出荷できるのは君の工場だけだからな。君の工場のリードタイムなら、どんな相手にも負けないよ。君のおかげで、ようやく挽回できそうだ」

私の顔からは思わず笑みがこぼれた。「ありがとう、ジョニー。でも実のところ、バーンサイドのオーダーをこなすのに特に余分な努力は必要なかったんだ」

「しーっ……、そんなことバーンサイドには言わないでくれよ」ジョニーが言った。

私の背後で、時間給の作業員二人が話している声が聞こえた。

「いったい、何なんだ、あれは」一人が言った。

「わからないけど、俺たち何かすごいことやったみたいだな」もう一人が言った。

工場のパフォーマンス評価の前日、プレゼンテーションのリハーサルも終わり、準備万端、もうすることはない。あえて探せば、どんなミスが起こり得るか想定することくらいだった。ようやく落ち着いたところで、ジュリーに電話をかけた。手には報告書のコピー一〇部を抱えたままだ。

「やあ、ジュリー。実は明日の朝、本社で会議があるんだ。それで、君の実家がまあ途中と言えば途中だから、今夜君のところに泊めてもらえないかと思ってね。迷惑かな」

「いいえ、大歓迎よ」彼女の声がはずんだ。

というわけで、早めに退社しクルマを飛ばした。

ハイウェイを走っていると、左手にベアリントンの町並みが広がってきた。例のビルの屋上には相変わらず、「Buy Me!」の看板がかかっている。この町の経済にとって、私の工場は小さいながらも重要な役割を担っている。この町に暮らす三万人の人々は、その工場の運命の分かれ道が明日に迫っていることなど知る由もないのだ。興味もなければ、私たちがどんなに努力を重ねてきたかも知らない。しかし、工場が本当に閉鎖にでも追い込まれたら、それこそみんな怒りと不安に襲われるに違いない。逆に工場が存続することになれば、結局誰も気にも留めることなく時が過ぎていくだけだ。我々の苦労など誰も知らずに終わるのだ。

いずれの結果に転んでも、我々は全力を尽くした。それだけは間違いない。

ジュリーの実家に着くと、シャロンとデイブがクルマに駆け寄って来た。スーツを脱いで楽な格好に着替えてから一時間ほど、子供たちとフリスビーを投げて遊んだ。へとへとになったところで、ジュリーが二人だけで夕食に出かけようと声をかけてくれたが、私には何か大事な話があるのだとピンと来た。さっと片づけをして、さっそく二人で出かけた。クルマを走らせていると、公園にさしかかった。

「アレックス、ちょっとここで止めてくれない」ジュリーが言った。

「なぜだい」

「この間あなたとここに来たとき、ちゃんと最後まで話ができなかったでしょ」

彼女の要望に応じて、私はクルマを道路脇に寄せて停めた。二人でクルマを降りてしばらく歩き、川岸のベンチまで来ると一緒に腰を下ろした。

「明日は、どんな会議なの」ジュリーが訊ねた。

「うちの工場のパフォーマンス評価だよ。工場を閉鎖するか存続するか、明日本部で決定するんだ」

「そう。それでいったいどうなりそうなの」

「ビルに約束した数字は達成できなかった。馬鹿げたルールのおかげで、計算上、製品コストが実際より高くなってしまったんだ。君にも、前に少し話しただろ。覚えているかい」

ジュリーがうなずいた。私は、しばし首を横に振った。監査の結果にまだ納得がいかない。

「だけど実際には売上げも増えたし、先月はこれまでで最高の月だったんだ。ただ、その結果が数字でちゃんと出てこないんだ」

「まさか、本当に工場が閉鎖されるなんて、あなた思ってないんでしょ」ジュリーが訊ねた。

「ああ、思ってないよ。製品のコストが上がっただけで閉鎖するなんて愚か者のすることだよ。ルールに従って計算しても、とりあえず利益は出ているんだから」

ジュリーが手を伸ばし、私の手を取り言った。「この前は、朝食に連れて行ってくれてありがとう」

「朝五時から、僕の愚痴を聞いてくれたお礼だよ。それぐらいのことはしないとね」私は、微笑みながら答えた。

「そんなこと……。でもあのとき、あなたの話を聞いて、どんなに私があなたの仕事のことを知らなかったか気づいたわ。前からもっと話をしてくれていればよかったのにと思ったわ」

「どうして、そうしなかったんだろうね。君には関心のない話だと決めつけていたんだろうね。それとも、君に余計な心配をかけたくないとでも思っていたんだろうか」そう言いながら私は肩をすぼめた。

「私のほうから、もっといろいろと聞けばよかったのよ」

「しかし、いつも遅く帰ってきて、話をする時間を作らなかったのは僕のほうだから」

「家を飛び出す前、あなたが家に帰らない日が多かったでしょ。私のことが嫌になったんだと思ってしまったの。私のせいだと思うしかなかったのよ。家に帰りたくないから、仕事を理由にしていたんだと決め込んでいたの」

「いや、そんなことはないよ。絶対ない。会社でいろいろ問題があっただろ。それがどんなに大変なことなのか、君も理解してくれているはずだと勝手に思ってしまったんだ。だけど、本当にすまなかった。ちゃんと君と話をすればよかったんだ」

ジュリーが、私の手を強く握った。

「この間ここに座っていたとき、結婚について話し合ったの覚えている？　あのこと、ずっと考えていたんだけど、あなたの言っていたことは正しいわ。私たちずっと長い間一緒にいるだけだったのよ。それなのにお互い違う方向を見ていて、二人の間に距離ができてしまったのよね。あなたは仕事でどんどん忙しくなって、その反動とでも言うのかしら、私はインテリアや友達と会ったりすることにだんだん多くの時間を使うようになったわ。何が大切なのかお互い見失っていたみたい」

私は、太陽の日差しに照らされた彼女の顔を眺めた。NCX-10が故障したあの日、家に戻った私が見た彼女のあの髪の毛ではなかった。すっかり伸びて、またさらさらとしたストレートヘアに戻っている。色も以前と同じ濃い茶色だ。

「アレックス、一つだけはっきりわかったことがあるの。それは、あなたと過ごす時間がもっと必要ってこと。いままでの私にはそれが欠けていたの」

彼女の青い瞳で見つめられた私に、遠く忘れ去っていた彼女への淡い思いがよみがえってきた。

「やっとわかったわ、どうしてずっと家に帰りたくなかったのか」彼女が言った。「ベアリントンは、もともとそんなに好きな町じゃないけど、それだけじゃないの。あなたと別れて暮らすようになってから、あなたと過ごす時間が逆に増えたの。一緒の家に暮らしているときは、私はそこにいて当たり前の空気みたいな存在だったわ。でもいまは、花は買ってきてくれるし、一緒に外出もしてくれるわ。私や子供たちのために時間を取ってくれるでしょ。居心地がよかったのよ。だけど、ずっとこのままじゃいけないことぐらい私だってわかっているわ。父や母も少し疲れてきたみたいだし、でももうしばらくこのままでいたかったの」

私の心の中に安堵感が広がり始めた。

「少なくとも、お互い別れるのだけは反対ということははっきりしたようだね」私は言った。

「アレックス、私たちの目標が何なのか、何であるべきなのか、私にはまだ明らかではないけれど、でもお互い何らかの形で必要とし合っていることは確かなようね。シャロンやデイブには立派な人間に成長してほしいし、私たちもお互い必要なものを与え合わないといけないわね」

私は、腕を彼女の背中に回した。

「とりあえず、当面の目標としては悪くないんじゃないかな」私は応えた。「言うは易く行うは難しだけど、でも君がいるのが当たり前なんて考え方はもうしないよ。だけど……、君にはもちろん家に戻って来てほしいんだが、仕事のプレッシャーはまだあるし、すっかりなくなるなんてこともあり得ない。仕事を無視するわけにはいかないからね」

「そんなことしてなんて、あなたにお願いしていないわ。ただ、私や子供たちを無視しないでほしいだけなの。私もあなたの仕事をもっと理解するように努めるわ」

私は微笑んだ。

「ずっと前、まだ結婚したてで二人とも仕事をしていた頃、家に帰って来ては二人で二時間も三時間もただ座って話をしていたこと覚えているかい。昼間あったことや仕事の悩みなんか話して、お互いなぐさめあっていたじゃないか。懐かしいなあ」

「でも、それから子供ができて、あなたは頑張るって残業も増えたわ」

「ああ、あの頃から会話も減ったね。もう一度、あの頃のようにやってみないかい」

「いいわね、素敵よ」彼女がうれしそうに応えた。「ねえ、あなた。家を出て行って、私のこと、ずいぶん身勝手な女だと思ったでしょ。だけど本当に気が狂いそうだったの。悪かったわ」

「いや、いいんだ。君が謝ることなんかないよ。僕がもっと気を遣ってあげていればよかったんだ」

「でも、やっぱりこれまでのこと償えるよう頑張るわ」そう言うと、彼女はさっと微笑んだ。「昔のことを思い出しているついでだけど、初めて喧嘩したときのこと覚えているかしら。喧嘩した後で、これからはいつも自分の立場だけでなく相手の立場になって考えようって約束したの。それもここ数年、お互いすっかり欠けていたわね。もし、あなたがよければ、それも頑張ってみたいんだけど」

「僕もだ」そう快く返事すると、私は長い時間、ジュリーを強く抱きしめた。

「それで……、もう一度僕とやり直すつもりはあるのかい」私は、彼女に訊ねた。

「ええ、もう一度やってみるわ」ジュリーは、腕の中でゆったりと私に寄り掛かりながら答えた。

「決して完璧なんかは望めないことぐらい君だってわかってると思うし、喧嘩だってするだろう」

「私だって、時にはあなたのことでわがままなこと言ったりするかもしれないわ」

「でも、そんなこと、いま気にしてもしょうがないな」私は彼女に言った。「そうだ、ラスベガスに行って、羽を伸ばそう」

「本気？」ジュリーが笑いながら訊ねた。

「明日の朝会議があるから、今夜は駄目だけど、明日の夜はどうだい」

「本気なの？」

「君が家を出て行ってから、給料はずっと手をつけずに銀行に入れたままなんだ。明日の会議が終わったら、少しはパッと使ってもいいんじゃないかな」

ジュリーが微笑んだ。「いいわ、パーッといきましょう」

31

翌朝一〇時少し前、私は本社一五階会議室に足を踏み入れた。部屋の奥、テーブルの端には、ヒルトン・スミス、その横にはニール・クラビッツが座っている。その両サイドには、彼らのスタッフが数人陣取っている。

「おはようございます」私は挨拶をした。

ヒルトンはニコリともせず、私のほうを見上げた。「ドアを閉めてくれないか。さっそく始めるから」

「ちょっと待ってくれないか。副本部長が、まだ来ていないようだが。彼が来るのを待ったほうがいいのでは」

「ビルは来ない。別のミーティングに出ている」ヒルトンが言った。

「それだったら、そのミーティングが終わるまで待たせてもらいたいのだが」私は抵抗した。

ヒルトンの目がキッと光った。

「私が、ビルからこのミーティングを任されているんだ。結果も、後で彼に報告することになっている。工場の弁護をするなら、いますぐ始めてくれないか。黙っていたら、君のところからの報告書に基づいて、私たちが勝手に結論を出すことになるが、それでいいのかね。まあ、ニールからの報告では製品コストがずいぶんと上がっているようだから、それほど説明することもないのかもしれないが。ただ私個人としては、どうしてルールに違反して、勝手にバッチのサイズを変えたのか訊きたい」

私はすぐには質問に答えず、彼らの前で立ったまま考え込んだ。腹の底からは、言い知れぬ怒りが込み上げてきた。その怒りを、私はなんとか静めようと努めた。いったい、ヒルトンは何が言いたいんだ。状況は私にとって最悪だ。なぜ、ビルはここにいないんだ。イーサンだと思っていたプレゼンテーションの相手も部下のヒルトンとはがっかりだ。偉くなったつもりなのか、ヒルトンは裁判官か陪審員、いや死刑執行人にでもなった気分らしい。どうやら、ここは予定どおりプレゼンテーションを行ったほうが無難なようだ。

「わかった」私は、腹をくくった。「しかし工場の話をさせてもらう前に、一つ質問させてもらいたい。我々の目標は、コストを削減することなのかい？」

「もちろん、そうだ」苛立たしそうに、ヒルトンが答えた。

「ちがう」私は言った。「我々の目標は、お金を儲けることだ。そうじゃないか？」

「確かに」ニールが、座り直しながら言った。

ヒルトンもしかたなげにうなずいている。

「ルールに従って計算した結果、コストがどんなに増えたか知らないが、収益力という点では、いまだかつてこんなにいい状態になったことはない。それをこれから説明させていただく」

そう言って、私は説明を始めた。

一時間半ほどたち、話が在庫とスループットに与えるボトルネックの影響に関する説明にさしかかったところで、ヒルトンが待ったをかけた。

「わかった。一所懸命説明しようとしているのはわかるんだが、何が重要なのか、私にはさっぱりだ」ヒルトンが言った。「確かにボトルネックが二つあって、君たちはそれを発見したのかもしれない。それはそれなりに評価しよう。だが、私が工場長をやっているときは、いつもあちこちでボトルネックと格闘していたもんだ」

「ヒルトン、わからないか。私が話したいのは根本的な仮定についてで、その仮定が間違っていると言っているんだ」

「何が根本的な仮定なのかね。どうよく見積もっても、ありふれた常識にすぎないじゃないか。それだって言いすぎかもしれない」

「いや、そんな簡単なことではないんだ。製造という仕事には、あるルールが確立されていて、どのメーカーでも当たり前のようにそれに従っている。しかし、私の工場ではそのルールにまったく相反することを毎日実行しているんだ」

「たとえば、どんなことかね」ニールが訊ねた。

「従来のコスト会計のルールに従えば、まず第一に生産能力と需要のバランスをとり、そして第二にフローを保つことが重要だとされているが、本当はその逆で、生産能力とバランスをとるようなことはやってはいけないんだ。もっと簡単に言えば、余剰生産能力は必要なんだ。需要とバランスをとらなければいけないのは生産能力ではなくフローなんだ。

「第二に、労働者の稼働レベルは個々の労働者の能力によって定められるという仮定に基づいて、賃金などのインセンティブが与えられている。しかしこれは、依存性を無視したまったく間違った考え方なんだ。ボトルネックでないリソースの場合、稼働レベルは個々の能力によって定められるのではなく、生産工程における他の制約条件によって決定されるべきなのだ」

「何が違うというんだ。誰かが作業しているということは、その人間を使っているということじゃないか」

ヒルトンは苛立ちを隠せない。

「いや、それは三つ目の仮定で、それも間違っている」私は、淡々と答えた。

「これまでリソースを『活用』することと、リソースを『使用』することは同じことだと考えてきたが、実はこの二つはまったく別ものなのだ」

ヒルトンと私の攻防はさらに続いた。

私が、ボトルネックで一時間、作業時間が失われれば、それはシステム全体で一時間失ったに等しいと主張すると、ヒルトンがボトルネックで失った時間は、ボトルネックで失った時間にすぎないと言う。

私が、非ボトルネックで作業時間が一時間増えたとしてもそれは意味がないと主張すると、ヒルトンが、非ボトルネックで作業時間が増えれば、それは作業時間が増えて良いことだと言う。

「君がボトルネックについてどんな解釈をしようと、ボトルネックは一時的にスループットを制限するにすぎない。君の工場がそのいい例だ。でも、在庫にはほとんど影響はない」ヒルトンが言った。

「まったくその反対だ」私は反撃した。「ボトルネックがスループットと在庫の両方を決定するんだ。それからもう一つ、とても重要なことがわかったんだ。パフォーマンスの評価方法が間違っているということだ」

ニールが握っていたペンが彼の手から落ち、コロコロと音を立てながらテーブルの上を転がった。

「それじゃ、いったいどうやってパフォーマンスを評価したらいいというんだね」今度は、ニールが質問してきた。

「利益」私は、はっきりと答えた。「利益で評価すれば、私の工場はユニウェア部門で一番、おそらく他社を含めて業界一だと思う。ほかがみんな利益を出せずに苦しんでいるときでも、ちゃんと利益を出せるのだから」

「いまは、利益が出ているかもしれない。しかしこんなやり方を続けていたら、どうやって継続的に利益を保てるか、私には理解できない」ヒルトンが言った。

私が答えようとすると、ヒルトンが声を大きくして私を制した。

「いずれにしても、君の工場で製品コストが上がったことは事実だ。コストが上がれば、利益が減る。簡単なことじゃないか。ビルへの報告には、そのことを強調させてもらう」


しばらくして気づくと、部屋に残っているのは私一人だった。ヒルトンとニールはすでにいない。しばらく開いたままのブリーフケースをじっと見つめていたが、バンッと握りこぶしで叩きつけるように蓋を閉めた。彼らの頭の堅さにはまいった。私は独りぼやきながら、会議室を出てエレベーターに向かった。下に行くボタンを押すと、しばらくしてエレベーターが来て開いた。しかし、私は廊下を逆戻りし、廊下奥の角部屋を目指していた。

向こうでは、ビルの秘書メグが近づいてくる私を見ている。ペーパークリップを整理している彼女のデスクに向かって、私は大股でスタスタと歩を進めた。

「副本部長はいますか」私は訊ねた。

「どうぞ、お入りください。お待ちです」彼女が返事した。

「やあ、アレックス」部屋に入るとビルが挨拶してきた。「帰る前に、必ず私のところに寄ると思っていたよ。まあ、掛けたまえ」

「私の工場に関してヒルトンからはそちらにネガティブな報告が行くと思いますが、結論を出す前に、直属の上司であるあなたには私からじかに説明を聞いてもらいたいのです」彼のデスクに歩み寄りながら、私は開口一番言った。

「わかった、話を聞こう。その前に、まあ、とにかく座ってくれ。時間はたっぷりある」

私は、説明を始めた。ビルはデスクの上にひじを立て、顔の前で両手の指を組んだまま私の話に耳を傾けている。一通り説明を終えると、「それで、この話は全部、ヒルトンに話したのかね」とビルが訊ねた。

「詳しく説明しました」

「ヒルトンの反応はどうだったかね」

「聞く耳を持っていませんでした。製品コストが上がれば、利益もいずれ下がるの一点張りでした」

「ヒルトンの言っていることが正しいとは思わないかね」ビルは真っ直ぐ私の目を見つめると、そう言った。

「いいえ、そうは思いません。経費を予想される範囲内に抑えることができれば、ジョニーは何も言わないはずです。利益が減るなどと考えるのは間違っています」

「わかった」一言ビルはそう答えると、秘書をインターホンで呼び出した。「悪いが、ヒルトンとイーサン、それからジョニー・ジョンズも私の部屋に呼んでくれないか」

「どうする気ですか」私は訊ねた。

「まあ、心配するな。すぐにわかる」ビルは淡々とした顔をしている。

すぐに全員ビルの部屋に集まり、腰を下ろした。

「ヒルトン」そう声をかけながら、ビルは彼のほうを見た。「今朝、アレックスから報告を受けいろいろ数字を見てもらったと思うが、生産性担当部長として、また同じプラント・マネジャーとして、君はどうすべきだと思うかね」

「アレックスには、本部の方針に従ってもらわないと困ります」あらたまった声で、ヒルトンが答えた。「手遅れになる前に、何らかの処置をただちに施すべきだと思います。彼の工場の生産性は悪化し、製品コストは上昇しています。それに、定められたルールをまったく無視しています。すぐに何か手を打つべきです」

そのときイーサンが軽く咳払いをし、みんなの視線が彼に集まった。

「それじゃ、ここ二か月、彼の工場で利益が出るようになったのはどう考えたらいいんだ。彼の工場のおかげで部門全体の収益も増えている」

「一時的な現象にすぎません」ヒルトンは答えた。「近い将来、きっと大きな損失が発生すると思います」

「ジョニー、君はどうかね。何か言うことはないかね」ビルが訊ねた。

「あります。我が社の工場の中で奇跡、つまりクライアントが必要としているものを驚くほどの速さで届けることができるのはアレックスのところだけです。バーンサイドがアレックスの工場に行ったことは、みなさんもう知っていると思います。営業部隊の背後に彼のところのような工場があれば、こちらも思い切った営業を図ることができます」

「だが、価格は?」ヒルトンが反撃を開始した。「バッチサイズを適正サイズよりずっと小さくして、それにバーンサイドのオーダー一つにかかりっきりになって、いったいいくらで売ったんだ。そんなことをしていたら、将来どうなると思う」

「バーンサイドのオーダーだけをやっていたわけではありません」私は、怒りが込み上げてくるのを隠せなかった。「他のオーダーも全部納期前に出荷しています。客はみんな喜んでくれています」

「奇跡なんか、おとぎばなしの世界だけだよ」ヒルトンが、皮肉っぽく私に向かって言った。

誰も何も言わない。しばらく沈黙が続き、私はこらえ切れなくなって訊ねた。「それで、結論は。工場を閉鎖するのですか」

「いや」ビルが答えた。「閉鎖なんかしない。掘り当てた金鉱を埋めるようなことはしない。私たちがそんな愚か者だとでも思うのかね」

私は、安堵感で思わずため息をついた。緊張しすぎてのみ込んだ息を止めていたのだ。

「生産性担当部長の立場からすると、工場存続は反対です」ヒルトンが顔を紅潮させて言った。

しかし、ビルはヒルトンの言葉を無視し、イーサンとジョニーと顔を見合わせた。

「言ってもいいかね？　それとも、月曜まで待ったほうが……」

イーサンとジョニーが笑った。

「ヒルトン、今朝、私に代わって報告を受けてもらった理由なんだが、実は私たち三人で会長と会っていたんだ。二か月後、私たちは昇進して、グループ全体を見ることになった。私の後継を誰にするか、会長は判断を私に任せてくれた。三人とも意見が一致したんだが、アレックス、君に任せることにしたよ。君が私の後釜だ」

工場に戻ると、フランからメッセージを手渡された。「ピーチ副本部長からですが、いったいどうしたんですか」

「みんなを集めてくれ。いい知らせがあるんだ」私は思わず笑みがこぼれた。

ビルからのメッセージには「これから二か月の間よく準備をしてくれたまえ。まだまだ学んでもらわないといけないことがたくさんある。頑張ってくれ」と書かれてあった。

ようやくニューヨークにいるジョナをつかまえることができ、工場存続が決まったことを伝えた。もちろん喜んではくれたが、特に驚いた様子は感じられなかった。

「これまでは自分の工場を救うことだけを考えてきましたが、これからは工場を三つも見ないといけなくなりました」私は、ジョナに言った。

「頑張ってくれたまえ」ジョナが、励ましてくれた。

ジョナが電話を切りそうな雰囲気だったので、私は慌てて訴えるような口調で言った。「これからは、これまでの運だけでは足りません。もう底をついています。またこちらへいらして、手伝っていただけませんか」ジョナの居所を探し出すのには二時間もかかったが、祝いの言葉をかけてもらうためにわざわざ探し出したわけではなかった。実のところ、今度の新しい仕事の重さには多少おののいている。工場を一つ見ることと、三つの工場を抱える部門を見ることは別もので、単に仕事の量が三倍になるだけの話ではない。製品設計やマーケティングなどの責任も負わなければいけない。

「時間があったとしても、私がそっちに行くのは賢明じゃないな」ジョナの返事にはがっかりした。

「どうしてですか。これまでは、そうしてくれたじゃないですか」

「アレックス」ジョナが重い声で言った。「会社の中でどんどん昇進し責任が増えてきたら、もっと自分自身で考えるようにしなければ駄目だ。事あるごとに私の助けを求めていては駄目だ。いつも人を頼るようになる」

彼の言わんとしていることはわかるが、私はあえてそれを認めるのを拒否した。「もう、知恵を貸していただけないのですか」

「もちろん、手伝わせてもらうよ。でもその前に、まず知りたいことは何なのか、自分でよく考える必要がある。それがわかったら、私に連絡してくれたまえ」

私は、簡単には引き下がらなかった。「どうすれば効率的に部門を運営できるのか知りたいのです。それだけでは駄目ですか」

「これまで君は、どうすれば工場を効率的に運営できるかを学んできた。これからは、効率的な部門運営を知りたいと言うのかね。でも、それだけではすまないだろう。君もそのくらいわかっているはずだ。君が本当に学びたいのは何なんだ。もっと具体的に説明できるかね」ジョナは、多少苛立っているようだ。

「ええ……、工場や部門や会社、どんな種類や大きさの組織でもいいんです、どうすればうまく管理運営できるのか、その方法を学びたいのだと思います」そう言って、少しためらってから私は続けた。「自分の人生を管理する方法なんかも学べれば本当はいいんですが。でもそれは、少し欲張りすぎかもしれませんね」

「どうしてかね。賢明な人だったら、自分の人生などう管理したらいいのか知りたいと思うのは当たり前じゃないのかね」ジョナの答えは意外だった。

「そうですか、よかった。それでは、いつから始められますか」私は、喜び勇んで訊ねた。

「まずは、効果的な管理運営にはどんなテクニックが必要とされるのか考えてみてくれ。それが、最初の宿題だ」

「はあ？」私は、詰まった声で訊ねた。

「おいおい、何もテクニックを開発してくれと頼んでいるわけじゃないんだ。どんなテクニックが必要か考えてくれと言っているだけだ。ただし、明確にわからなければ駄目だ。答えがわかったら電話をくれないか。それから、アレックス。昇進おめでとう」

32

「あなたのこと、とても誇りに思っているわ。あと三回昇進したら社長にでもなってしまうんじゃないかしら。乾杯しましょうよ」

ジュリーは上機嫌なのだが、私の心の中にはいま一つ釈然としないものがあった。「いや、乾杯はよそう」私は、ジュリーの申し出を断った。人が自分のために乾杯しようというのに、断るのは尋常ではない。私の予想もしない反応に、ジュリーは口をつぐんでしまった。手にしたグラスをゆっくり下ろすと、テーブル越しに身を乗り出して私の顔を覗き込んだ。私の説明を求めているのだ。

彼女からのプレッシャーに負けて、私はゆっくりと口を開いたが、頭の中ではいろんな想いが交錯していた。「ジュリー、やっぱり乾杯はやめておこう。少なくとも、君のように祝う気分にはなれないよ。空しい勝利だからね。ずっと考えていたんだが、君の言っていたことが正しかったような気がする。昇進できたといっても、単にねずみレースに勝っただけのようなものだから」

「ふーん」ジュリーの反応はそれだけだ。

彼女は、口を開かずに自分の気持ちを表すのがうまい。私とは正反対だ。私はといえば、「ねずみレース」だの「空しい勝利」だの頭の中で考えが飛び交い、何を言いたいのか自分でもよくわからない。しかし、乾杯する気にはやはりどうしてもなれない。

「家族を犠牲にしすぎたよ」少し考えてから、私はぽつりと答えた。

「アレックス、自分を責めすぎちゃ駄目。遅かれ早かれ、起こるべくして起こったことなのよ。私も私なりにいろいろ考えてみたけど、もしあなたが諦めていたら、失望感で私たちの結婚すべてが否定されるところだったわ。昇進したことをもっと誇りに思ってもいいんじゃないかしら。なにも他人を犠牲にして昇進したわけでもないし、正々堂々と勝ち取ったのよ」

考えてみれば、思い出すだけでもぞっとするようなここ数か月だった。工場閉鎖の危機にさらされ、六〇〇人もの従業員が職を失って路頭に迷うところだった。私のキャリアも瀬戸際に立たされていた。それだけではない、ジュリーとの夫婦関係も崩壊の危機にさらされていた。まさに絶体絶命だった。天国から地獄にまっ逆さまに落ちる寸前だったのだ。

しかし、私は諦めなかった。あらゆる困難に立ち向かって戦い続けた。仲間もいた。ジョナからは彼流の常識的アプローチ、周りのみんなからは非常識と映ったかもしれないが、それを教えられた。でもよく考えてみると、非常に理にかなった考え方で、スタッフも全員、私を快くサポートしてくれた。それに面白かった。実に面白かった。しかし、ここ何か月はまさに嵐が吹き荒れたような感があった。ルールというルールをすべて破った。だが、最後には結果よしで工場を立て直すことができた。そればかりか、部門全体を救った。そして今夜は、こうしてジュリーとレストランで祝うこともできた。この先は部門全体を率いる責任まで任された。つまり、引越しだ。ジュリーの機嫌がいいのも、それが一因に違いない。

私は手に持ったグラスを高く掲げ、胸を張って言った。「ジュリー、僕の昇進に乾杯だ。偉くなるとかならないとかじゃなく、これからの僕たちの旅路に乾杯だ。この昇進が僕たちにとって、いったいどんな意味があるのか考えてみようじゃないか」

ジュリーの顔に笑顔が広がり、二人でグラスを合わせると透き通るような、それでいて優しい音が響いた。すっかりなごやかな雰囲気に包まれ、二人でメニューを開いた。「今日は僕の昇進祝いだけじゃなく、君のお祝いも兼ねている」私は、穏やかな声で言った。「だけど、本当は僕の昇進なんかより、ジョナのおかげでできたことを祝うべきなのかもしれない」しばらく考えた後、今度はあらたまった口調で私は言った。

「あなたらしいわね」ジュリーは、呆れたような顔をしている。「一所懸命働いたのはあなたなのに、それを全部他人のおかげにしてしまうなんて」

「ジュリー、でも本当なんだ。全部答えを教えてくれたのはジョナなんだ。僕は、ただそれを実行する道具にすぎなかった。自分の力と思いたい気持ちもあるけど、それが隠しようもない真実なんだ」

「いいえ、そんなの少しも真実なんかじゃないわ」

「でも……」と言いかけながら、私は視線をそらした。

「アレックス。もういいわ、やめて。見せかけの謙遜なんて、あなたには似合わないわ」きつい口調でジュリーが言った。私が応えようとすると、手を上げて私を制しながら同じ口調で続けて言った。「誰かが『はい、どうぞ』と、あなたに答えを教えてくれたわけじゃないでしょ。答えを自分で見つけるのに、夜も寝ないで頑張った日が何日あったの」

「ずいぶん、あったね」私は、微笑みながら答えた。

「そうでしょ」ジュリーは、これでこの話は決着がついたと言いたげだ。

「いや」そう言いながら、私は笑った。「ジョナが『はい、どうぞ』と、すぐに答えをくれなかったのは僕も認める。どうして教えてくれないのか、ジョナを恨んだ夜もあった。でも、ジュリー。ジョナは僕のことを思って、答えをすぐに与えるのではなく、わざと質問をしたんだ。答えをすぐに教えてくれなかったからといっても、やはり真実は真実だよ」

ジュリーは私の答えには反論せず、ウェイターを呼んで注文をし始めた。彼女が正しい。こんな話を続けてもせっかくの食事がまずくなるだけだ。

運ばれてきた子牛肉のパルメザン風をほおばっているときだった。急に頭の中がすっきりとして何か具体的なものが見えてきた。ジョナのおかげでこれまでいろんなことを学んだが、いったいそれが何だったのかが見えてきた。どれにも共通して言えることがある。どれも常識で考えればわかるということ、それと私がこれまでに学んできたこととはまったく正反対だということだ。もし、自分たちで苦労しながら答えを探すことがなかったとしたら、実行する勇気を持てただろうか。おそらくノーだろう。自分たちで苦労して学んでいなかったとしたら、自分たちで苦労して練り上げた答えでなかったとしたら、こんな途方もないことを実践してみる根性など湧いてこなかったであろう。

頭の奥深くでまだそんなことを考えながら、テーブルの上の皿をじっと見つめていた視線を上げ、ジュリーの顔を見た。ジュリーはいったいどうしたのと言わんばかりに、私の顔をじっと覗き込んでいた。

「どうして、自分で考えつかなかったの」急に彼女が質問した。「あなたがやってきたことは、私には単純な常識のように見えるんだけど。ジョナのアドバイスなしでは、どうして思いつかなかったの」

「そうだね、どうしてかな。でもはっきり言って、僕にはまったく見当がつかなかったよ」

「そんな、全然わからなかったなんて言わないでよ」

「ああ、確かに少しは……」ジュリーの勢いに押されて、私はうなずいた。「ほかのみんなも同じこと思ってるよ。簡単なことですぐ気づきそうなのに、これまではずっとそのまったく反対のことをやってきた。いままでも、これまでのやり方でなければ駄目だっていう工場だってあるんだ。マーク・トウェインが『常識とは常ならず』とか何とか言っていたと思うけど、あれ当たっていると思うよ」

「それじゃ、私の質問の答えになっていないわ」ジュリーは引き下がらない。

「そんなこと言わないでくれよ。本当にわからなかったんだから。常識とはいったい何なのか、その意味すらいままではっきりとわからないよ。簡単に常識、常識って言っているけど、常識の意味っていったい何だと思う」

「質問で返すなんて、ずるいわ」私の魂胆はジュリーにすぐ見破られてしまった。

「どうして、ずるいんだい」

彼女は、今度はだんまりを決め込んだ。

「わかった、わかった」私は負けを認めた。「僕にわかっていることといえば、直感でそうだと感じるものを常識と呼んでいるっていうことぐらいかな」

ジュリーもうなずいている。

「でもそれだけじゃ、ますます君の質問の答えになっていないね。要するに、常識と呼べるものは、少なくとも直感的には以前からわかっていたことっていうところかな。でも直感的にわかっていても、何かきっかけがないと気づかないことが多いのはどうしてなんだろう」

「私が聞きたいのはそれよ」ジュリーが言った。

「わかっているよ。たぶん、何か常識的でないものに普段は包まれて、見えないんじゃないかな」

「たとえば?」

「習慣かな」

「なるほど、そうかもね」そう言うと、ジュリーは顔に微笑みを浮かべながらまた料理を口に運び始めた。

しばらくジュリーの様子を眺めてから、私は言った。「確かに、質問を与えて答えへと導くジョナの『ソクラテス』流手法は習慣、それも何層にも固められた習慣を取り払うという点では、非常に効果的だったよ。みんな答えを切望していたのに、僕たちがやっと見つけ出した答えを一所懸命説明しても、なかなか理解してはもらえなかった。イーサンがバーンサイドの件で、僕たちの努力を高く評価してくれていなければ、いま頃どうなっていたかわからないよ。だけど、染み込んだ習慣ってものは怖いね。自分たちで考えることもせず、当たり前だと思ってやっている。だから答えを教えてはいけない、考えるためのヒントが必要なんだ。自分で試してみないといけないからね」

私の話を聞いているジュリーの表情はどうも冷めている。

「どうかしたのかい」私は訊ねた。

「べつに」

「『ただ、答えを教えてはいけない』というのは、筋が通っていると思わないかい」ジュリーを納得させようと、私は訊ねた。「ただ、何も考えずに習慣どおりにやることしかできない人を説得するのに、答えをただ教えてもまったく非効率的だよ。可能性としては、『理解する』か『理解しない』かのどちらかだけど……」

「それで」

「『理解しない』場合は、べつにいいんだ。誰に危害を加えるわけでもないし、ただ無視されるだけだから。でも『理解する』ほうは厄介だ。理解してくれるかもしれないけど、自分が批判されているととられてしまうんだ。いや、それより悪いかもしれない」

「それより悪い？」

「ああ」そう応えながら、ヒルトンとニールの冷ややかな態度を思い出し、私は苦笑いした。「君の言いたいことはわかるけど、そう簡単にはいかないんだ。批判されていると思われたら、相手はなかなかこちらを許してくれないからね」

「アレックス。誰かを納得させるのに、特にあなたのことだけど、答えをそのまま与えるのが正解じゃないなんて私に言っても無駄よ。私はただ、質問するほうが答えを与えるよりずっといいなんてことを信じていないだけ」

私は、しばし彼女の言葉について考えた。確かに彼女は正しい。質問をしようとすると、たいてい、生意気で横柄な奴だと思われ、意見を異にすると勘違いされてしまう。

「習慣を変えようと思ったら、その前に二度、三度よく考える必要がありそうだね」私は、曇った顔をして言った。

ジュリーは、ウェイターが運んできたチーズケーキを口に運ぶので忙しい。私も一緒にケーキを口にした。

しばらく黙ったまま二人で食事を進めていたが、コーヒーが運ばれてきた頃を見計らって、私は思い切ってジュリーに訊ねた。「ジュリー、そんなにひどかったかい。そんなに君に気苦労かけていたなんて全然知らなかったよ」

「冗談じゃないわ。子供たちが頑固なのも、あなたに似たのね。ジョナも、ずいぶんあなたにてこずったんじゃないかしら」

「いや、ジョナは違うよ。ジョナと話をしているときは、いつも私が何を聞きたいのか、私にどんな質問を与えたらいいのか、いつも用意ができていたような気がする。ソクラテス流アプローチはただ質問をするだけでなく、それ以上のものに違いない。適当にやったら、それこそ危険な手法だ。僕もやってみたからわかる。まるで刃の尖ったブーメランを投げるようなもんだよ」

そのときだった、急に頭の中に答えが浮かんだ。ジョナにどんなテクニックを教えてもらわないといけないのかがわかったのだ。どうすれば人を説得できるのか、どうすれば古い習慣を取り去ることができるのか、どうしたら新しいことを嫌う人たちや体制を克服できるのかだ。

私はジュリーに、この間のジョナとの話の内容を話した。

「面白いわね」ジュリーが口を開いた。「人生をどう管理したらいいかはぜひとも学ぶべきね。でもあなた、気をつけて。ソクラテスが最後にどうなったか知っている？　毒を飲まされたのよ」

「ジョナに毒をもろうなんてこと考えてないよ」私は、まだ興奮冷めやらない。「ジュリー、ジョナに工場の問題について相談するとき、彼はいつも僕がどんな反応をするのか前もってわかっていたようなんだ。それが癪に障ることもあった」

「どうして？」

「だって、ジョナにそんなこと勉強する時間が、いったいいつあったって言うんだい。理論とかじゃなくて、僕の工場で何が起きているのかをどうしてそんなによく知っているのかが不思議だった。僕の知っている限り、ジョナは製造業界で働いたことなんか一度もない。彼は物理学者だよ。研究室にいつもこもっている学者がどうやってそんなことを知ることができるのか信じられないんだよ。どうも釈然としない」

「アレックス。もしそうなら、ソクラテス流の手法だけでなく、それ以外のことも教えてくれるようジョナに頼んでみたら」

33

私の最初のターゲットは、ルーだった。私のスタッフの要として、ぜひとも連れて行きたい男だ。彼を説得できなければ、私は手足を失ったも同然だ。すぐに「はい」と言ってくれるとは思っていない。定年も近いし、地域のコミュニティー活動にも積極的に参加しているから、引越しなどありがたくはないだろう。私は大きく深呼吸してルーの部屋のドアをノックした。「やあ、ルー。いま、ちょっといいかな」

「いつでも歓迎ですが、何かご用ですか」

出足はまずまずだが、どうも単刀直入に話す勇気が湧いてこない。「この先二か月の君の予想はどうかなと思ってね」とりあえず、私は切り出した。「純利で一五パーセント達成して、これを維持するのは問題ないかね。工場存続が決まったから、もう絶対一五パーセント必要というわけではないんだが、前にも言ったように、ヒルトンにだけはつけ入る隙を与えたくないんだ」

「安心してください。私の計算では、来月、再来月は純利で軽く二〇パーセントを超えそうです」

「二〇パーセント？」私は耳を疑った。「おいおい、ルー。いつから、営業マンみたいな大口を叩くようになったんだ」

「とんでもない、所長。その反対で、私の計算はこの先オーダーが緩やかに減ってくるという予想に基づいて出した数字です」

「だったら、いったいどうやってそんな手品みたいなことができるんだ」

「説明が長くなりますから、まあ腰を掛けてください。大切な話ですから」ルーが真顔で言った。

また、何か経理の裏技でも見せてくれるに違いない。「わかった。聞かせてもらおう」私は答えた。

ルーが書類の山をパラパラとめくりながら資料を探す間、私はゆったりと椅子に腰を下ろし体勢を整えた。数分たっても、まだ必要な書類が見つからないのか、私は待たされたままだ。「ルー、どうした」じれったくなって、私は声をかけた。

「私たちの計算では一七パーセントの利益が出ていたはずなのに、それが一二・八パーセントになったのは、製品コストの計算方法が間違っていたからで表面的なことにすぎない、というのが私たちの意見だったわけです。所長もこれにはずいぶん腹を立てておられましたが、実はこれよりもっと大きな経理上の問題点を発見したんです。仕掛りなども含めた在庫の計算方法なんですが、ちょっと説明が難しいので、バランスシート（貸借対照表）を使って説明させてもらいます」

ルーは、またしばらく黙って考え込んでいる。私も今度はじっと待つことにした。

「たぶん、質問させてもらいながら話を進めるほうがわかりやすいので、そうさせてもらいます」そう言うと、ルーはさっそく私に質問をしてきた。「在庫は、負債だと思いますか」

「ああ、もちろん。誰でもそのくらいのことはわかっているだろう。もし知らないとしても、ここ数か月の経験を思い起こせば在庫が負債であることは明白だ。もし以前のように工場の中が在庫の山だらけだとしたら、こんなに迅速に客からのオーダーに対応できたと思うかね。品質も向上したし、残業もずいぶんと減った。それにいまではフレッドたちを使う必要もほとんどない」

「そうですね」そう言いながら、ルーの視線は書類に向けられたままだ。「在庫は、確かに負債です。しかし、バランスシート上ではどの項目に入るかご存じですか」

「おいおい、ルー」そう言いながら、私は立ち上がった。「経理上の規定と現実がかけ離れていることぐらい君だってわかっているじゃないか。だが、あえてその質問に答えさせてもらえば、在庫は資産に含まれるんじゃないのかね。だけど、いままで、どうしてかなんて理由を考えたこともない。教えてくれないか。どうして在庫が資産なのか」

「ちょっと複雑になります。何度かチェックしたんですが、数字で説明できます。在庫は製品の生産コストに基づいて計算します。しかしそのコストには原材料費だけでなく、生産工程で発生する付加価値も含まれています。ここ数か月、私たちがやってきたことを覚えていますか。ボブには実際にオーダーの入ったものしか作業させなかったし、ステーシーもそれに合わせて資材を投入しました。そのせいで仕掛品は以前の五〇パーセント、完成品は二〇パーセント在庫を減らすことができました。減らした余剰在庫は補充せずに、原材料の購入を抑えたためずいぶんと節約できました。キャッシュフローがそれを証明しています。しかし、経理上は在庫が減った分、資産が減りました。原材料の購入を控えた分、出て行く現金は少なかったのですが、それ以上に在庫の減り方が大きかったためです。在庫が減り続けたこの期間、減った在庫の原材料コストと製品コストの差が純損として表れたのです」

ルーの説明を聞いて、私は息をのんだ。「正しいことをした、そのせいでペナルティを課されたって言うのか。余剰在庫を減らすことが、経理上は損になるのか」

「はい、そうです」と答えながら、ルーはまだ書類を見ている。

「影響は？　どんな影響があったんだ。数字は？」

「この三か月の実際の純利益は、楽に二〇パーセントを超えていたはずです」淡々とした声で、ルーが答えた。

私は、ルーの顔をまじまじと見つめながら、我が耳を疑った。

「でも、安心してください」ルーが、静かな声で続けて言った。「在庫がずいぶんと減り、低いレベルで安定していますので、これから影響が出ることはもうないでしょう」

「安心したよ」皮肉たっぷりにそう言うと、私は振り返って部屋を出ようとした。「ところで、いつわかったんだ。目標の一五パーセントよりずっと高い利益を上げていることにいつ気づいたんだ」部屋を出かかったところで振り返って、私はルーに訊ねた。

「一週間前です」

「だったら、どうしてもっと早く教えてくれなかったんだ。パフォーマンス評価のときにも使えただろうし」

「いえ、それは無理です。話が複雑になって、もっと混乱させていたでしょう。いいですか、在庫の評価にはみんなこの方法を使っているんです。税務署でさえそうなんですから。こんなことを説明しても、勝てるチャンスなど皆無でしょう。ですが、イーサンには詳しく説明しておきました。十分理解してもらえたようです」

「なるほど、そういうわけだったのか。イーサンがずいぶんと協力的だった謎が解けたぞ」再び椅子に腰を下ろしながら、私はつぶやいた。

ルーと私は、顔を見合わせてニヤリと笑った。少し落ち着いたところで、ルーが静かな声で言った。

「所長。実は、もう一つ話があるのですが」

「もう、驚かさないでくれよ」

「少し驚かれることかもしれませんが、今度は個人的な相談です。イーサンから聞いたのですが、彼もピーチ副本部長と一緒に異動されるそうです。ということは、彼に代わる新しい経理部長が必要になるわけで、部門全体の経理処理に精通した者を探さなければならないと思います。私はあと一年余りで定年ですし、私の知識はすべて時代遅れです。ですから……」

「来たな」そう、私は心の中でつぶやいた。「所長とは一緒に行けない」とルーに言われる前に、なんとか先手を打たなければいけない。一度口にされたら、撤回させるのは楽ではない。

「ルー、待ってくれ」私は彼を制した。「これまで一緒に頑張ってきたじゃないか。これからも……」そう、私が言いかけたところで、今度はルーが私を制してきた。

「私も、それが言いたかったんです。私の立場から言わせてもらえば、これまでの私の仕事といえば、ただ数字を集めて報告書を作ることだけでした。公平な立場から客観的なオブザーバーとしてデータを供給するのが自分の役割だと思ってきました。ですが、この三か月の経験を通して、その考えがいかに間違っていたのかがわかったのです。客観的なオブザーバーでもなければ、間違いだらけのルールにただやみくもに従い、それがどんな悲惨な結果につながるのか理解もしていなかったのです。最近、ずいぶんそのことでいろいろ考えました。パフォーマンスを評価する方法は確かに必要です。ただし、評価のための評価であってはいけないのです。評価が必要なのには、二つ理由があると思います。一つは、コントロールです。お金を儲けるという企業の目標に向かって、どれだけその目標に近づいたのか把握する必要があります。もう一つの理由は、おそらくこちらのほうがもっと重要だと思うのですが、組織の中の各部署、各人が組織全体の立場に立って、何が有益なのかを理解し、それを実行させることにあると思います。私にわかっているのは、そのどちらもこれまでは満たされていなかったことです。たとえば、いま、話したばかりのこともそうです。この工場が劇的に改善したことはいまではよくわかっていますが、間違った評価方法のせいで、もう少しで私たちも悪者扱いされるところでした。生産性や製品コストのレポートを提出するのも私の仕事ですが、その数字に惑わされて、本部の経営陣ばかりだけではなく、工場の作業員までもどれだけ会社に不利益なことをしていたのか、いまになってやっとわかったことです」

ルーが、こんなに熱弁を振るうのは見たことがない。彼が言うことは、すべてそのとおりだった。しかし、私には彼が何を言わんとしているのか、まったく見当がつかなかった。

「所長、私もここで辞めるわけにはいきません。退職は、まだ先です。個人的なお願いで恐縮なのですが、ぜひ私を所長と一緒に連れて行ってください。いまの古いシステムの欠点を修正し、パフォーマンスを的確に評価できるような新しいシステムを完成させたいのです。経理の専門家として、誇りを持てる仕事がしてみたいのです。最後までやり遂げることができるかどうかはわかりませんが、せめてチャンスをください」

願ってもない話に、私は戸惑った。だが、すぐに立ち上がり、手を差し出しルーに握手を求めた。「よろしく」

私は自分の部屋に戻り、秘書のフランにボブを呼ぶよう頼んだ。ルー、それにボブも一緒について来てくれれば、私はエンジニアリングとマーケティングの二つの分野に神経を集中できる。私が、一番不得意としている分野だ。

マーケティングは、どうやったらいいのか皆目見当もつかない。頼りにできるのは、ジョニーだけだ。ビルが一緒に彼を連れて行くことにしたのも、当然と言えば当然だ。

そのとき、電話が鳴った。ボブからだ。

「いま、ステーシーとラルフと打ち合わせをしているところですが、所長もこちらへ来られませんか」

「あと、どのくらいかかるんだ」

「わかりません。もしかしたら、夕方までかかるかもしれません」

「それだったら、私は遠慮させてもらうよ。でもボブ、君と話をしないといけないことがある。ちょっと、こっちに来てくれないか」

「はい、わかりました」

ボブは、すぐにやって来た。「何でしょうか」

彼には単刀直入に話をしようと、私は決めていた。「君に部門全体の製造を任せたいんだが、どうだろう」

「はあ」ボブの反応は、その一言だけだった。腰を下ろし巨体を椅子に沈め、私の顔を見たまま、ボブは何も言わない。

「驚かしたかな」

「ええ、驚きました」

コーヒーをいれようと私が席を立つと、背を向けた私に向かってボブが口を開いた。「所長、申し訳ありませんが、その話は辞退させてください。一か月前でしたら、喜んでお引き受けしていたと思うのですが、いまはまだちょっと……。私には、もったいない話です」

彼の返事に戸惑いながら、私は両手にコーヒーカップを一つずつ持ったまま振り返った。「どうしてだね。怖気づいたのかね」

「いえ、そんなことではありません」

「だったら、この一か月の間に、君の気持ちを変えるような一大事があったのかね」

「彼が、君のことを引き抜こうとしているのか」

「バーンサイドです」

部屋中にボブの大きな笑い声が響いた。「いいえ、そうではありません。バーンサイドからのオーダーのことです。彼からの緊急のオーダーをやり遂げたときの経験は、私にとってまさに目からうろこが落ちるような経験でした。あのときは、本当にたくさんのことを学ばせてもらいました。これからもしばらくはここに残って、あのときのやり方をさらに発展させてみたいんです」

まったく意外なことばかりだ。自分のスタッフのことは、よくわかっているつもりだった。ルーには簡単に「はい」と言ってもらえるとは思っていなかったのに、逆に仕事をくれと頼まれてしまった。逆にボブのほうは、話は簡単だと思っていたのに、こちらには断られてしまった。まったくまいってしまう。

「もう少し、ちゃんと説明してくれないか」そう言いながら、私はボブにカップを手渡した。

ボブがそわそわしながら体を動かすと、椅子がキーッとまるで抗議するように音を立てた。ボブには、もっと大きな椅子が必要なようだ。

「バーンサイドのオーダーは、この工場にとってかつてないユニークな経験だったと思いませんか」彼が説明を始めた。

「ああ、もちろんそう思う。社長自ら発注先の工場に出向いて、作業員一人ひとりに感謝して回るなんてことは聞いたこともない」

「ええ、それもそうですが、最初から思い出してみてください。ジョニーから無理な注文をやってくれと依頼がありました。ジョニーもクライアントも、できるとは思っていませんでした。見かけは、とても無理な注文でした。しかし、私たちはとりあえずできるかどうか検討することにしました。ボトルネックがどのくらい使えるのか、どんな制約があるのかをよく検討した結果、私たちは非常識的な解決方法を考案しました。すぐにノーとは答えを出さず、逆にイエスと言って、以前のように納期に大幅に遅れるような愚かな結果を招くことも避けました。オーダーの中身を少し変え、現実に実行可能な方法でカウンターオファーを提示しました。結果、そのほうが客としても都合がよかったわけです」

「ああ、確かにいい仕事をさせてもらった。特に結果から考えると、そうだな。しかし、状況も普通ではなかったな」

「ええ、普通ではありませんでした。普通でしたら、こちらがイニシアティブをとって、客にこうしたらどうかなどと提案はしませんから。しかしこれからは、それももっと積極的にやっていってもいいのかもしれません。そう思いませんか。自分たちで創意工夫して得た売上げですからね。営業サイドではなく、製造現場の我々が勝ち取った仕事なんです」

私は、ボブの言葉をじっくり噛みしめながら考えた。彼の言うとおりだ。ボブの言わんとしていることがようやくわかってきた。

私が黙っているので勘違いしたのか、ボブが言った。「所長にとっては、それほど大したことではないのかもしれません。製造と営業の両方を関連づけて考えていらっしゃるでしょうから。しかし、私はこれまでいつも製造の現場で作ることだけを考えてきた人間です。営業の連中のことなんか、客にできもしないことを平気で約束するいい加減な奴らとしか考えていませんでした。ですから、今回のこの件は、私にとってまさに革命だったのです」

「そうだな、営業には各製品ごとにリードタイムを伝えてあるから、在庫がない場合はこのリードタイムで客に納品を約束すべきだろう。確かに、営業の連中はその数字から多少逸脱してしまうこともあるが、最近では大幅にずれることもなくなった。もしかしたら、もっとほかにもいい方法があるかもしれない。たとえば、ボトルネックにどのくらいの仕事が溜まっているのか、その負荷によって、リードタイムをケース・バイ・ケースで変えるという方法も可能かもしれない。受注するオーダーのサイズにしても、まとめて出荷しなければいけないと考えるのではなく、いくつかに分けて納品することも考えられるだろう」

「所長、私はそういったことを現場でもっと突っ込んでやってみたいのです。実は、先ほどもステーシーとラルフとそのことで一緒に話をしていて、所長にも話を聞いてもらおうと探していたところです。なかなか、面白い話ですよ」

「そうだろうな。だけど、いまはそのことに首を突っ込んでいる時間はないんだ。新しい仕事の準備を進めないといけない。もう一度教えてくれないか。いったい、君はこれから何をしたいんだ」

「製造の現場を、売上げを伸ばすための要としたいのです。クライアントのニーズと現場の生産能力の両方にピタッとはまるような売り方です。バーンサイドのときがそのいい例です。でもそのためには、この工場に残らなければいけません。一〇〇パーセント理解して新しいシステムを作り上げることができなければ、いつまでたっても細かいことに首を突っ込まなければならなくなります」

「その新しいシステムを見つけたいと言うんだな。いいだろう。面白そうじゃないか。しかしボブ、君もずいぶん変わったな。いつから、そんなことに興味を持ち始めたんだ」

「所長から、いままでのやり方を見直してみろと言われたときからです。この数か月間にこの工場で起きたこと以上に確かな証しが必要と思いますか。それまでは以前と何も変わらない方法で物を作って、その間ゆっくりと、そして着実にこの工場は破滅へと向かっていたわけです。しかし、私たちは時間をかけて基本的な原則から見直してみました。それまでの常識では考えられないようなことをどのくらいやってきたと思いますか。作業員の稼働率、適正バッチのサイズ。材料があって暇をもてあましている人間がいるから作業をさせる――そんな愚かなことも、もう過去のことです。ほかにもいろいろあります。でも、結果を見てください。私も自分のこの目で見ていなければ、決して信じてはいなかったと思います。ですから、所長、私はここに残って、もうしばらくこれを続けたいのです。できれば、新しい所長になればと思っています。所長は、私たちにありとあらゆるルールを破るようにおっしゃいました。製造現場をセールスで製造現場を成功させるための手段として見るよう、言われました。所長に習って、私も客から仕事を獲得するうえで製造現場が何ができるのか、その役割を変えていきたいと考えています」

「わかった、いいだろう。しかしボブ、そのシステムが出来上がったら、そのときは私のところに来てくれよ」

「もちろんです。そのときは、完成したシステムをみんなに教えてあげましょう」

「それじゃ、乾杯だ」そう言いながら、私たちはコーヒーで祝った。

「話は変わるが、君の後釜には誰がいいと思うかね」私はボブに訊ねた。

「はっきり言って、私の部下には特にこれといった人材が思い浮かびません」

「残念だが、私もそう思う。ステーシーはどうかと思うんだが、彼女が引き受けてくれるとは思えない」

「でも、とりあえず彼女に聞いてみたほうがいいのでは。そうです、ステーシーとラルフも一緒に呼んで、所長の考えを話してみてはいかがですか」

「やっと、所長が見つかったのね」そう、ボブに声をかけながら、ステーシーが部屋に入ってきた。ラルフも一緒だ。二人とも手に書類をいっぱい抱えたままだ。

「ああ、そうだ」私は、ボブの代わりに答えた。「ずいぶんと面白いことを相談していたようじゃないか。でも、その前にみんなに相談したいことがある。いま、ボブと話をしたばかりなんだが、彼に私の後を任せることにした。彼が新しい所長だ。それでだ……。ボブの代わりなんだが、ステーシー、君に製造課長を引き受けてもらいたいんだ」

「おめでとう、ボブ」二人が、ボブの手を握った。「でも、予想どおりね」

ステーシーは、私の質問には答えず無視したままだ。私は再度言った。「考えてくれないか。いますぐ返事をくれとは言っていない。君がいまの仕事を気に入っていることもわかっている。それに製造課長になったら、今度は人のことでいろいろと気苦労も増える。それが嫌なのも承知だ。だが、ボブも私も君だったら、安心して仕事を任せられる」

「そのとおりだ」横から、ボブが援護してくれた。

ステーシーは落ち着いた表情で、ゆっくりと私のほうに振り返って言った。「昨日の夜、ベッドに入ってから祈ったんです。どうか、この仕事が私のところに回ってきますようにって」

「よし、決まりだ」ボブが、すぐさま声を張り上げた。

「よかった、引き受けてくれて」私は、安堵感に浸りながら言った。「どうしてこの仕事が欲しかったのか、よかったら話してくれないか」私はステーシーに訊ねた。

「工場の中がスムーズになって、資材担当の仕事もそろそろ飽きてきたみたいだな」そう、ボブが唸った。

「前みたいに慌てて資材を投入したり、緊急に呼び出されることも減ったし……。そうか、ああいうエキサイティングな仕事が好きだったのか」

「何を言っているの、違うわ。好きじゃないわよ。ボトルネックでの消費ペースに合わせて資材を投入するいまの新しいシステムにはずいぶんと助かっているわ。でも心配なのは、もしまたボトルネックがどこかで発生したら、どうしたらいいのかってこと」

「いまは毎日、組立ラインの前とボトルネックの前に溜まっている部品、バッファーと呼んでいるんだが、これをチェックしているんだ。その日に作業される予定になっている部品がちゃんとそこにあるかどうか、つまり穴がないかどうかを確認するためなんだ。もしボトルネックがどこかで発生したら、少なくともどちらか一方のバッファーにすぐに穴が開くはずだ。このテクニックを練り出すにはずいぶん時間がかかったけど、いまはうまく機能しているよ」ボブが答えた。

「それで、もしバッファーに穴が開いたときは——その日予定されている仕事だけでなく、二、三日先の仕事もそうだけど——どのワークセンターに資材が溜まっているのかチェックして、それから……」

「それから、フレッドたちだ」ステーシーが言い終わるのを待たずに、ボブが割って入った。

「そうじゃないわ。段取り済みのセットアップを取り壊したり、急かしたりはしないわ。資材が溜まっているワークセンターの責任者に、次はどの仕事をすればいいのか指示を出すだけよ」

「なるほど、なかなか面白いじゃないか」二人の話をしばらく黙って聞いていた私だが、なかなかのやり取りに思わず感心していた。

「そうなんです。でも、もっと面白いことに、いつも問題を起こすのは同じワークセンターで、六、七か所あります。どれもボトルネックではないのですが、作業の流れから言うと、非常に重要なセクションなんです。それで、これらのワークセンターを『生産能力制約リソース（Capacity Constraint Resource）』

と呼ぶことにしました。略してCCRです」

「ああ、その話は聞いている。各ワークセンターの責任者は、作業に優先順位をつけるのに君のところに一〇〇パーセント頼っているそうじゃないか」ボブが言った。「だけど、ステーシー。それじゃ、私たちの質問の答えにならないよ」

「もう少し聞いて。すぐにその話に行くから。実は、その穴の危険性が最近どんどん増してきているんです。時には、組立てのスケジュールが大幅に狂うこともあります。CCRではスケジュールどおりに作業を処理するのがだんだんと難しくなってきています。ラルフの計算では、CCRの処理能力はまだ余っているんです。おそらく平均するとそうなんでしょうが、しかしこれ以上オーダーを増やしたら、大混乱を招きかねないのではと心配です」

なるほど、時限爆弾みたいなものだ。しかし、そんなこと、これまで少しも気づかなかった。売上げをもっと伸ばそうと営業サイドのことばかり考えていたが、もしステーシーの言うことが正しければ、そんなことをしたら工場を危機に陥れることになるかもしれない。彼女の話を消化しようとじっくり考え込む私の横で、ステーシーは説明を続けた。

「いろいろみんなで頑張ってきましたが、視野が少し狭すぎたのではないかと思います。CCRのことも一緒に考えなければいけなかったのに、ボトルネックを改善することにだけ神経を集中しすぎたのです。そんなことをしていると、インタラクティブなボトルネック状況を生むことになります。つまり、資材の供給がキーではないのです。万が一、インタラクティブなボトルネックが発生したら、大混乱は避けられません。工場中でフレッドたちの助けが必要になります」

「それで、どうしたらいいと言うんだね」私はステーシーに訊ねた。

「鍵は、製造にあるのです。バッファーを利用したこのテクニックは、時間的に余裕をもたせて必要な部品がどこにあるのか探すのに用いることができますが、それだけではなく、むしろ工場内のワークセンター単位でのローカルな改善のために使うべきだと思います。CCRの改善努力は十分すぎるぐらいやって、絶対にボトルネックにならないようにしなければいけません。

「所長、ボブ、私がこの仕事をしたいのは、それなんです。私がこれまでやってきた資材担当の仕事が、これからも忙しくならないようにするのが私の目標なんです。ワークセンターごとの改善努力をどうやるべきなのか実証してみたいのです。これまでと同じリソースを使って、どれだけスループットを上げることができるのか、みんなに示したいのです」


「それで、ラルフ、今度は君の番だ」

「はあ、どういう意味ですか」ラルフが、静かな声で言った。

「みんな、それぞれ新しい目標があるようだが、君はどうなんだ。何を企んでいるのかね」

ラルフは、穏やかに微笑んで言った。「何も企んでいません。やりたいことはありますが」

みんなの視線が、ラルフに集まった。

「自分の仕事が好きになってきたんです。やっと、チームの一員になれた気がします」

みんなうなずいた。

「不正確で古いデータにはずいぶんと悩まされましたが、でも実はこの仕事、自分とコンピュータだけではないんです。いまではみんなが必要としてくれるので、自分も貢献しているんだと実感することができます。私の仕事にとって、これまでの変化は非常に重要な意味があります。私が持っているのはデータです。みんなが必要としているのは情報なんです。情報とは意思決定を行うために必要なデータだと考えてきましたが、でも実際、以前私が持っていたデータは意思決定には役立たずのものばかりでした。ボトルネックを探していたときのことを覚えていますか」そう言いながら、ラルフは私たちの顔を順に見回した。「答えを見つけられないことを認めるのに、四日もかかりました。それで、情報とはもっと別のものであることに気づいたんです。質問されたことに答えることができなければ、情報としての役割は果たさない。逆にそれができるようになればなるほど、私もチームの一員だということをさらに強く実感することができます。

「このボトルネックのコンセプトのおかげで、それがよく理解できるようになりました。現実を見てください。いま、この工場は、コンピュータが計算するスケジュールに従って稼働しています。

「私がやりたいことは何なのか、とお訊きになりましたが、私がやりたいのは新しいシステム作りです。ボブがこれからやろうとしていることをサポートできるようなシステム、売上げを伸ばすために必要とされる時間と努力を劇的に減らすことのできるようなシステムを作りたいのです。ステーシーにはバッファーの管理をサポートできるようなシステム、さらにはワークセンターごとの改善状況を管理サポートできるようなシステムを開発したいと思っています。ルーには、パフォーマンス評価をもっと効率的に行えるようなシステムを作りたいと思っています。私もみんなと同じように、私なりの夢があるんです」

34

もう、夜も遅い。子供たちは、すでにぐっすり眠っている。私はジュリーとキッチンの椅子に腰を掛け、二人して熱いお茶の注がれたカップを手にしている。私は、彼女に今日工場であったことを話した。けっこう、関心がありそうだ。面白いわねと言っている。

彼女にその日あったことを話すことで、私自身もう一度思い起こし、よく消化することができる。

「それで、どう思う」私は、彼女に訊ねた。

「ジョナがあなたに、人に頼ってはいけないって注意したでしょ。その意味がだんだんわかってきたわ」

「どういう意味だい」彼女の返事の意味をしばし考えたが、どう関係があるのかわからなかった。

「間違っているかもしれないけど、あなたの言い方を聞いていたら、ルーがいい評価システムを新しく作り上げることができるかどうか、確信がないみたい」

「当たっているよ」私は、笑いながらそう言った。

「新しい評価システムって、あなたにとってそんなに重要なの」

「もちろんだ。いま、それより重要なものなんかないよ」

「それじゃ、もしあなたがジョナにアドバイスを続けてほしいと頼んだときに断られていなければ、いま頃彼に電話をしてもっとヒントをくださいと頼んでいたかもしれないわけね」

「おそらくそうだろうね。彼のアドバイスが必要なくらい大切なことなんだ」

「ボブの考えていることはどうなの。あれも大事なの？」

「もし本当に彼にできたら、それこそ革命になると思うよ。もっと大きなマーケット・シェアが取れるのは間違いないね。少なくとも、客から仕事を取ってくるのに苦労することはなくなるよ」

「ボブにできそうなの」

「可能性は高くはないだろうな。なるほど、君の考えていることがわかってきたよ。僕もきっとジョナに、君と同じ質問をしていたに違いないって言いたいんだろう。ステーシーやラルフのことも、きっと訊いていただろうね。どちらも大事なことだから」

「新しい仕事が始まったら、これからもっといろんなことが起きるんでしょうね」

「そうだね。君の言うことは正しいよ。ジョナも正しいけど……。今日、それがわかったよ。みんなから今日それぞれのこれからの目標を聞かせてもらったんだけど、自分のは何かなって考えさせられたよ。とりあえず、いま考えられるのは、どうすればマネジメントの方法を学べるのかってことだけだ。だけど、どこでどうやったらジョナの質問の答えを見つけることができるのか、皆目見当がつかない。マネジメントに必要なテクニックって、いったい何だろう。ジュリー、僕にはわからないよ。何をしたらいいと思う。何か、いい考えはないかな」

「工場の人たちは、みんなあなたに借りがあるわけでしょ」私の髪をなでながら、ジュリーが言った。

「みんな、あなたのことを誇りにしているわ。そうでなければおかしいわ。あなたのおかげで、なかなかのチームができたんでしょ。でも、あと二か月して、あなたがいなくなったら、そのチームも解散ね。だったら、あと残された時間はスタッフのみんなと膝をつき合わせて、あなたが持っている疑問をぶつけてみたら。みんなは、あなたがいなくなってからでも自分の仕事をする時間はたっぷりあるんだから。あなたがマネジメントのテクニックを身につけることで、みんなの仕事もずっとやりやすくなるはずよ」

私は、黙ってまじまじとジュリーの顔を眺めた。彼女こそ、私の真のアドバイザーかもしれない。


私はジュリーのアドバイスを実行しようと、スタッフのみんなを集めた。みんなが思うがままにそれぞれのプロジェクトに打ち込むためには、部門がうまく運営されていなければいけない。部門全体がうまく運営されるためには、そのマネジャーが何をすべきなのかよくわかっていなければいけない。しかし、そのマネジャーである私には何をすべきなのかまったく見当がつかないのだから、みんなから知恵を借りないといけないと説明した。というわけで、その日の午後は、緊急の用がない限り、どうしたらうまく部門全体を運営できるかみんなに分析を手伝ってもらうことにした。


まずは、最も微妙な質問から始めよう。私が自信喪失していると思われるのもどうかと思ったが、それより、これから私が直面しなければいけない事の重大さを認識してもらうことのほうが先決と考えたからだ。ちゃんと認識してからでなければ、みんなからは中途半端で漠然とした答えしかもらえない。

「新しい仕事に就いて、最初にすべきことは何だと思うかね」私はみんなに訊ねた。

みんな、互いの顔を見合わせた。「私だったら、最初にヒルトン・スミスの工場を見学しますね」最初に口を開いたのはボブだった。

みんながどっと笑った。落ち着いたところで、今度はルーが、新しいスタッフに会うことから始めるのがいいと言った。「本部の人のことはだいたい知っていると思いますが、一緒に仕事をしたことはないでしょうから」

「会って、何を話したらいいんだ」私は、ストレートに質問した。もし他の状況でこんな質問をしたら、みんな、私にはマネジメント能力がまったくないと思うに違いない。みんな、私のことをわかってくれているからできる質問だ。

「基本的には、全般的なことについて状況確認だと思います」ルーが答えた。

「たとえば、入り口がどこなのか、トイレがどこなのか……」そう、ボブが言いかけたところで、ステーシーが割って入った。

「私も、スタッフと話をするのは大切なことだと思います」みんなの笑い声を打ち消すように、ステーシーが真顔で言った。「売上げなどの数字を見ても、全体の一部しかわかりませんから。何が起きているのか、みんなの認識を確認する必要があると思います。どんな問題があると考えているのか、クライアントとの関係はどうなっているのか」

「それから、誰と誰が仲が悪いのか」ボブが、冗談交じりに言った。「それから、誰が権力を持っているのか、勢力構図なども知っておいたほうがいいかもしれません」今度は、多少真顔だ。

「それから？」

「それから、私だったら生産施設めぐりをしたり、大手顧客のところを挨拶回りしたり、それからサプライヤー回りもしますね。とにかく、全体像を把握することだと思います」ボブが答えた。

私は、依然としてポーカーフェースを装い「それから？」と、また訊ねてみた。

私のポーカーフェースについにしびれを切らし、ステーシーとボブが声を合わせるように叫んだ。「それから後は、ご自分で考えてください」

自分が責任を取らなくていいとき、人にアドバイスするのは簡単だ。いいだろう、今度は私がみんなに言わせてもらう番だ。私は、穏やかな声で言った。「いまみんながアドバイスしてくれたことは、新しい仕事を任されたら普通、誰でもやることだ。もう一度、おさらいしてみよう。だが、今度は図に描いて考えてみよう。マーカーはどこかな」

私は赤いマーカーを手に取り、ホワイトボードに向かった。

「最初のステップは、みんなが言ったように情報収集だ。スタッフミーティングを開いて事実を確認する。まず、事実Aというのを見つけたとしよう」と言いながら、私はボードに大きめの赤い円を描いた。「それとこっちには少し小さめの円が三つ。それからこっち側にはもっと小さなのが一つ、それと重なり合っているのがあと二つだ。次に、別のマネジャーに話を聞きに行く。これも大切なことだ。彼によると、この円はスタッフの連中が言っていたほど大きくはない。それと左上には、もっと大きな円が別に二つあると言う。それから、また別の人に話を聞く。彼の話では、四角形もあると言う。確認してみると、確かに四角がある。それとここにもう一つ、あそこにもう一つと次々と出てくる。だんだんと事実が集まってきて、全体像が明らかになる」

ホワイトボードは赤一色で、はしかに罹ったときの発疹みたいだ。まるで、子供たちが幼稚園で描いた絵のようだ。

みんな、私が言わんとしていることがまだ理解できず、ただ困惑しているようなので、私はもう少し説明を続けることにした。「ほかのマネジャーとも話をしてみよう。今度は、勢力構図だ。面白いことに、今度は緑色の円と緑色の星印もある。それとこっちには、形がはっきりしないのもある。だが、いまは気にしなくていい。後で説明するから。次は生産施設を回って、クライアント、それにサプライヤーも回ろう。これで、もっといろいろ面白い事実がわかってくる」話を進めるにつれ、ボードはいろんな図形が重なり合ってごちゃごちゃだ。

「これで、全体像が見えた。ここからが勝負だ」そう言いながら、私は手にしていたマーカーを置いた。

「さて……」

ボードは、まるで極彩色の悪夢のようだ。私は大きく深呼吸してから、電話の受話器を取り上げ、コーヒーのおかわりを注文した。

誰も何も言わない。ボブでさえ、口をつぐんでいる。

しばらく沈黙が続いた後、「一歩下がって考えてみよう」そう、私はみんなに言った。「たとえば、私たちが委員会で、面白くはないが現状把握の任務を任されたとしよう。まず、何から始めたらいいと思うかね」

みんな軽く笑っている。なぜか自分が委員会の一メンバーと思うことで、多少気が楽になる。「群れを成せば、怖くないわけか」私は、頭の中でつぶやいた。特定の人間に責任を押しつけずにすむ。

「ラルフ、委員会が何をすべきなのか説明してくれないか」

「おそらく、同じところから始めるでしょう。まずは、事実確認です。いま、所長がボードに描いたのと同じように、色とりどりの図形がいっぱい見つかると思います。ですが所長、ほかに何かいい方法があるのでしょうか。どういう状況なのかを把握せずにデータもないまま、こんな大事なことをどうやってこなせるのですか」さすがにラルフだ。彼にとって事実を確認するとは、データを収集してコンピュータのファイルに整然と収納することなのだ。

ボブが、ホワイトボードを指さしながらくすっと笑った。「こんなぐちゃぐちゃの絵が、事実確認だって言うんですか。所長、待ってください。こんなやり方では、結局考えが出尽くすまで延々と続くだけです」

「その前に、時間がなくなるかもしれません」ステーシーが、苦笑いしながら言った。

「ああ、そうかもしれない」ボブはうなずき、みんなの顔を眺めて言った。「委員会としては、次に何をすべきだと思う？　こんなぐちゃぐちゃの絵を提出するわけにはいかないだろうから」

みんな笑ってはいるものの、顔はひきつっている。ようやく、私が直面している問題が少しはわかってきたようだ。

「次に何をしたらいいのか……」目を伏せてじっと考えながら、ステーシーがつぶやいた。「おそらく発見した事実を何らかの方法で整理するでしょう」

「ええ、おそらく」ルーも賛成だ。「遅かれ早かれ、委員会の誰かが大きさごとに図形の並び替えを始めるでしょう」

「いや」ボブが、意見を異にした。「種類の違う図形を大きさごとに分けるのは難しいと思います。大きさでなく、図形の種類ごとに分けるべきだと思います」ルーの不服そうな顔を見て、ボブは続けて言った。「円や四角や星など形によってデータを分けるんです」

「円や四角や星のどれにも含まれないのはどうするんだ」ルーが訊ねた。

「例外だけを集めた、別のグループを作ったらいいんじゃないですか」

「なるほど」ルーがうなずいた。「プログラミングを継続してやらなければいけないのは、そうした例外が必ずいつも出てくるからだし……」

「いや、でももっといい方法がある」ルーは、なんとかボブに対抗したいようだ。「色別に分けたらいい。

色別だったら、どっちに分けたらいいのかなんて迷うこともない。だから……」ボブが口を挟もうとしたのを察知して、ルーは続けて言った。「まず最初に色別のグループに分けて、次にそれぞれのグループの中で形ごとに分ける。そして最後に、またそれぞれのグループの中で大きさによって分ける。これで誰も異議を唱える人はいないはずです」さすが、ルーだ。最後はうまくまとめてくれる。

「すばらしいアイディアだ」と、ラルフが褒め称えた。「これを表かグラフにまとめれば、状況を整理することができる。私が新しく使っているグラフィック・ソフトを使えば、かなり立派なレポートができると思います。少なくても、二〇〇ページぐらいのレポートにはなるでしょう」

「ああ、分厚くて立派なレポートができるだろうな」私は、皮肉っぽく言った。みんな口を閉じたままだ。しばらく続いた沈黙を破るように、私がみんなに声をかけた。「みんな、聞いてくれ。みんなに時間をかけていろいろ意見を出してもらったが、結局は、無意味な分厚いレポートを作るのに無駄な時間をかけるよりもっと始末が悪いかもしれない。どれが一番正しい方法なのかばかりに気をとられていると、別の問題が起こる」

「どういう意味ですか」ルーが怪訝そうに訊ねた。

「みんな、メリーゴーランドは知っているだろう。それと同じだ。会社の組織を作るのに、最初はまず扱う製品ごとに部署を分ける。次に機能別の部署ごとに分け直す。その反対でもいい。今度は、機能が重複した部署が分散してコストがかかりすぎているという理由で、機能の集中化を図る。しかし一〇年後、社員のやる気と起業家精神を掘り起こそうと、また機能を分散する体制に戻す。ほとんどの大企業では、五年から一〇年ぐらいの周期で機能の集中化と分散化を繰り返している」

「そうですね」と、うなずきながらボブが言った。「会社の社長としては、何をどうしたらいいのかわからないときや会社がうまくいっていないとき、組織の再編を試みるのは常ですから」嘲笑しながら、ボブは続けて言った。「これで大丈夫だ。この再編ですべての問題が解決するんだと言っては、満足しているんです」

私たちは、互いの顔を見た。みんなで大笑いしたいところなのだが、ボブの言ったことが当たっているだけに痛い。

「ボブ、笑い話なんかじゃないぞ。新しい本部マネジャーとして何をすべきか、いまの私に思いつくことと言えば組織の再編だけなんだ」

「うーん……」みんな、渋い顔をして唸った。

「いいだろう」そう言いながら、私は再びホワイトボードに向かった。ボードは依然、先ほど描いた図で埋め尽くされたままだ。「何らかの方法でこの図を並び替えるほかに、何かできることはないのか。ここに描いた図形一つひとつすべてに対応することなど無理だ。確認した事実を何らかの方法で分けて分類するのは、最初のステップだ。しかし、ここからはレポートを書いたり会社を再編するのとは別の方法で進めないといけない。でも、とにかく最初はやはり整理することから始めないといけない」

そう言いながらホワイトボードを眺めていると、新たな疑問が頭に浮かんできた。「収集した事実を整理する方法はいくつあるのだろう」

「まず、色別に分ける方法があります」ルーがすぐに答えた。

「大きさでも分けることができます」今度はステーシーが答えた。

「それから形も」ボブは、自分が出した意見を諦め切れないようだ。

「ほかに何か方法はあるかね」私はみんなに訊ねた。

「もちろんです」ルーが、すぐに答えた。「ボード上に縦軸と横軸を引いて、それぞれの図形の座標によって分けることもできます」みんなが怪訝そうな顔をしているのを見て、ルーは続けて言った。「つまり、図形のボード上の位置によって分ければ、いろんな分け方ができるはずです」

それを聞いてボブが、「なんてすばらしいアイディアだ」と皮肉った。「私だったら、ダーツを使うよ。ダーツを投げて、矢が刺さった順に図形を分けていくんだ。どの方法もそれなりに意味がある。ダーツだって役に立つかもしれない」

「みんな、わかった。もういいだろう」私は、口を引き締めて言った。「いま、ボブが言ったことで、私たちが直面している問題がはっきりとわかった。要するに、私たちは自分たちが何をしようとしているのかまったくわかっていないんだ。もし単に図形の分類方法を探して、どれがいいのか決めるだけなら、苦労してデータを集めることに、いったいどんな意味があるんだ。それで、何が得られるっていうんだ。ただ、分厚いレポートを作成してすごいだろと自慢するだけか、あるいは自分たちが何をしているのかわかっていないことを隠すために、会社の組織を再編成することぐらいが関の山だろう。データを収集して事実確認を行ったとしても、何の解決にもならない。無駄な努力以外の何物でもない。みんないいか、もっと別の角度から取り組まないといけない。何かいい考えはないかね」

誰も答えないので、私は言った。「今日はもうこのくらいで十分だろう。この続きは明日だ。この部屋に、同じ時間に集まってくれ」

The Goal
VIII
新たな尺度

35

「さあ、誰か何かいい考えはないか」ミーティングの冒頭、私は努めて明るい声でみんなに向かって言った。だが、心中は明るいどころではなかった。ミーティングの冒頭で何を話したらいいのか、昨晩ずっとベッドの中で考えていたが、結局のところ何もいい言葉は思いつかなかった。

「一つあります」ステーシーが、さっそく手を挙げた。「解決策とまではいかないのですが……」と言いかけたところで、ラルフが「ちょっと待ってください」と割って入った。

ラルフが、人を制してまで発言するなど珍しいことだ。

ラルフは、おずおずと話し始めた。「別の角度から見るのもいいのですが、その前にもう一度昨日の話にちょっと戻ってみたいのですが。データを整理分類しても特に意味がない、というのが昨日の話だったと思いますが、結論を急ぎすぎてはいないでしょうか。少々、私の考えを聞いていただきたいのですが」

「いいわよ」ステーシーは、なぜかほっとした様子だ。

「それでは」と言いながらも、ラルフは落ち着かない様子だ。「みなさんもご存じのとおり……、ご存じない方もいらっしゃるかもしれませんが、私は大学で化学を副専攻しました。化学のことは、実はもうよくわからないのですが、どうも気になることがあって、昨日の夜、大学時代のノートを見直してみたんです。少しは、みなさんの参考になるかもしれないと思いまして。ロシアのメンデレーエフという昔の学者の話なのですが、まだ一五〇年はたっていないと思います」

みんなが自分の話に聞き入り始めたのを見て、ラルフは安心した様子だ。ラルフは、マイホーム・パパで幼い子供が三人いる。だから、人に話を聞かせるのには慣れているのだろう。

「古代ギリシア時代から、自然界のさまざまな物質の裏には元素という基本ユニットがあり、これがすべての物質を構成しているのだと人々は信じていました」

話が進むにつれ、ラルフの声のトーンは次第に低く、そして表情豊かになっていった。

「ただし、ギリシア時代の考え方は単純で、元素は空気、土、水、それから……」そう、ラルフが言ったところで、「火」とボブが補った。

「そうです」ラルフが言った。

なかなかの才能だ。人に話を聞かせるのが実にうまい。ラルフにこんな才能があったなんて、誰も知らなかっただろう。

「しかしその後、土自体は基本元素ではなく、さらに多くの基本的な鉱物によって構成されていることが実証されました。空気も異なる複数の気体によって、また水も酸素と水素という基本元素から構成されていることが明らかにされました。ギリシア時代の仮説に終止符が打たれたのは、一八世紀になってからで、フランス人の学者ラボアジエが、火は物質ではなくプロセス、つまり酸素と結合するプロセスであることを明らかにしたのがきっかけです」

「その後も化学者たちが長い年月をかけて研究を重ねた結果、さらに多くの基本元素が存在することが明らかにされ、一九世紀半ば頃までに六三の元素が確認されました。それが、どうもこのボードに描いた色とりどりの図形に何か類似している点があるような気がするのです。異なる色、大きさの円や四角や星形、それ以外の形もありますが、それらがこのボードを埋め尽くしています。ですが、何の秩序もありません。ただの落書きのようです。多くの化学者たちが、発見された元素をうまく分類する方法はないものかといろいろ試みてみましたが、どれも無益な努力に終わりました。結局、多くの化学者が普遍的な法則を見つけるのは不可能と結論づけ、その後は元素の組み合わせによって、どんな物質ができるのかといった研究に関心が移っていきました」

「なるほど」ボブがつぶやいた。「私は、実用的な考えをする人のほうが好きだな」

「そうだね、ボブ」ラルフが、ボブの顔を見て軽く笑った。「しかし、そのときある教授がこう言ったのです。葉が生い茂っていて、幹が隠れてしまっている木のようだと」

「なるほど」ルーが、感心したように言った。

「それでこのロシア人の教授は、もともとパリで教鞭をとっていたのですが……、元素を司る根本的な整列法則を明らかにすることに打ち込もうと決めたわけです。みなさんだったら、どんな作業から始めますか」

「形は、問題外ね」そう言いながら、ステーシーがボブのほうを横目で見た。

「どうしてだい。どうして、形じゃ駄目なんだ」ボブが、ステーシーの説明を求めた。

「問題外よ」ステーシーは繰り返した。「元素には、気体や液体もあるのよ」

「そうか、そうだな。君の言うとおりだ。だけど、色はどうかな。君は、色がいいんだろ。色のついている気体もあるけど、たとえば塩素は緑色だけど、透明なものもあるじゃないか」

「わかった、わかった」そう言いながら、ラルフは二人の冷やかしを軽くあしらった。「確かに、色がはっきりとしない元素もあります。たとえば純粋な炭素の場合、黒鉛として現れる場合もあれば、光り輝くダイヤモンドの場合もあります」

「私は、ダイヤモンドのほうがいいわ」と、ステーシーが軽く冗談を飛ばした。

みんな、笑っている。ラルフもまいりました、なんとかしてくださいとばかりの手振りだ。私は、これに応えるように言った。「おそらく、数字か何らかの値で示す方法を見つけないといけないだろう。数値によって並べることができれば、主観的な偏見が入る余地がなく誰からも批判されることはないだろう」

「いい考えだね」ラルフが言った。すっかり自分の子供に話し掛けているような口振りだ。「それじゃ、具体的にはどんな方法がいいと思いますか」ラルフが、私に訊ねた。

「私は化学を副専攻したわけでもないし、講座も取らなかったから、わかるわけないじゃないか」私はそう答えたが、ラルフの気を損ねたくはなかったのでフォローするように続けて言った。「でも、比重や電導率などはどうだろう。あるいは酸素など、特定の元素と化合する際に吸収されたり放出されるカロリーみたいな数値を使うのもいいかもしれない」

「悪くはないですね。メンデレーエフも、基本的には同じアプローチを用いました。彼が行ったのは、元素ごとの定量測定です。温度や物質の形状、形態によって左右されることのない定量を用いることにしたのです。彼が用いた定量は原子量と呼ばれるもので、各元素の原子の重量と一番軽い元素、つまり水素の原子の重量の比率を表したものです。この比率を用いて、メンデレーエフは各元素に特定の数値を割り当て、識別することを可能にしたのです」

「すごいな」ボブは、黙って聞いていることができないらしい。「思っていたとおりだ。それでメンデレーエフっていう学者は、兵隊を整列させるように、すべての元素を原子量順に並べることに成功したっていうわけだ。だけど、それがどう役立つっていうんだい。何か、実用的なことがあるのかい。子供がブリキの兵隊を並べて、自分ですごいと思っているのと同じじゃないのか」

「まだ、結論を急がないでください。もし、ここでメンデレーエフがやめていたとしたら、ボブ、君の言うとおりかもしれない。でも、そこからがメンデレーエフのすごいところなんです。彼は、元素を一列に並べはしなかったのです。七つおきの元素の化学特性が基本的に同じで、その反応度が増すことに気づいたのです。それで、彼は元素を七列の表にまとめました。

「その結果、すべての元素は原子量順に表され、またそれぞれの列では化学特性が同じ元素がその反応度順に並んで表されたのです。たとえば、最初の列には金属の中で一番軽いリチウムが表示されていますが、これを水につけると熱を発します。リチウムの次はナトリウムですが、これを水に入れると火がつきます。その次はカリウムですが、水にさらに激しく反応します。同じ列の最後はセシウムですが、これは普通の空気の中でも火がつきます」

「なかなかやるじゃないか。それでもまだ、ただの子供遊びじゃないか。いったい、どんな実用性があるのか教えてくれないか」依然、ボブは挑戦的だ。

「いいでしょう」ラルフが毅然と答えた。「メンデレーエフがこの表を作ったとき、実はまだすべての元素が見つかっていたわけではないんです。そのため、この表にはいくつか抜けているところがあって、メンデレーエフはそれを埋めようと、今度はまだ見つかっていない元素を逆に探すという作業を始めたのです。すごいのは自ら考え出した表をもとに、まだ発見されていない元素の重量や特性を予想したのです」

「当時のほかの科学者たちは、どう思っていたんだ。受け入れてくれたのかね」私は、好奇心から訊ねてみた。「新しく元素を探すなんて、かなり懐疑的に見られたのではないのかね」

「懐疑的どころか、彼はすっかり世間の笑い者になりました。特に彼の作った表が、まだそれほどきれいにまとめられていなかったのも理由です。水素は、まだ表のどの列に納まるのかはっきりしていなかったし、七番目のところが埋まっていない列もいくつかありました。逆に同じところにいくつかの元素が集まっていたりもしました」

「それで、どうなったの」ステーシーも興味津々だ。「彼の予想は当たったの？」

「ええ、それも恐ろしいほどの精度でね」ラルフが答えた。「何年もかかりましたが、彼がまだ生きているうちに予想した元素がすべて見つかりました。最後の元素が見つかったのはメンデレーエフが最初にこの表を作った一六年後でした。彼は灰色の金属と予想していたのですが、まさにそのとおりでした。予想していた原子量は七二でしたが、実際の原子量は七二・六一。密度は予想が五・五、実際は五・三二三でした」

「もう、誰も彼のことを笑ったりはしなかっただろうね」

「ええ、もちろんです。彼に対する周囲の目は尊敬へと変わり、彼の作った表は今日でも化学を勉強する者にとってはバイブルのような存在です」

「それはわかったけど、それでもまだ私たちにどう役に立つのかわからないな」ボブが頑固に言い張った。

「一番のメリットは、おそらくメンデレーエフの作った表のおかげで、時間を無駄にせずに元素探しを効率的に行えたことだろう」少しは何か言わなければと、私はラルフに助け舟を出し、ボブのほうを振り返って言った。「表のおかげで、元素がいくつ存在するのかがわかったんだ。関係のない元素を追加しようとして、せっかく見つけた順番を狂わす必要もないだろう」

私の意見を聞いて、ラルフが咳払いした。「所長、ありがとうございます。ですが、それがちょっと違うんです。彼の作った表が世間に認められてからわずか一〇年後に、新たな元素がいくつか発見されたんです。不活性の気体です。その結果、メンデレーエフの表は本来、七列ではなく八列必要であることがわかったのです」

「私の言ったとおりじゃないですか。多少、役に立ったからと言っても、完全には信用できないんです」ボブが、勝ち誇ったように言った。

「まあ落ち着け、ボブ。ラルフの話にも我々に役立つことがたくさんあるだろう。少しは認めたらどうだ。私たちも色のついた図形をなんとか整理しようといろいろ試みてきたわけだが、それがメンデレーエフの元素の分類方法とどう違うのかみんなで考えてみようじゃないか。私たちと比べてメンデレーエフのは、どうしてそんなに説得力があるのか」

「それは、私たちのは恣意的で、メンデレーエフのは……」と言いかけたところで、ラルフの言葉が詰まった。

「メンデレーエフのは？　恣意的ではない？」ルーが、ラルフの言葉を補った。

「いや、忘れてください」ラルフがつぶやいた。「あまり、いい答えではないようですね。ただ、言葉で遊んでいるだけですから」

「恣意的とか、恣意的でないとか、いったいどういう意味なんだね」私は、たまりかねて質問した。しかし、誰も答えないので、私は続けて言った。「いったい、我々が探し求めているのは何なんだ。見つけた事実を何らかの方法によって整理しようということではないのか。いったい、どんな方法を探しているんだ。恣意的な方法で無理やり事実を整列させようというのか、あるいは事実を整列させるための方法はもともと存在していて、その方法を見つけ出そうというのか」

「所長のおっしゃるとおりです」興奮して、ラルフの声のトーンが上がった。「メンデレーエフの場合は、すでに存在していた法則を見つけ出しました。彼は法則の理由までは明らかにすることはできませんでしたが、それも五〇年後、原子の内部構造が明らかにされたことでわかりました。しかし、法則を見つけ出したのは、やはりメンデレーエフなのです。そこが、彼のすごいところなのです。ほかにもいろいろと分類する方法はあるかもしれませんが、そんな方法は表やグラフを作ってプレゼンテーションすること以外何の役にも立たないのです。言い換えれば、無意味な分厚いレポートを作ることだけが目的なら、どんな方法でもいいということです」

ラルフの熱のこもった説明は、さらに続いた。「どうやって図形を並べるか、私たちはいろいろ意見を出し合ったのですが、でも結局、何ら法則を見つけ出すことはできませんでした。任意に事実を集めただけでは、法則などあり得ないのです。我々の試み自体が恣意的で、無益な努力だったのです」

「ラルフ」冷めた口調で、ルーが呼びかけた。「でも、もし実際に何らかの法則が存在している場合、たとえば我が部門を運営する場合としよう、そういう場合でも気づかずに恣意的で無益な努力だと思い込んでしまうこともあるんじゃないのかな。見せかけやうわべだけの法則に惑わされて、時間を浪費することなんてよくあることだと思うんだ。もっと突っ込んだ話をすれば、みんなはまず事実の収集から始めるべきだと言ったけど、集めた事実を次にどうすべきだと言うんだ。この工場での私の経験から言えば、情報を集めて、それでおしまい――数字や言葉で遊ぶだけだと思う。重要なのはこれからどうするかで、これまでとはどう違う取り組みができるかだと思うんだ。誰か、何かいい考えはないかな」

深く椅子に腰掛けたラルフを見ながら、私は答えた。「もし、この部門全体で起こっていることを順序立てて整理することのできる法則でも発見することができたら、非常に助かるんだが」

「そうですね」ルーが答えた。「でも、どうしたらそんな法則を発見できるのでしょうか」

「もし、偶然にその法則に出合ったとしても、そんなに大事な法則だと、どうしたら気づくことができるのですか」ボブは、相変わらず否定的だ。

ルーはしばらく黙っていたが、何か思いついたのか、また口を開いた。「この問いに答えるためには、きっともっと基本的な質問から始めないといけないと思います。さまざまな事象を司る法則があるとしたら、何がそのような法則を作るんでしょうか。メンデレーエフが取り組んだ元素は、それぞれ全部異なっています。金属もあれば、気体もあります。黄色いのもあれば、黒いものもあります。二つとして同じものはないのです。類似した性質を持つものもありますが、それは所長がボードに任意に描いた図形も同じことです」

その後もみんなの議論は続いたが、私はもう聞いていなかった。ルーの質問が、頭に引っ掛かっていたのだ。「どうしたら、そんな法則を発見できるのか」だ。ルーはあたかも、それが理論上の質問であり、現実的には無理なのだと言わんばかりの問い方だった。しかし、科学者はさまざまな事象の法則を明らかにしてきた。考えてみれば、我らがジョナも科学者だ。

「たとえば、可能だと仮定してみよう」私は突然、みんなの議論に割って入った。「法則を発見するテクニックが存在すると仮定しよう。もし、そんなテクニックを身につけることができたら、鬼に金棒だと思わないかね」

「もちろんです。でも、そんなこと夢です」ルーが答えた。

「それで、今日は何をしていたんだい」今日、一日の出来事を詳しく話した後、今度は、私がジュリーに訊ねた。

「図書館に少し行ってきたの。あなた、ソクラテスが字を書けなかったって知っていた？　ソクラテスの言葉は弟子のプラトンが書き取ったのよ。司書の女性もなかなかいい人で、気に入ったわ。彼女がソクラテスの本を薦めてくれて、それを読み始めたの」

私は、驚きを隠せなかった。「君が哲学書を読んでいるのかい。何のために？　退屈じゃないかい」

ジュリーは、私を睨みつけて言った。「あなた、人を納得させるためにソクラテス流の方法がどうとかこうとか言っていたじゃない。私だって、本当はそんなに興味はなかったんだけど、頑固頭の夫と子供たちに言い聞かせることができるんだったら、哲学書だって喜んで読んでみるわ」

「それで、哲学書を読み始めたっていうのかい」私は、まだ信じられなかった。

「あなた、まるで哲学を読むのが罪みたいな言い方よ」笑いながら、ジュリーがそう言った。「アレックス、いままでにソクラテス読んだことあるの」

「いや」

「悪くないわよ。物語みたいに書かれていてけっこう面白いわ」

「もう、何冊か読んだのかい」

「いいえ、まだ一冊目よ」

「明日、君の意見を聞くのが楽しみだよ」私は、冷やかすように言った。「明日になっても、君がまだ哲学はいいって言うんだったら、僕も読んでみるよ」

「そんなこと、期待できないわね」ジュリーは、私の返事を待つまでもなく立ち上がって言った。「もう、そろそろ寝ましょう」

私も眠くなり、あくびが出た。そして、彼女を追って寝室に向かった。

36

オーダーに何かトラブルがあったようで、ステーシーとボブがまだ来ていないため、ミーティングの開始が少し遅れている。いったいどんなトラブルがあったのか、私は気が気でなかった。以前の問題がぶり返したのか、それともステーシーが心配していたCCR（生産能力制約リソース）が発生したのか。彼女は、売上げが増えることでCCRが発生するのではと心配していた。その売上げはと言えば、予想どおりにゆっくりとではあるが着実に増えている。私は、そんな心配を払拭しようと努めた。資材マネジャーを後任に譲ることで、ステーシーが少し神経質になるのも無理はない。しかし、他人が心配してもしょうがない。私は口を出さず、じっと待つことに決めた。もし大きなトラブルだったら、向こうから私のところに相談に来るだろう。

しかし、これはなかなか手強そうだ。みんな、考えるより実行するのが好きなタイプなので、時間をかけてじっくり法則を探すというのはどうも性に合わない。いくら、もう以前の自分とは違うんだとボブが言い張っても、そう簡単に人の性格が変わるものでもない。

しばらく時間がたち、ようやく全員揃ったところで、私はあらためて懸案の問題についてみんなに再確認した。ここ数か月の成功と同じ経験をもう一度ということであれば、何をやってうまくいったのか一般論として説明できなければいけない。まったく同じ作業を繰り返しても機能するわけはないし、それぞれの工場によって状況もずいぶんと異なるのだ。

手を挙げたのは、ステーシーだけだった。彼女のアイディアはシンプルだ。ジョナが最初に、私たちに「企業の目標とは?」と質問したのにならって、私たちも「我々の目標は?」という質問から始めたらどうかと言うのだ。「我々」とは私たち個人個人ではなく、この会社のマネジャーたちとしてという意味だ。

ステーシーの意見に賛成する者は一人もいない。どうも理論的すぎる。ボブは、退屈らしく大きなあくびをしている。気まずい雰囲気が漂ったので、私はルーに何か意見を出せと目で合図した。

それを察したルーが、微笑みながら言った。「それは、あまり重要だとは思いません。仮に企業の目標がもっとお金を儲けることだとすれば、私たちの目標は会社がその目標を達成できるように努力することだと思います」

「本当にできるんですか」ステーシーが、ルーに詰め寄った。「目標が『もっと』お金を儲けるということである場合、本当にその目標を達成できるんですか」

「君の言いたいことがわかったよ」そう答えたルーは、また微笑んだ。「もちろん上限を設定しないままの目標では、達成は無理でしょう。ステーシー、確かに君の言うことは正しい。私たちがやらなければならないのは、会社を目標に向かって近づけさせることです。一回限りの努力ではなく、私たちは常に目標に向かって努力を続けなければいけない。先ほど私が言ったことをもう一度繰り返させてもらいますが、私たちがすべきことは、継続的改善というプロセスをこの会社でスタートさせることです」ルーは、一語一語を強調するようにそう結論づけた。

ステーシーが、私のほうを振り返って言った。「どう、この問題に取り組んだらいいのかという質問だったと思うのですが、それだったら、いまルーが言ったことから始めてみてはどうでしょう」

「どうやって」ボブが訊ねた。みんな、同じ疑問を持っている。

「わからないわ」ステーシーがあっさりと答えた。ボブの呆れた顔を見て、ステーシーは「別に、それで問題が解決するって言ったわけじゃないわ。ただの提案よ」と、自らを弁護した。

「ありがとう、ステーシー」そう声をかけ、私はみんなのほうを見ながらホワイトボードを指さした。ボードにはまだ図形が描かれたままで、誰も消そうとしない。「いままでの考え方とは、確かに角度を変えた見方だ」

そう私が言った後、しばらく沈黙が続いた。私たちは行き詰まってしまった。ボブの質問どおりだ。どうやっていいのか、皆目見当がつかない。暗い雰囲気を払拭しようと、私はボードの図形を一気に消し、大きな文字で『継続的改善プロセス（A process of on-going improvement）』と書いた。

「何か、コメントは？」私は、みんなに訊ねた。最初に答えたのは、思ったとおりボブだった。

「その言葉には、もううんざりしています。どこに行っても、いつもその言葉を聞かされます」そう言うと、ボブは立ち上がってボードに近寄ると、「け・い・ぞ・く・て・き・か・い・ぜ・ん・プ・ロ・セ・ス」と、まるで先生が小学校一年生の子供たちに話して聞かせるような喋り方でボードに書かれた文字を読み上げた。

ボブは席に戻ると、さらに続けて言った。「忘れようったって、忘れることができない言葉です。ヒルトンから届くメモは、いつもこの言葉だらけです。ところで所長、相変わらずヒルトンからメモがたくさん送られてくるのですが、量は以前より多くなった感じです。紙の無駄遣いですから、なんとかしてくれませんか」

「そのうち言っておくから、とりあえずは我慢してくれ。まあ、いくらこうやって議論しても何もいい考えが浮かばないんだったら、新しい副本部長としてできることはメモの回覧を止めさせるぐらいのことかもしれないな。ボブ、何か思っていることがあるんだったら、もっと話してくれ」

私の言葉に刺激されたのか、ボブはすぐに本心を話し始めた。「我が社の工場はどこでも、これまでにすでに少なくとも四つ、五つの改善プロジェクトを実施しています。ですが、すべて消化不良の状態でうまくいっていません。現場に行って、また新しい改善プロジェクトなどと言えば渋い顔をされるだけです。連中、改善という言葉にアレルギーを持っていますから」

「だったら、どうしたらいいんだ」もっとボブの考えを引き出そうと、私は迫った。

「ここと同じことをほかでもするには……」と言いながら、ボブは椅子の背にゆったりともたれた。「ここでは、改善プロジェクトなどやりませんでした。ただの一つもやっていません。でも、結果を見てください。何も言葉で説明する必要などないじゃありませんか」

「君の言うとおりだ」呼び起こしてしまった火山を抑えるように、私は興奮しているボブをなだめた。「しかし、ボブ、同じことをユニウェア部門全体で行って成功させるためには、この工場でやったこととほかの工場でやっていることがどう違うのか正確に理解する必要がある」

「この工場では改善プロジェクトを一つも行わなかった。それが違いです」ボブが答えた。

「それは、少し違うわ」ステーシーが言った。「現場でも、作業手順や評価方法、品質、各ワークステーションでのプロセス、それに資材投入のやり方も変えたわ。ずいぶんといろんなことを試してきたじゃない」何か言おうとするボブを手で制止しながら、ステーシーは言葉を続けた。「確かに、改善プロジェクトとは呼ばなかったわ。いちいち改善プロジェクトとか名前をつけなかっただけよ」

「それじゃ、ほかの工場ではみんな失敗してきたのに、どうしてここではうまくいったと思うのかね」私は、ステーシーに訊ねた。

「簡単です」ステーシーではなく、ボブが答えた。「彼らはああだこうだと話しているばかりですが、我々は実践しました」

「もっとわかりやすく言ってくれ」私は、ボブに向かって言った。

「ポイントは改善という言葉をどうとらえるか、その違いだと思います」深く考え込むような声で、ステーシーが答えた。

「どういう意味だね」私は訊ねた。

「彼女の言うとおりです」今度は、ルーだ。「結局、どう測るかだと思います」

「経理にとっては、やはり計算がすべてか」ボブの声が、部屋中に響き渡った。

ルーが立ち上がって、部屋の中をゆっくりと歩き始めた。彼がこんなに興奮することは滅多にない。みんな、黙ってルーの様子を眺めていた。しばらくして、ルーがボードに三つの言葉を書いた。

『スループット（THROUGHPUT）』『在庫（INVENTORY）』『作業経費（OPERATING EXPENSE）』

書き終えると、ルーはみんなのほうを振り返って言った。「改善という言葉は、どこへ行ってもコスト削減と同義語だと考えられています。まるで一番重要な評価基準であるかのように、みんな、経費削減に躍起になっています」

「それだけじゃない。以前の我々だって、経費節約にまったく役立たないようなコスト削減ばかりやっていました」ボブが言った。

「そのとおり」ルーが、ボブに向かって言った。「重要なのは、スループットこそが一番重要な評価基準だという考え方に転換したことです。我々にとって、改善とはコスト削減ではなくスループットの向上だったわけです」

「そのとおりだと思います」ステーシーも賛成だ。「ボトルネックの考え方は経費削減を狙ったものではなく、スループットを上げることを中心にしています」

「ということは、何が重要なのかを測る尺度を新しく変えたというわけか」みんなの言ったことを噛み砕くように、私はゆっくりとした口調で言った。

「そのとおりです」ルーが答えた。「これまではコストが一番重要で、スループットはその次、それからずっと距離をおいて三番目が在庫でした。それればかりか、在庫を資産などと考えていました」私のほうを見て、軽く笑いながらルーは続けた。「しかし、私たちのいまの尺度は違います。スループットが一番、次に在庫。在庫はスループットに影響を与えますから。そして、最後に経費です。私たちの結果がそれを証明しています。スループットと在庫は以前と比べて何十パーセントも向上しましたが、経費は二パーセント弱しか減っていません」

「大事なポイントだな。つまり我々は、コスト第一主義からスループット第一主義に変わったということだな」感心しながら、私は言った。

しばらくの沈黙の後、私は続けて言った。「そうなると、もう一つ問題が出てくる。評価の尺度をコストからスループットに変えるということは、明らかにカルチャーの転換だ。実際、私たちもそうだったじゃないか。カルチャーがすっかり変わった。だが、どうやったら部門全体のカルチャーを変えることができるのだろうか」

私は、コーヒーをもう一杯注いだ。ボブもおかわりをしている。「所長、まだ何か足りない気がします。この問題に対するアプローチの仕方が、なぜか違うような気がするのですが」

「どういうふうにだね」

「わかりません。一つ確かなのは、改善プロジェクトと銘打って特に何かをやったことはないということです。すべて必要があって実施してきたことばかりです。なぜかいつも、次のステップが何であるべきなのか明らかだったような気がします」

「そうだな」

その後、私たちは長い時間をかけてこれまでに行ってきた事柄を一つひとつ挙げ、新しい尺度に照らして考えてみた。ボブはしばらくじっと黙り込んでいたが、突然何を思いついたのか大きな声で叫んだ。

「わかったぞ。そうか、これだ」

ボブはホワイトボードに近づくと、マーカーを手にとり「改善」という文字を大きな円で囲んだ。「継続的改善プロセス」ボブは、大きな声でゆっくりとボードに書かれている言葉を読み上げた。「ルーが評価基準がどうとかこうとか言っていたので、『改善』という二文字ばかりに注意を引かれていましたが、本当に重要なのは最後の四文字、つまり『プロセス』なんです」そう言いながら、ボブはプロセスという文字の周囲に何重もの円を描いた。

「ルーが評価基準にこだわっていると言うなら、君はプロセスにこだわっているようだな。君のこだわりが役に立つといいんだが」多少苛立ちながら、私はそう言った。

「絶対です、所長。私たちのやり方は、これまでとは違います。単に尺度の問題ではありません」

ボブは自分の席に戻ったが、まだ顔は紅潮したままだった。

「もう少し詳しく説明してくれないかしら」ステーシーが、柔和な声で言った。

「まだ、わからないのかい」驚いたような表情で、ボブが答えた。

「誰もわかっていないと思うけど」確かにボブ以外みんな、困惑した顔をしている。

ボブはみんなの顔を見回し、本当に誰もわかっていないことに気づくと言った。「プロセスとは何なのか。そのぐらい、みんな知っていると思う。連続した一連のステップだ。違うかな」

「ああ……」

「だったら、私たちが行わなければならないプロセスとはいったい何なのか、誰か教えてくれないか。私たちの『継続的改善プロセス』のプロセスとは、いったい何なのか。改善プロジェクトをいくつか打ち上げるのがプロセスなのか。この工場では、そんなことはしなかった。私たちは、ある一定のプロセスを実行したんだ」

「彼の言うとおりです」静かな声でラルフが言った。

私は立ち上がり、ボブに近寄って彼の手を握った。他のみんなもボブに向かって微笑んでいる。

「それじゃ、どんなプロセスを行ったのですか」ルーが立ち上がって訊ねた。

ボブは、少し考えてからゆっくりと答えた。「わかりません。でも、何らかのプロセスに従ったことは確かだ」

「みんなで探してみようじゃないか」そう言って、私はボブに助け船を出した。「もし何らかのプロセスに従ったとするならば、見つけるのにそう苦労するはずはない。まず最初に何をしたのか、考えてみよう」

先陣を切って答えたのは、ラルフだった。「この二つは関連していると思います」

「この二つ?」

「コスト第一主義で、一番の心配事はコストでした。至るところでコストが発生し、何をするにしてもコストがかかりました。自分たちの複雑な組織が、あたかも相互関連する多くの要素で構成され、その一つひとつの要素すべてをコントロールしなければいけないのだと考えていました」

「要点を言ってくれないか」ボブが、ラルフを急かした。

「慌てないで、ラルフの話を聞きましょう」ステーシーは余裕の表情だ。

ラルフは二人の言葉を無視し、落ち着いた口調で続けた。「鎖を重さによって量るようなものです。一本の鎖においては一つひとつの輪すべてが重要です。その輪が一つひとつずいぶん異なるような場合は、20/80(トゥエンティ・エイティ)ルールの原理を用います。つまり二〇パーセントの変数が、八〇パーセントの結果を左右するということです。この原理に従えば、ルーの言っていること、つまりどれだけ我々がコスト第一主義に浸っていたのかがわかります」

ボブは相変わらず何を言っているのかわからないといった表情で、また何か言いたそうだ。それをステーシーが手で口を塞ぐように制止すると、ラルフが続けた。

「物差しを変えなければいけないことはわかりました。スループットが一番重要な尺度なのです。でも、どこでそれを行ったらいいのでしょうか。一つひとつの輪においてなのか、いいえ違います。一本の鎖の一番最後、つまり最後の生産工程においてスループットを向上させなければ意味がありません。ボブ、つまりスループットを一番の尺度にするということは、鎖全体の重さではなく、その強度を測るということなんだよ」

「何を言いたいのか、さっぱりわからないよ」ボブは答えた。

それでも、ラルフは諦めない。「鎖の強度を決めるのは何だと思う」ラルフが、ボブに向かって訊ねた。

「一番弱い輪じゃないか」

「ということは、鎖の強度を高めるために最初に何をしなければいけない」

「一番弱い個所を見つけることだ。ボトルネックを探すことだよ」そう言いながら、ボブがラルフの背をポンと叩いた。「そうか、わかったぞ。さすがだな、ラルフ」と言いながら、ボブはもう一度ラルフの背を叩いた。

そう言われて、ラルフは少しはにかんだが、その顔は紅潮していた。みんな同じように興奮した表情をしている。

その後は、話は簡単だった。比較的スムーズに進んだ。一連のプロセスをボードに書くには、そう時間はかからなかった。

［ステップ1］　ボトルネックを見つける。

（熱処理とＮＣＸ-10が、この工場のボトルネックであることを突き止めるのには、結局そう時間はかからなかった）

［ステップ2］　ボトルネックをどう活用するか決める。

（これは、なかなか面白かった。ボトルネックでは昼の休憩もとってはいけないなど、いろいろなことに気づいた）

［ステップ3］　他のすべてをステップ2の決定に従わせる。

（すべてを制約条件のペースに合わせる。赤い札や緑の札などを使った）

［ステップ４］　ボトルネックの能力を高める。

（旧型の機械を持ち込んで、わざわざ効率の下がるような生産方法も取り入れた）

［ステップ５］　ステップ４でボトルネックが解消したら、［ステップ１］に戻る。

私はボードをじっと眺めた。ずいぶんとシンプルな図式だ。簡単で当たり前のことではないか。初めて思ったわけではないが、どうしてもっと早くこれに気づかなかったのだろう。そう頭の中で考えていると、ステーシーの声が聞こえた。

「ボブの言うとおりだと思います。確かにいまここに書いたプロセスを私たちは実行してきました。そして、そのプロセスを何度も繰り返しました。ボトルネックの性質も最初と比べるとずいぶん変わりました」

「ボトルネックの性質が変わったとは、どういう意味だね」私は訊ねた。

「ボトルネックが機械だったのがまったく異なるもの、たとえば市場の需要が足りないとか、そういったまったく性質の異なるものに変わったという意味です。この五つのステップを一回りするたびにボトルネックの性質は変わりました。最初、ボトルネックは熱処理とＮＣＸ‐10でした。次に資材の投入システム。ジョナ先生がここに最後にやって来たときのこと覚えていますか。その次は、市場と次々に姿を変えました。そして次は、おそらくまた製造工程に戻って来ると思います」

「君の言うとおりだ。しかし、市場や資材の投入システムをボトルネックと呼ぶのは少し変だな。呼び方を変えてみたらどうだ。たとえば……」そう私が言いかけたところで、ステーシーが言った。

「制約条件？」

早速、私はステーシーの提案を採用して、ボードに書かれたボトルネックという文字を制約条件と書き直した。それからしばらくの間、私たちはみんな黙ってボードを眺めながら、これまでの作業の成果をじっと噛みしめていた。

「この勢いを失わないようにするには、どうしたらいいと思う?」私は、ジュリーにそう訊ねた。

「まだ、満足していないの? どうして、そんなに頑張らないといけないの。苦労して、やっと五つのステップを見つけたんでしょ。今日は、それで十分じゃないの」ジュリーが言った。

「もちろん、それで十分さ。十分すぎるよ。みんなが探していたプロセスが見つかったんだ。継続的改善を組織的に推進する方法を見つけたんだ。自分で言うのもなんだが、大したもんだよ。でもジュリー、僕の言っているのは別のことなんだ。どうやったら、継続して工場を速いペースで改善できるかってことなんだ」

「何か問題でもあるの。すべて順風満帆に進んでいるとばかり思っていたけど」

私は、ため息をつきながら言った。「そうとも言い切れないんだ。もしこれ以上オーダーが増えると新たなボトルネックが発生する危険があって、そうなったら、また以前の悪夢に逆戻りの可能性もあるから、思い切ってオーダーをもっと取ってくることができないんだ。でもだからといって、人をもっと雇ってくれとかもっと機械を入れてくれとは、まだ言えるような状況ではないんだ」

「まったく、せっかちな人ね」笑いながらジュリーが言った。「もっと、お金が儲かって投資できるぐらいのお金ができるまで座って待っていたら。とにかく、それはもうあなたが心配することじゃないわ。今度は、ボブの責任でしょ」

「君の言うとおりかもしれないな」そう言いながらも、私はまだ釈然としなかった。

37

「何か違います。まだ、何かが足りません」ようやく一息できるかと思ったところで、ラルフが言い出した。

「何が?」ボブがむきになった。やっと探し当てた答えを否定されるのを阻止しようという気構えらしい。

「仮にステップ3が正しいとすれば……つまり、もし他のすべてを制約条件に基づく決定に従わせるとすれば……」ラルフは、ゆったりとした口調だ。

「ラルフ、もったいぶらないで早く言ってくれ」ボブが言った。「制約条件に従わせればどうなるっていうんだ。非制約条件を制約条件のペースに合わせることに、何か疑問でもあるというのかい。君の作ったスケジュール表にしても、ボトルネックに合わせるためにコンピュータで作ったんじゃないか」

「それについては、何も疑問はないんですが……」ラルフは、弁解するような口調だ。「ただ、制約条件の性質が変わった場合は、非制約条件の扱い方が変わって然るべきだと思うんです」

「それはそうね」ステーシーがうなずいている。「それで、何が気になっているの」

「私たちが非制約条件の扱い方を特に変えたとは、私の記憶にはないのです」

「確かに、私も覚えていない」ボブが低い声で言った。

「そのとおり。何もしなかった」しばらく間をおいてから確認するように私も言った。

「扱い方を変えるべきだったのか……」ボブが、深く考え込みながらつぶやいた。

「確かめてみようじゃないか。最初に、制約条件が変わったのはいつだったかな」私は言った。

「緑の札の部品が、組立ラインに運ばれてくるのが遅くなり始めたときです」ステーシーがすぐに答えた。

「新しいボトルネックが発生していたらどうしようかと心配したのを覚えていますか」

「ああ、覚えている」私は答えた。「だが、ジョナが来てくれて、ボトルネックじゃないと教えてくれた。新しい制約条件は、資材の投入方法にあると教えてくれた」

「あのときは、ガーンと頭を殴られたような気分だったのを覚えています」ボブが言った。「作業員が何もすることもなくぶらぶらしているのに、資材の投入を抑えるなんて、そのときは信じられませんでした」

「効率が落ち込むのではないかと、ずいぶんと心配しました」ルーが言った。「でもいま考えると、よくあんなことを実行する勇気がありましたね」

「理にかなっていたからだよ」私は答えた。「私たちの考えが正しかったことを結果が証明してくれたじゃないか。その意味では、少なくともすべての非制約条件に対して、何らかの影響を及ぼしたと考えてもいいのじゃないか。それで話を先に進めてもいいかな、ラルフ」

ラルフは、黙ったままだ。

「まだ、何か気になることでもあるのか」返事をしないラルフに、私は訊ねた。

「ええ。ですけど、それが何なのか自分でもよくわからないのです」

私は、考え込むラルフをじっと待った。

しびれを切らしたステーシーが、ラルフに向かって言った。「いったい、何が問題なの。あなたとボブと私の三人で制約条件のリストを作って、それに基づいて、あなたが資材の投入スケジュールをコンピュータで計算して出してくれたじゃない。コンピュータを非制約条件と考えることができるなら、非制約条件の扱い方はちゃんと変えたはずよ」

ラルフが、苦々しく笑った。

ステーシーの話はまだ続いた。「それから、私は部下全員にコンピュータのリストに従って作業するよう指示したわ。いままでのやり方からすれば、大きな変化よ。それまでは資材がいつも供給されていて、遊び時間を作らないようプレッシャーを常に与えられていたわけだから」

「でも一番衝撃的だったのは、やっぱり作業現場だろうな。常時作業してはいけないなんて、みんな最初は理解できなかったよ。みんないつクビにされるか、いつもびくついていたから」

「そうですね。特に気にするようなこともなさそうですね」みんなの話を聞いて、ラルフが諦めるように言った。

「あれは、どうしたんだったかな。赤と緑の札だよ」ルーが切り出した。

「特に何も」ステーシーが返事した。「特にしなければいけないことは、なかったと思うけど」

「ありがとう、ルー」ラルフが突然、ルーに礼を言った。「やっと、わかった。私の頭に引っかかっていたのはそのことなんだ」そう言うと、ラルフはステーシーのほうを振り返り続けて言った。「もともと、どうしてあの札を使い始めたのか覚えてるかい。優先順位をはっきりさせるためだったじゃないか。作業員一人ひとりに、どの仕事が重要で最初に取り掛からなければいけないのか、どの仕事なら多少待たせてもいいのかを知らせるためだった」

「ええ。そう、それが目的だったわ。なるほど、あなたの言いたいことがなんとなくわかってきたわ。以前は、暇な時間を作らないのが目的で資材を次々に現場に投入していたけど、いまはそうじゃなくて必要な資材しか投入しないから、重要度から言えば投入する資材はすべて同じということになるわね。ちょっと、考えさせて」そう言うと、ステーシーはじっと考え込んだ。

　みんなも同じように考え込んでいる。

「まいったわ……」急にステーシーがぼやき声をあげた。

「どうしたんだ」ボブが訊ねた。

「あの赤と緑の札だけど、とんでもない勘違いをしていたわ」

「勘違い？」ボブが、ステーシーの答えを催促した。

「自分が情けないわ」と、ステーシーは悪びれた顔をしている。「ＣＣＲがあるからうまくいかないとか、いろいろ好きなことばかり言っていて、果てはオーダーを取りすぎないようになんてことまで言っていたくせに、この自分が問題の原因を作っていたなんて……」

「おいおい、それじゃわからないよ。ちゃんと説明してくれないか」私は、ステーシーに説明を求めた。

「ええ」そう言うと、ステーシーはゆっくりと説明を始めた。「あの二つの札ですが、どういうときに役立ちますか？　ワークセンターに部品が溜まっていて、どの部品から作業に取り掛かったらいいのかわからないときですよね。そういうときは、まず赤い札が貼られている部品から始める」

「ああ、そうだ。それで？」

「それで、部品が一番多く溜まるのはボトルネックのところですが、しかしよく考えてみると、ボトルネックではこの札は実は意味がないんです。ボトルネック以外の場所で部品がよく溜まるのはＣＣＲですが、ここではボトルネックに行く赤い札の部品の処理もしますが、緑の札の部品も処理します。数で言ったら、赤い札より多いはずです。それから、ボトルネックを通過せずに直接組立ラインに流れる部品も処理しています。いま現在、このCCRでは赤い札を先に処理させていて、その結果、当然のことながら緑の札の部品が組立ラインに到着するのは遅れます。しかし、そうした事態が起きるまで、つまり組立ラインのところで大きな穴が開くまでは気がつかないというのが現状です。それから慌てて、問題のワークセンターに行って優先順位を変えるわけです。要するに、その時点になって初めて緑の札の優先度を上げるわけです」

「つまり君が言いたいのは、札がないほうがうまくいくってことかい」ボブはそう質問しながら、驚きを隠せないようだ。

「そう、そのとおりよ。札をなくして運ばれてきた順に部品を処理していけば、必要な部品が順番どおりに出来上がって、組立ラインの穴も減るって仕組みよ。そうすれば、穴が開いてからわざわざどこに部品が詰まっているのか探さなくてもすむし……」

「ワークセンターでも、いちいち優先順位を入れ替えたりする必要もなくなる」ボブが、ステーシーの言葉を補った。

「ステーシー、確かなのか。CCRの問題は、それで解決できるんだな。それじゃ、もっとオーダーを取ってきても大丈夫なんだな」私は、確かめるようにステーシーに訊ねた。

「大丈夫だと思います」ステーシーは、即座に答えた。「ボトルネックのバッファーにはほとんど穴が開かないのに、組立てのバッファーの穴がだんだん増えていくのがどうしてもわからなかったのですが、これでちゃんと説明がつきます。ところで、いまのうちに注意しておきたいのですが、穴がだんだん増えているということは、いますぐではないにしても、いずれ生産能力が不足するということだと思います。札は、すぐに私のほうでなんとかしておきます。明日の朝までには、全部撤去しておきますから」

「なかなか生産的なディスカッションができたじゃないか」一段落ついたところで、私は間をとった。

「では、話を先に進めよう。二つ目の制約条件だが、いつ起こったのかな」

「納期より、かなり早めに出荷できるようになり始めたときだと思います」ボブが答えた。「納期より二週間も三週間も早く出荷できるようになったわけですが、これは制約条件がもはや工場ではなく市場にあるということを表しています。十分なオーダーがないために、より多くの利益を上げることが阻止されたわけです」

「そのとおりだ」ルーも、ボブの意見に賛成だ。「みんな、どう思う。私たちは、非制約条件に対して何かそれまでとは異なることをしたのかな」

「私は、していない」ボブが言った。

「私も、特に……」ラルフも否定した。「いや、ちょっと待ってください。もし、熱処理とNCX-10がもはや制約条件でないのだとしたら、どうしてその後も続けてこの二つのペースに合わせて資材を投入していたのですか」

みんな、互いに顔を見合わせた。本当だ。どうしてだろう。

「それだけじゃない。私のコンピュータによると、この二つのワークセンターの負荷は常に一〇〇パーセント、つまりずっと制約条件だったのはどうしてなんですか」

私は、視線をステーシーに向けた。「どういうことなのか、わかるかね」

「ええ、わかると思います」彼女は、気まずそうに答えた。「どうやら、今日の私には運がなさそうです」

「それと、完成品の在庫が思ったほど減らないのがずっと気になっていたんだが、それはどうなんだ」私は訊ねた。

「誰か、私に説明してくれないか」まだ、状況がのみ込めていないボブは苛立ちを隠せない。

「ステーシー、説明してやったらどうだ」私は言った。

「みんな、そんな目で私を見ないでよ。ずっと長い間いつも完成品の在庫の山に囲まれていたら、誰だって同じことするでしょ」

「同じこと？　頼むから、ちゃんと説明してくれないか」ボブは苛立っている。

「ボトルネックを常に働かせておくことがどんなに重要かは、みんなもうわかっていることだけど、覚えている？　ボトルネックで失った一時間は、工場全体で失った一時間に等しいということ。だから、ボトルネックの負荷が下がったときに、倉庫に多少寝かせてもいいから完成品の在庫を増やしておこうと思って、オーダーを入れたの。馬鹿なことしたわ。以前は、何か月分もの在庫が溜まっている製品があったり、逆に全然在庫がない製品もあったわ。いまは完成品の在庫がどれも、だいたい六週間分ぐらいでバランスがとれているから、それがせめてもの救いだけど」

「悪くないな」ルーが言った。「それぐらいだったら、すぐに減らすことができます。所長、でも気をつけてください。あまり急に、減らしすぎないようにしてください。急に減らしすぎたらどうなるか、結果も頭に入れておかないと」

今度は、ステーシーの顔が曇った。「どういうことです？　どうして、早く減らしてはいけないの？」

彼女が訊ねた。

「気にするな」私は答えた。「後で、ルーに説明してもらうから。いまは、この五段階のステップをもう一度検討し直してみよう。ラルフが何かがまだ足りないと言っていたが、みんなもその意味はもうわかっただろう」

「私に直させてください」そう静かな声で言うと、ステーシーはホワイトボードに向かった。ステーシーが席に戻るとボードの五つのステップは次のように書き直されていた。

［ステップ1］　制約条件を「見つける」。
［ステップ2］　制約条件をどう「活用する」か決める。
［ステップ3］　他のすべてを［ステップ2］の決定に「従わせる」。
［ステップ4］　制約条件の能力を高める。
［ステップ5］　「警告!!」ここまでのステップでボトルネックが解消したら、［ステップ1］に戻る。ただし、「惰性」を原因とする制約条件を発生させてはならない。

「最悪だ」ボードをじっと眺めていたルーがつぶやいた。

「反対じゃないのか」私は、ルーの言葉に驚いた。「私は、なかなかだと思うがね」

ルーと私は、顔を見合わせた。「君から言いたまえ。どうして、最悪なのかね」私はルーに訊ねた。

「私の唯一のガイドラインがなくなったからです」

誰もルーの言葉の意味がわからない。みんなの様子に気づいたルーは説明を始めた。「これまでいろいろ変えてみたり、ルールをことごとく破ってきましたが、全部に共通していることが一つあります。すべて、コスト会計をベースにしていたことです。各ワークセンター単位の効率、最適バッチサイズ、製品コスト、在庫評価――これらはすべて同じ考え方からきています。それに対して、私も以前は特に問題を感じていませんでした。ただし、経理マンとして長年、コスト会計の有効性について多少の疑問を感じていたのも事実です。コスト会計が始まったのも二〇世紀の初めのことですから。当時は、状況もいまとはずいぶんと違っていたはずです。事実、『コスト会計を基準にしているものなら間違っている』というガイドラインを判断基準にしてもいいのではないかと、私自身考え始めていたところですから」

「なかなか、いいガイドラインじゃないか」そう言いながら、私は微笑んだ。「しかし、問題の核心は何なんだね」

「わかりませんか？　問題はもっと大きいんです。コスト会計だけの話ではありません。赤や緑の札を使ったのは、コスト会計が理由ではありません。ボトルネックの重要性に気づいたからです。ステーシーが完成品のオーダーを無理やり入れたのも、その考えがあったからです。ボトルネックの生産性を無駄にしてはいけないと思ったからです。惰性が生じることなど、まだずいぶん先の話だと思っていましたが、こうして一か月もしないで惰性が発生することがわかったわけです」

「そうだな、君の言うとおりだ」私は、渋い顔で言った。「制約条件が新しく発生するということは、もうその時点で状況が変わっているのだから、それまでの状況や経験を当てにしてはいけないということになるわけだ」

「制約条件の能力を高めるためにもいろいろやりましたが、それだってもう一度よく見直したほうがいいかもしれません」ステーシーが付け足した。

「でも、どうやったらいいんだ」ボブが訊ねた。「ひとつ、事あるごとに見直すなんてことは不可能だ」

「やっぱり、まだ何かが足りないんだ」またラルフが言った。

彼の言うとおり、確かにまだ何かが欠けている。

「所長、今度は所長の番です」ルーが言った。

「私の番？」

「どうして、なかなかだと思ったのですか」

私は、ニヤッと笑った。少しは、前向きな話も必要だろう。

「みんな、これまでずいぶん頑張ってきたが、どうもここで行き詰まってしまったようだ。何が原因でもう一つハードルを越えられないのかわかるかね。十分な生産能力がないと考えているからなんだ。しかし実は、そうでないかもしれない。生産能力は、実はまだ余っているかもしれないんだ」

いったい、どのくらいの生産能力が余っているのだろうか。

「ステーシー、熱処理とNCX-10に現在入っている仕事のうち、君が入れた架空のオーダーによるのは何パーセントくらいだね」私は訊ねた。

「二〇パーセントぐらいです」ステーシーが、重い声で答えた。

「すごいじゃないか」そう言いながら、私は合わせた手を揉んだ。「どうやら、もっとオーダーを取ってくるのに十分な生産能力は余っていそうだな。明日朝に本部に出向いて、ジョニーと膝を合わせて話をしてくる。ルー、君には一緒に来てもらわないと困る。それからラルフ、君も一緒に来てくれないか。コンピュータを忘れないで持って行くんだ。連中にいいものを見せてやろう」

38

朝六時、ルーとラルフを工場でピックアップした。彼らの家まで迎えに行ってもよかったが、そのためには五時過ぎに家を出なければならない。そこで、工場で待ち合わせることにしたのだった。本部での用件は二、三時間ですむだろうから、午後には工場に戻れるはずだ。

クルマの中は静かだった。後部シートに陣取ったラルフは、持参したノートパソコンで準備に余念がない。ルーは、まだベッドの中にでもいるかのような様子だ。私はクルマをオートクルーズで走らせながら、ジョニーとの会話を頭の中で想定した。もっとオーダーを回してくれるよう、なんとか彼を説得しなければいけないからだ。

昨日のミーティングでは、自分たちの工場に余剰能力があとどの程度残っているのか、都合のいい結論を出した。だが、そんなことは奇跡を求めるようなものではないか、と多少の不安が頭をよぎった。

頭の中では、数字を並べての確認作業だ。余っている生産能力を埋めるには、かなりの仕事が必要だ。そんな大量のオーダーを、ジョニーがおいそれとすぐに回してくれることを期待することなど現実的ではない。

熱心に仕事をくださいと懇願しても無駄なのだ。もっと別の革新的なアイディアが必要だ。しかし、いまのところまだ何もいい考えは浮かばない。ジョニーが何か賢いアイディアを思いついてくれるよう、祈るしかないのか。彼こそ営業のプロなのだから。

「ディック・パッシュキー君だ」小さな会議室に入るなり、ジョニーが連れてきた男を紹介した。「彼は、私の部下の中でもピカ一だ。仕事熱心だし、プロ意識も高い。それに、何より新しいアイディアが豊富だ。知っておいて損はない男だから、同席させてもかまわないかい」

「ぜひ、そうしてくれ。新しいアイディアは大歓迎だ。君には、もっと仕事をうちの工場に回してもらおうと思っていたところだからね。それも一〇〇〇万ドル分の仕事をね」

ジョニーは吹き出した。「おいおい、冗談はやめてくれよ。まったく、君たち工場の連中は冗談がきついよ。ディック、言っただろ、工場のマネジャーとつき合うのは楽じゃないって。価格を一〇パーセント上げるのを客に納得してもらってくれと言ってくる奴もいれば、在庫で眠っているガラクタを値引きなしで客に売り払ってくれと頼み込んでくる奴もいる。しかし、君のは最高だ。一〇〇〇万ドルとはね、まいったな」

ジョニーはまだ笑っている。だが、私は真剣だ。

「ジョニー、笑うのはやめてくれ。もっと仕事を取ってきてくれないか。一〇〇〇万ドル分の仕事だ」

ようやくジョニーは笑うのをやめ、私の顔を見た。「本気なのか、アレックス。いったい、何があったんだ。そんな簡単に仕事を取って来れないことぐらいは、君にだってわかってるだろ。みんなで仕事の取り合いなんだ。どんな小さな仕事でさえ、みんな血眼になって争っているというのに、一〇〇〇万ドル分の仕事だって？」

私は、すぐには答えなかった。ゆっくりと椅子にもたれてジョニーの目を真っ直ぐ見つめ、しばらく間をおいてから言った。「ジョニー聞いてくれ。私の工場が改善したことは知っているだろう。しかし、実際どの程度改善したかはわかっていないと思う。いまだったら、どんな物でも二週間以内に出荷することができるんだ。納期に遅れないことは、すでにもう実証済みだ。一日だって遅れることはない。品質も改善した。業界一の自信はある。対応は早いし、納品も早い。それに何より、信頼度が高い。これは、営業トークでも何でもない。紛れもない事実なんだ」

「アレックス、それはわかっている。お客さんから、よく話を聞かせてもらっているよ。一番信用のできる情報源だ。だからといって、すぐに仕事を取ってこられるわけじゃないんだ。営業には、時間がかかる。信用は、一晩で築かれるわけじゃない。少しずつ築いていかなければならない。君のところへは少しずつだが仕事を増やせるよう、こっちも頑張るから、不満は言わないでくれないか。奇跡を起こしてくれと無理を言われても、無理なものは無理だ。いまはもう少し我慢してくれ」

「まだ生産能力が、二〇パーセントも余っているんだ……」そう、私は言い捨てジョニーの反応を待った。

しかし、彼が何も言わないところをみると、よくその意味がわかっていないようだ。

「あと二〇パーセント分の仕事が必要なんだよ」私は言葉を言い換えた。

「アレックス。オーダーなんてものは、リンゴみたいに木にぶら下がっているわけではないんだ。行って、すぐに摘んでくるっていうわけにはいかないんだよ」

「品質基準が高すぎたり、納期があまりにも短いとか、何か別の理由で断っている仕事だってあるだろう。そういうオーダーでいいから、回してもらえないか」

「どんなに不景気か、まだよくわかっていないようだな」ジョニーは、そう言いながらため息をついた。

「いまは、どんなオーダーでも受けるようにしている。後で大変な思いをすることはわかっていても、そうするしかないんだ」

「競争が厳しいうえに景気がそんなに悪いのなら、客からは価格を下げてくれと圧力がかかっているのでは」二人の会話を聞いていたルーが、静かな声で言った。

「圧力なんて、生易しいものじゃないよ。脅しと言ったほうがいいかもしれないな。ここだけの話だが、マージンがほとんどないのに無理やり仕事を引き受けさせられることだってあるんだ」

ジョニーの話を聞いていた私は、長いトンネルの先に一筋の明かりが見えたような気がした。

「ジョニー、コストより低い価格を求められることは?」

「しょっちゅうだ」

「そんなときは、どうするんだい」

「どうするだって? 何ができるって言うんだい」そう、言いながらジョニーは笑った。「できるだけの説明はするけど、わかってくれる客は少ない」

私は、息を大きくのみ込んで言った。「コスト割れでも一〇パーセントぐらいだったら、いつでも引き受けることができる」

ジョニーは黙っている。彼ら営業の連中のボーナスは、どれだけ仕事を取ってきたかによって決まる。こんなにうまい話はないはずだ。だが、ようやく口を開いたジョニーは「やめておこう」とだけ言った。

「どうして」

彼は答えない。私は、「どうして駄目なんだ」と繰り返し訊ねた。

「馬鹿げている。そんなの、儲かるわけがないからだ」冷めた声でそう言ったかと思うと、今度は柔らかい口調でジョニーが続けた。「アレックス。どんなトリックを考えているのか知らないが、いずれすぐにそんなのは化けの皮が剥がれるに決まっている。そんな無理をして、自分の将来を台無しにしたいのか。これまでの君の働きは、とにかくすごかった。どうして、ここでそんな無理をして、すべて無にするようなことをする必要があるんだ。それに一社でも価格を下げたら、すぐに他の客にも知れ渡って、同じことを要求されるに決まっている。そうしたら、どうするんだ」

確かに、彼の言うとおりだ。結局のところ、トンネルの先の光は出口ではなく、対向して走ってくるただの電車だったのかもしれない。

しかし、意外なところから助けが入った。

「ジャングラーは、うちのお得意の客とはつながっていません」ディックが、ためらうように言った。「それに、彼のところからのオーダーはいつも量がかなり大きいので、ボリューム・ディスカウントという理由であれば通ると思いますが」

「駄目だ」ジョニーが声を荒げた。「奴は、いつも無理なことばかり言ってくる。ただで、もらうつもりでいるんだ。フランスまでの輸送費を、こっちで持てなんてことまで平気で言いやがる」

ジョニーが、私のほうを振り返って言った。「あのフランス野郎は、ただの高慢ちきさ。信じられないくらいのね。三か月かけて交渉して、やっとすべての条件で合意したんだ。もちろん想像できるすべての技術資料を求められた。それも一つ、二つの製品じゃない。全製品のだ。その間、価格のことは何も言っていなかったのに、二日前すべてがようやく合意された段階になって、価格が高すぎる、これがうちのカウンターオファーだと言ってファックスを送りつけてきやがった。一〇パーセント、量を考えたら一五パーセントぐらいのディスカウントなら仕方ないと思っていたら、とんでもない。まったく何を考えているのか、頭の構造がいったいどうなっているんだか。たとえば、アレックス、例の12型モデルだが、うちの正規価格は九九二ドルで、バーンサイドには八二七ドルで売った。何しろ、彼のところは超大手の客だし、買ってくれる数量も多い。それなのにあのフランス野郎ときたら、七〇一ドルで売れと言ってくるんだ。信じられるか。七〇一ドルだ。これで、わかっただろう」

私は、ラルフのほうを振り返った。「12型モデルの、うちのコストはいくらだ」

「三三四ドル七セントです」ルーは、ためらうことなく即座に答えた。

「ジョニー、このオーダーを受けても、国内のほかの客には絶対影響が出ないのは確かなんだな」

「自分たちから口にしなければ、ばれることはまずないだろう。ディックの言うとおりだ。ほかの客とはつながっていないから影響はない。だが、いずれにしても馬鹿げている。こんなことで、時間を無駄にするのはやめよう」

私は、ルーの顔を見た。ルーは、うなずいている。

「うちで引き受けよう」私は、言った。

ジョニーが黙ったままなので、私は繰り返して言った。「うちで引き受けさせてもらうよ」

「いったい、どういうことなのか説明してくれないか」ようやく口を開いたジョニーは、歯ぎしりするような言い方だ。

「簡単なことだよ。生産能力がまだ余っているって言っただろ。このオーダーを引き受けても、出て行くコストは材料費だけなんだ。七〇一ドルもらって、三三四ドル払う。差し引き三七八ドルが、製品一台当たりの儲けになるわけだ」

「いえ、三六六ドル九三セントです。それから運送費も差し引かないといけません」ルーが正してくれた。

「ありがとう。ジョニー、フランスまでの空輸費はいくらかかるんだ」

「はっきりとは覚えていないが、三〇ドルはかからないと思う」

「取引条件をもっと詳しく教えてくれないか」私は訊ねた。「特に製品名と一か月当たりの数量、それに価格も知りたい」

ジョニーは長々と私の顔を見つめた後、ディックに言った。「資料を持ってきてくれ」

ディックが部屋を出て行くと、ジョニーは困惑した声で言った。「私には理解できない。国内価格よりずっと低い価格でヨーロッパで売ろうって言うのかい。それも製造コストより低い価格で。それなのに儲かるって言うのは、どういうことなんだ。ルー、君は経理課長だが、それで納得しているのか」

「はい」ルーは答えた。

ジョニーがあまりに渋い顔をしているので、ルーが説明を始める前に私が割って入った。製品コストの概念は誤った考え方だと数字を使って説明しても、ジョニーの頭をもっと混乱させるだけで役に立たないと思ったからだ。彼には、少し違う角度から説明したほうがよさそうだ。

「ジョニー、君だったら日本製のカメラをどこで買う——東京かい、それともマンハッタン？」

「もちろん、マンハッタンさ」

「どうして」

「そりゃ、マンハッタンのほうが安いからだよ。そんなこと、誰でも知っていることじゃないか」自信ありげにジョニーが答えた。「四七番街に、とても安く買える店があるんだ。東京の値段の半分だよ」

「どうして、マンハッタンのほうが安いと思うんだ。日本からアメリカに送る輸送費はどうなるんだ。輸送費を払うどころか、運ぶたびにお金をもらっているんじゃないのか」

みんな、笑った。

「わかった、アレックス。君の言いたいことはわかった。だけど、まだ理解できないよ。日本人がそれをやっているってことは、それでも儲かるからに違いない」

私たちはその後、数字を使って約三時間話を詰めた。ラルフとルーの二人を連れてきたのは正解だった。このオーダーを引き受けた際のボトルネックへの負荷を計算したが、特に問題はなさそうだ。それからCCRの七つのワークセンターへの影響も確認した。うち二つは多少問題が発生することも予想されたが、どうやら対応できる範囲内のようだ。それから、利益も計算した。結果は、予想外に大きい。さあ、これで準備オーケーだ。

「ジョニー、もう一つだけ質問があるんだが。この客がもっと価格を下げろと言ってくる可能性は」

「何を言っているんだ。こんな値段で、そんなことは言わせるもんか。少なくとも一年は、この値段で固定させてもらうよ」

「それだけじゃ、駄目だ」私は答えた。

「おいおい、やっぱり何か裏にあるのか。話がうますぎると思ったよ」

「そういうことじゃない。この取引をヨーロッパ進出の足がかりにしたいんだ。価格戦争を引き起こすわけにはいかないから、価格以外に何か競合相手に真似されないようなことをやらないといけない。教えてくれないか、ヨーロッパの平均的な納期はどのくらいなんだ」

「八週間から一〇週間だから、国内とそんなに変わらないな」ジョニーが答えた。

「よし、一年分のオーダーをくれるなら、よっぽどのボリュームでない限りファックスで注文を受けてから三週間以内に納品すると、ジャングラーさんとやらに伝えてくれないか」

「本気か」ジョニーは、驚きの表情を隠せない。

「ああ、本気だとも。倉庫にいくらか在庫があるから、どんな製品でも最初の一回目の出荷だったらいますぐにでもできる」

「まあ、君がそう言うのなら……」ジョニーはため息をついた。「いずれ、すぐに君が責任者になるんだ。君から変更の連絡がなかったら、明日向こうにファックスで連絡しておく。それで決まりだな」


それまで冷静さを装っていた私たちだが、駐車場をクルマで出ると一気にうれしさが込み上げ、三人ではしゃいだ。気を落ち着けるまで、一五分くらいかかっただろうか。ルーとラルフは、気分を変えて数字を詰める作業に取り掛かった。多少の修正はあったものの、多くて数百ドルの訂正だ。この取引の合計金額からすれば取るに足らない。ルーも、ほっとしたようだ。

私は、もとよりそんなこと気にも留めていない。有頂天のあまり、鼻歌がついて出た。

ルーとラルフがようやく数字をまとめ終わったのは、工場までもう半分くらい戻って来た頃だった。ルーが、最終的な予想利益を教えてくれた。驚くなかれ、一〇〇万ドル以上の数字だ。いつもは最後の一セントまでこだわるルーだが、今日はそんなこと気にならないようだ。

「ずいぶん儲かりそうだな。ジョニーは、このオーダーを突き返すつもりだったんだぞ。それを考えると、世の中わからないもんだ」

「これで、一つわかったことがあります」ルーが、私に向かって言った。「マーケティングの問題をどうやって解決したらいいのか、マーケティングの連中にだけ任せてはおけないということです。彼らのほうが製造の現場の人間より、もっと古い考え方で頭が凝り固まっているのかもしれません。コスト会計をそれこそ神様みたいに信仰しているのはマーケティングの人間だって言ったら、連中どんな顔をするんでしょうね」

「ああ」と言いながら、私はため息をついた。「今日の話からすると、連中のサポートを期待しすぎないほうがよさそうだな。しかし、あのディックという男は違う。なんとか使えそうだ」

「さあ、どうでしょう。彼のことは、ジョニーがしっかり抑えていそうですから。とにかく、どうするおつもりなんですか」

「どうするつもり？　何を？」

「ユニウェア部門全体を変えるのでは？」ルーが言った。

せっかくいい気分でいたのに、ルーの言葉で現実に引き戻された。ルーの奴、余計なことを訊いてくれる。

「神様の慈悲にでもすがるかな」私は、言った。「昨日、惰性について話が出たじゃないか。自分たちも知らず知らずのうちに惰性にはまっていたって。考えてみてくれ、これからは自分たちの惰性だけでなく、ユニウェア部門全体の惰性と戦わなければいけないんだ」

ラルフは、笑っている。ルーは、低い声で唸っている。私はと言えば、自分自身に同情している。

今週はいろんな面で多くの収穫があったが、まだ一つ大事な問題が残っている。私の力だけでは、まだまだ不足だということだ。

昨日を例にとってみよう。ラルフが「何か、足りない」と言っていなければ、もっと売上げを伸ばす大きなチャンスがあることにさえ気づいていなかっただろう。今日だってそうだ。ルーが軌道修正してくれたからよかったものの、自分だけだったらさっさと諦めていただろう。

どんなマネジメント・テクニックを身につけたらいいのか、早く探し当てなければいけない。それなしでは、きわめて危険だ。当分は、それに集中しよう。どこから始めたらいいのかは、わかっている……。

もしかすると、鍵はずっと前から握っていたのかもしれない。ジュリーと一緒にレストランに行ったとき彼女に言った言葉を思い起こした。頭の中で、自分の言葉が反響した。「だって、ジョナにそんなこと勉強する時間がいったい、いつあったって言うんだい。僕の知っている限り、ジョナは製造業界で働いたことなど一度もない。彼は、物理学者だよ。研究室にいつもこもっている学者が、どうやってそんなことを知ることができるのか信じられないんだよ。どうも釈然としない」

自分の言葉を思い起こしていると、「科学者」という言葉が妙に頭に引っかかった。横では、ラルフとルーがデータ分類の有効性について議論を交わしている。どうしたら普遍的な法則を見つけることができるのか──ルーの質問は少々理論的すぎるし、不可能としか答えようのない質問ばかりだ。しかし、しかしだ、科学者は物事の普遍的法則を見出すのが仕事だ。そして、ジョナも科学者なのだ。

しかし、どうすればいいのだろうか。物理の本なんか読む気にならないし、数学の知識だって足りない。科学的手法のどこかに、私が求めているマネジメント・テクニックがあるはずだ。それは間違いない。最初の一ページを開いたところでギブアップだろう。

しかし、もしかしたらそんなものは必要ないのかもしれない。ジョナだってテクニックを開発しろとは言っていない。何が必要なのか、探し出すだけでいいんだ。みんなが読んでいる科学の本で十分かもしれない。とりあえず、試しても損はしないだろう。

さっそく図書館にでも足を運んで、適当な本を探してみよう。近代最初の科学者ニュートンあたりから始めるのがいいだろう。

私は自分の部屋で椅子に腰掛け、足をデスクの上に乗せ、そしてボーッと空間を見つめていた。

今日の午前中は、電話が二本しかなかった。両方ともジョニーからだった。最初は、例のフランスとの取引の件で契約を交わしたとのことだった。予想よりいい条件で話をまとめることができたと自慢げだった。こっちが柔軟性ある対応をすること、それにいつでも素早く納品することの見返りとして、価格を少し吊り上げることに成功したのだ。

二本目の電話では、国内の客に対しても同じアプローチを展開できないかと訊ねてきた。つまり、一年ごとの数量を定めて、どんなリクエストにも三週間以内の納品を約束して長期契約を結べないかというものだ。

ジョニーには、もちろん問題なく対応できることを約束し、進めてくれるよう伝えた。

もちろん、ジョニーは大喜びだ。だが、対照的に私の心は重かった。

みんな、忙しくしている。大きな取引が舞い込んできて、みんな本当に忙しいのだ。何もすることがないのは、私だけだ。なぜか、自分が無用に思える。朝から晩まで、いつも電話が鳴りっぱなしだった頃が懐かしい。次から次に緊急の要件をこなし、時間がいくらあっても足りないような気がしたものだ。電話やら会議で、本当にいつも目が回る思いだった。それに比べて、いまはどうだ。すべてが順調に流れている。順調すぎて気持ちが悪いくらいだ。

いまのこの順調な状態が継続すること、それとすべてが事前によく準備されているから緊急事態など起こるはずもないことを保証するのが私の仕事だ。だが、実のところ大してすることもない。だから、何をすべきなのかだが、その答えはもうわかっている。つまり、ジョナの質問に対する答え探しだ。

私は立ち上がり、部屋を出た。外に出る途中、秘書のフランに「万が一、誰か私に用があったら、市の図書館に行っているから」と告げた。

「今日は、このくらいで十分だ」そう言って、私は本を閉じ、立ち上がって背筋を伸ばした。「ジュリー、一緒にコーヒーでも飲まないか」

「いいわね。すぐそっちに行くから待って」

「ずいぶん熱心だな」キッチンのテーブルにやって来たジュリーに、私は言った。

「ええ、とても面白い本なの」

私は、彼女に湯気が立ちのぼるカップを手渡した。「古代ギリシア哲学のどこが、そんなに面白いんだい」私は訊ねた。

「古代ギリシア哲学って、あなたが思っているようなものじゃないわ」そう言いながら、彼女は軽く笑った。「ソクラテスの対話ってなかなか面白いの」

「君がそう言うのなら、そうなんだろうけど……」私は、彼女の言葉を無理に鵜呑みにはしなかった。

「アレックス、あなた間違っているわ。本当に、あなたが考えているような内容なんかじゃないの」

「それじゃ、いったいどんな内容なんだ」私は訊ねた。

「説明しにくいわ。なんだったら自分で読んでみたら」

「ああ、そのうち読んでみるよ。いまはほかに読まないといけない本がいっぱいあるんだ」

ジュリーがカップから熱いコーヒーを一口すすってから言った。「探していたものは見つかったの？」

「いや、まだだ。科学の本を読んでも、なかなかマネジメント・テクニックらしきものは見つからない。でも、面白いことを発見したよ」

「面白いこと？」彼女は、私の言葉に興味を示した。

「科学者が、どのように課題にアプローチするかだ。僕たちが普通ビジネスでやっていることと、ずいぶん違うんだ。最初は、あまりデータの収集はしない。反対にまず何か現象、つまり自然界の事実をランダムに取り上げる、そしてそれに関する仮説を立てるんだ。仮説とはその現象が存在する理由、もっともらしい理由を推測したものだよ。ここからが面白い。『If（もし……ならば）、Then（……ということになる）』という考え方をするんだ。物事の関連性を説く、この考え方がすべての基本なんだ」

これを聞いていたジュリーが、背筋を伸ばして身を乗り出してきた。「続けて」彼女が興味深そうに言った。

「立てた仮説から結果を論理的に導き出す。たとえば、もし（If）立てた仮説が正しければ、その場合（Then）別の事象も理論的に存在する、といった具合だよ。こうした論理的な導き出しを使って、科学者たちはいろいろなことを発見していくんだ。もちろん一番大変なのは、予想した事象が実際に存在するのかどうか証明することだけどね。予想した結果が証明されればされるほど、根本にある仮説が正しいということになる。たとえば、ニュートンが重力の法則を証明するのにどうやったかも読んだけど、これも面白かった」

「どうして」ジュリーが訊ねた。答えは知っているが、私の口から聞いてみたいといった口ぶりだ。

「物事って、本当はいろんなところで関連し合っているんだ。僕たちが普段全然関連性がないと思っていることが実は非常に関連性があったり、簡単でごく当たり前に思っていることが、実はもっと大きな事象の理由であったり。たとえば、秩序は混乱から生まれるみたいなことだよ。それって、すごいことだと思わないかい」

ジュリーが目を輝かせながら、私に言った。「いま、あなたが説明してくれたことが、どんなことだかわかっている？　ソクラテスの対話よ。まったく同じ方法よ。同じように関連性を基本にした方法なの。If……Thenよ。唯一の違いは物理的な事象ではなく、人間の行動を対象にしている点だけよ」

「面白いね、非常に面白いじゃないか。よくよく考えてみれば、僕の仕事は物理的な現象だけでなく人間にも関わることじゃないか。どちらにも同じ手法を使うことができるとしたら、もしかしたらそれがジョナのテクニックの基本なのかもしれないな」

ジュリーが、私の言葉を吟味するように黙って考え込んだ。しばらくして彼女が言った。「たぶん、あなたの言ったこと正しいわ。もし、そうだとすれば、ジョナがあなたに授けたテクニックは、単なるテクニックじゃないわ。思考プロセスよ」

ジュリーと私は、二人してじっと考えに耽った。

「次はどうするの」ジュリーが訊ねた。

「わからない」私は答えた。「率直なところ、いろいろ読んではみたけど、それでジョナの答えに近づいたような気は少しもしないんだ。彼が言ったことを覚えているかい。彼は、僕にマネジメント・テクニックを開発しろとは言わなかった。何が必要か探せと言ったんだ。なんだかそれを飛び越して次のステップ、つまりテクニックを作り出すところにまで考えが飛んでしまったんじゃないかな。どんなテクニックが必要か見極めるのは、ニーズから始めないと駄目だ。現在どういう仕事のやり方をしていて、それでどんな仕事の仕方をすべきなのかをよく考えないと駄目なんだ」

39

「何か、メッセージは？」私はフランに訊ねた。

「あります」フランが答えた。意外だった。「ピーチ副本部長から一件あります。所長とお話がしたいそうです」

私は、すぐにビルに電話をかけた。「何かご用ですか」

「いましがた、君のところの報告書を受け取ったところだが、やってくれたな、すごいじゃないか。こんな数字、いままでに見たことがない」

「ありがとうございます」私は、礼を言った。「ところで、ヒルトンの工場のほうはどうですか」

「奴のことが気になるのか」ビルが笑った。「君の予想どおり、あまり思わしくないな。指標は多少改善してはいるものの、利益が伸びず赤字が増えている」

私は、歯がゆさを抑えきれなかった。「言ったじゃないですか。指標だけでは局部的なことしかわからないので、全体を見るうえでは役に立たないと」

「わかってる、わかってる」そう言いながら、ビルはため息をついた。「そうなるだろうとは思っていたんだが、私みたいな頑固者は、実際に自分の目で白黒はっきり見せてもらわないと駄目なんだ。だが、これでやっとはっきりわかった」

「やっとか」そう、私は頭の中でつぶやき、電話に向かって言った。「それで、次は何を?」

「実は、昨日一日イーサンと一緒だった。彼も君の考えが正しいと思っているようなんだが、彼の言っていることの意味がさっぱりでね。売上原価だの変数だの、前は全部わかっていたつもりなんだが、昨日イーサンと話をしてよくわかった。実は、少しも理解していないのだと。だから、誰かにわかりやすい言葉で説明してもらえないかと思ってね。君のような人間だよ。君だったら、全部わかるだろう」

「ええ、わかると思います。非常にシンプルなことで……」私が説明を始めようとすると、ビルが止めに入った。

「いやいや、電話では駄目だ。君にはこっちに来てもらわないといけない用もあるから、そのときだ。あと残り一か月、新しい仕事にそろそろ慣れておいてもらわないと困るからな」

「明日の午前中でいいですか」私は訊ねた。

「ああ、頼む」ビルが答えた。「それからアレックス。ジョニーに、いったい何を言ったんだ。製造コスト割れの値段で売っても儲けが出るなどと、あちこちでふれまわっているようだが。そんな馬鹿げた話、あるはずないだろ」

それを聞いて、私は笑った。「それも明日にしましょう。それでは」

これまで使っていた評価指標に、ビルが見切りをつけた? それこそ一大事だ。みんなに伝えないわけにはいかない。誰も信じないだろう。私はまずボブの部屋に行ったが、ボブもステーシーもいない。作業場にいるに違いない。私は、フランに二人を探してくれと頼んだ。その間、ルーの部屋に行ってみることにした。

ルーのところに行くと、そこにステーシーから連絡が入った。「所長、問題が起きたので、あと三〇分ぐらい待ってもらえませんか」

「慌てなくていい。そんなに重要なことでもないから、必要なだけ時間を取ってくれ」

「いえ、そういうわけにもいきません。こっちの話は非常に重要なことですから」

「いったい、何の話だ」

「悪い予感がしていたんですが……とにかく、どうやら始まったようです。あと三〇分で、ボブと所長の部屋にうかがいますから、そのときでいいですか」

「ああ」そう言ったものの、私は何のことか見当がつかない。

「ルー。いったい、どうなっているんだ」私は訊ねた。

「さあ」彼も首を横に振っている。「いろいろ問題があるようで、先週あたりからあの二人もずいぶん忙しそうです」

「そうなのか?」


「簡単に説明すると、すでに一二のワークセンターで予定外の残業を行っています」ボブが状況をかいつまんで説明してくれた。

「収拾のつかない状況です」ステーシーが説明を続けた。「昨日は、納期に遅れたオーダーが一件ありました。今日は、これまでにわかっているだけで三件出荷が遅れます。ラルフの計算によると、これからますますひどくなりそうで、今月末までには全体の二〇パーセントのオーダーが納期に間に合わなくなりそうです。それも、一日や二日の遅れではありません」

私は、机の上の電話をじっと眺めた。この電話がまた鳴り出し、客からのクレームが殺到するのも時間の問題ということか。こちらの出来が悪かった頃は、いつも納期に遅れていて客もそれに慣れていたから在庫を溜め込んだり、早めに注文して自ら防衛策をとってくれていた。しかし、こちらの出来が良くなり、客を甘やかしてしまった。

想像しているより厄介かもしれない。この工場を破滅させるかもしれない。

いったい、どうしてこんなことに。どこで、どう間違ったのだろうか。

「どうしてなんだ」私は、二人に訊ねた。

「所長に、以前お話しした４９３１８番のオーダーですが、あれが……」

「ボブ。そんなことは、いまいいわ」ステーシーが、ボブの説明を制した。「そんなオーダーのことなんかより、もっと根本的な問題について考えないと。所長、理由は簡単なことで、おそらく処理能力以上のオーダーを受けてしまったからだと思います」

「それは確かだな。しかし、どうしてだ。ボトルネックをちゃんとチェックして処理能力に問題がないことは確認したし、それにＣＣＲも七か所全部確認したはずじゃなかったのか。計算間違いでもしたのか」

「おそらく」ボブが、重い口で答えた。

「そんなはずはありません」ステーシーは否定した。「何度も何度も、チェックしましたから」

「それで？」

「それで、よくわからないんです」ボブが答えた。「でも、いまはそんなことより、すぐになんとかしないと」

「ああ、しかし何を？」私は苛立っていた。「何が原因でこうなったのかわからないから、とりあえず何でもかんでもやってみようというのか。それじゃ、以前と変わらない。少しは、利口になったはずじゃなかったのか」

私の問いに答えられず黙っているところを見ると、反論はなさそうだ。「ルーとラルフも呼んで、会議室に場所を移してミーティングだ。いったい、何が起こっているのか、みんなで考えよう」

「まず、事実確認をさせてください」ルーが冒頭言った。「ボブ、残業をしないと絶対追いつけないのかい」

「ここ数日の様子では、残業をしても出荷が間に合わないものが出ると思う」ボブが答えた。

「わかった」ルーの顔はさえない。「ラルフ、月末はどうなる。残業しても納期に間に合わないオーダーが、本当にたくさん出てくるのか」

「何か、いい解決策を見つけない限り、間違いなく出ます」ラルフは、ためらうことなく返事した。「金額でいくら分遅れるかは、どのくらい残業をするのか、どのオーダーを優先させるかにもよるので、はっきりとしたことはわかりません。でも、おそらく一〇〇万ドル前後の数字になると思います」

「それは大変だ」ルーがぼやいた。「私も計算をやり直さないと」

私は、ルーを睨みつけた。計算？　そんなことが気になるのか。計算をやり直すことなんか、いまはどうだっていいじゃないか。

「根本的な問題は……」そう、私が凍りつくような声で言いかけると、みんなの視線が私に集まった。

「みんなの話を聞いていると、それほど大した問題ではなさそうに思える。自分たちでこなせる以上やろうとしたことに無理があったのは確かだ。どのくらい無理をしたのかきちんと把握して、その分どうするかを決める。単純なことじゃないか」

ルーは私の意見に賛成なのか、うなずいている。ボブ、ラルフ、ステーシーの三人は無表情で、私の顔をまだじっと見つめたままだ。多少、抵抗があるようだ。私の言ったことで何か引っかかることがあるのかもしれないが、それが何なのか私にはわからない。

「ラルフ、ボトルネックの処理能力をどのくらい超えているんだ」私は訊ねた。

「処理能力は、超えてはいません」ラルフが答えた。

「それは問題ないわけか。それじゃ……」そう言いかけたところで、ステーシーが割って入った。

「そうは、言っていません」

「どういうことだ。よくわからないな。ボトルネックの処理能力を超えていなければ……」

「ときどき、ボトルネックに空き時間が出るんです。しばらく何もすることがないかと思うと、急にどさっと大量の仕事が来る」無表情のまま、ステーシーが説明した。

「そういうときは、否応なしに残業せざるを得ないんです。そういうことが、工場の至るところで起こっているんです。まるで、ボトルネックがあちこち移動しているかのようです」

私は、静かに腰を下ろした。いったい、どうしたらいいのだろう。

「どのくらい処理能力を超えているか決めて、それですむのだったら簡単でいいのですが……」ステーシーが言った。

彼女の言うとおりだ。彼らの言うことをもっと信頼すべきだ。

「すまなかった」私は小さな声で詫びた。

みんな、座って口を閉じたままだったが、しばらくしてからボブが言った。「優先順位を変えたり、残業しても駄目だ。もう何日か試してみたけど、結局個別のオーダーには対応できても、工場全体はますます混乱して問題が膨れ上がるばかりだ」

「そうね」ステーシーがうなずいた。「どんどん泥沼にはまっているようで、だから、みんなの知恵を借りようと集まってもらったんです」

私は、彼女の叱責を素直に受け入れた。

「よしっ。みんな、もっと組織的にアプローチする必要がありそうだ。どこから始めたらいいのか、誰かアイディアはないか」

「まずは、ボトルネックが一つしかないところの検証から始めてみてはどうです」ラルフが、ためらうように提案した。

「どうして」ボブは、反対のようだ。「その逆じゃないのか。ボトルネックがたくさん発生して、それにあちこち移動しているんだ」

私には何も考えが浮かばなかった。他のみんなも同じのようだ。私は、ラルフの考えに賭けてみることにした。いままでも、それでずいぶん成功してきた。

「続けてくれ」そう、私はラルフに促した。

彼は立ち上がってホワイトボードに近づくと、ボード消しを手に取った。

「その五つのステップは消さないでくれ」ボブが言った。

「いまは、あまり役に立ちそうにはないけど」そう言いながら、ラルフは軽く笑ったが顔はこわばっていた。「制約条件を見つける」ボードに書かれた言葉をラルフが読み上げた。「これは問題じゃないな。問題は、ボトルネックがあちこち動き回ることだから」

ラルフはボード消しを置くと、今度はフリップチャートに向かい、円を一列にいくつか描いて説明を始めた。

「一つひとつの円が、ワークセンターだと思ってください。作業は左から右に流れます。さて、たとえばこれがボトルネックだとします」そう言いながら、ラルフは真ん中あたりの円の一つに大きな×印をつけた。

「なるほど。それから」ボブが皮肉っぽく言った。

「ここでマーフィーの登場です」ラルフが落ち着いた口調で答えた。「マーフィーは、問題を起こす厄介者です。そのマーフィーが、ボトルネックを直撃したらどうなるか想像してみてください」

「もう、祈るしかないな」吐き捨てるように、ボブが言った。「スループットは、完全におしまいだ」

「そのとおり」ラルフが言った。「しかし、もしマーフィーがボトルネックでなく、その前の工程のいずれかのリソースを攻撃したら、そのときはボトルネックへの流れが一時的にストップして、ボトルネックの仕事がなくなる。いまの我々の状況は、そういうことでは？」

「いや、全然違う」ボブが声を荒げた。「そんな仕事のやり方はしていない。いつもボトルネックの前にはある程度の仕事を溜めておいて、ボトルネックへの供給が多少減っても、ボトルネックは作業を続けられるようにしている。実際、仕事が溜まりすぎて、資材の投入を絞ったくらいじゃないか。おいおい、ラルフ。君がコンピュータで、それを計算しているんじゃないか。そんなわかりきったこと、どうしていまさら言い出すんだ」

席に戻ったラルフが言った。「どの程度の在庫をボトルネックの前に置いておかなければいけないのか、本当にわかっているかどうか確認したかっただけさ」

「ボブ、ラルフの言うことも一理あるわ」ステーシーが言った。

「もちろんだとも」そう言いながら、ラルフはまだ何か言い足りない様子だ。「ボトルネックの前に三日分の在庫を置くということで、ボトルネックで部品が必要になるタイミングに合わせ、その二週間前から資材を投入した。でも結局、それでは早すぎるということで、半分の一週間にして今度はうまくいった。だけどいまは、それじゃ駄目みたいだ」

「二週間に戻してみては」ボブが言った。

「それはできない」絶望的な声でラルフが言った。「そんなことをしたらリードタイムが長くなって、客に約束した納期に間に合わなくなる」

「だから、どうだっていうんだ。どうせ、もう納期には間に合わないんだから」ボブが声を荒げた。

「ちょっと待てよ」私は、揉めている二人に割って入った。「どうするか決める前に、もう少しはっきりと理解しておきたいんだが、ラルフ、君の描いた絵をもう一度見せてくれ。ボブが言ったように、ボトルネックの前にはいくらかの在庫がある。そこにマーフィーが現れて、ボトルネックの前の工程のどこかを攻撃したとしよう。すると、どうなるんだ」

「すると、ボトルネックへのフローはストップしますが、ボトルネックには溜まっている仕事がありますから、作業は続けられます。もちろん在庫は次第に減っていきますから、十分な仕事を最初に溜めておかなければ、いずれボトルネックも作業を続けることができなくなります」

「何かが違うわ」ステーシーが言った。「いまのあなたの話では、マーフィーがボトルネックの前のどこか他のリソースを攻撃した場合、その問題が解消するまでの間、もつだけの仕事をボトルネックの前に溜めておいて、仕事のフローが止まらないようにしないといけないわけよね」

「そうだけど」ラルフが答えた。

「それじゃ、説明にならないわ」ステーシーが言った。

「どうしてだい」ラルフは、ステーシーの言っていることの意味がわからない様子だ。私も同じだ。

「ボトルネックの前の工程でトラブルが発生したとき、問題解決するのにかかる時間はいまもそれほど変わっていない。それにこれまで特に大きな問題も起きていない。ということは、これまでボトルネックを守るのに三日分の在庫で十分だったのだから、これからもそれで十分だということよ。問題は、溜めておく在庫の量が十分かどうかではなく、ボトルネックがあちこち移動することよ」

「君の言うとおりかもしれない」

ラルフは、ステーシーの説明に納得しているようだが、私はどうもスッキリしない。

「やはり、ラルフの言っていることが正しいかもしれない。もう少し、彼の考え方を突っ込んでみてはどうかな。ボトルネックはその前の工程のリソースが何らかの理由でストップしたら、自分のところに溜まっている在庫で食いつなぐ。そして問題が解消したら、そのときはどうするのか。ボトルネックの前のリソースを使って何かすべきことがあるんじゃないのか。マーフィーが、またいつ襲ってくるかもしれないのだから」

「マーフィーが再び襲ってくる前に、またボトルネックの前に仕事を溜めておかなければいけません。しかし、何か問題でもあるのですか。十分な資材を投入すればいいだけのことでは」ステーシーが答えた。

「私が心配しているのは資材じゃない、生産能力なんだ。問題が解消された後は、ボトルネックが消費する分と溜めておく在庫の両方の供給が求められるんだ」

「そうか」ボブの目が光った。「つまり、時として非ボトルネックにボトルネック以上の能力が必要とされることがある。やっと、わかったぞ。この工場にボトルネックと非ボトルネックがあるのは、工場の設計が悪いからではなく、それが必要だからなんだ。ボトルネックより前の工程のリソースに予備能力がなければ、どのリソースの能力も最大限まで引き出してやることができなくなるんだ」

「ああ、そうだ」ラルフが言った。「問題は、どのくらいの予備能力が必要かということだ」

「いや、そうじゃない」私は、物静かな声でラルフの言葉を正した。「さっき、君は『どのくらいの在庫が必要か』と言ったが、それも違う」

「なるほど」ステーシーが、深く考えるような眼差しで言った。「ボトルネックの前に溜める在庫が多ければ多いほど、その前のリソースには時間的余裕ができる。だから、平均すれば予備能力も少なくてすむ。在庫が多ければ予備能力は少なく、その反対に在庫が少なければ予備能力は大きくなくてはいけない」

「これで何が起こったのか、はっきりした」今度は、ボブが言った。「オーダーを多く取ったことが原因で、バランスが崩れたんだ。オーダーをたくさん取ったことで新たなボトルネックが生じたわけではなく、非ボトルネックの予備能力が激減した。それにもかかわらず、ボトルネックの前に溜めておく在庫の量は増やさなかった」

みんな、うなずいている。やっと、答えが見つかった。

「よし、ボブ。これから、何をしたらいいと思う」私は訊ねた。

ボブは、しばらく黙ったまま考え込んだ。みんな、彼の答えを待っている。

考えがまとまったのか、ボブはラルフの顔を見て言った。「取ってきたオーダーのうち、納期がきわめて短いのはそれほど多くはないはずだが、いくつか残っているのがあるはずだ。いますぐ調べてくれないか」

「任してくれ」ラルフが応えた。

「そのオーダーの資材については、これまでどおり一週間前に資材を投入してくれ。他のオーダーについては二週間前に早めてくれないか。それで、十分だといいんだが。それから、ボトルネックと組立ラインの在庫を溜め直さないといけないな。ステーシー、今度の週末は休みなしでフル稼働だ。必要な手配を頼む。非ボトルネックを休ませておく暇はないんだ。どんな言い訳も一切認めては駄目だ。これは、非常事態なんだ。営業にはこちらから連絡するまでは四週間以内の納品は客に約束しないよう、私から伝えておく。連中が新しく始めた営業キャンペーンは中止してもらわないといけないが、それもしかたないだろう」

目の前で、まさにバトンが渡された。新しいボスが誰なのか、もうはっきりしていた。私は、多少の嫉妬を感じたものの誇りに思った。

「ボブの裁きは、なかなか見事でした」一緒に部屋に入ってきたルーが、そう言った。少なくとも、この問題は切り抜けることができた。

「そうだな。しかし、いきなりこうネガティブな状況に彼を置くのは気が進まないな」

「ネガティブ?　どういう意味ですか」

「しかたなかったのかもしれないが、すべてが考えているのとは逆の方向に進んでいる。そうする以外に選択の余地がなかったのかもしれないが、それにしても……」

「所長、今日の私の頭は、いつもより回転が鈍いかもしれません。おっしゃっていることの意味が理解できないのですが。すべてが逆の方向に進んでいるとは、どういうことですか」

「わからないのか」私は、すべてに苛立ちを感じていた。「いまさら、営業に納期は四週間などと言ったらどうなると思うかね。たった二週間前に、二週間で大丈夫と連中を説得したばかりじゃないか。それなのに、今度はキャンペーンを全面的に撤回させなければいけない」

「ほかに何ができると?」

「おそらく、何もできないだろう。しかし、それで結果が変わるわけではない。この先、スループットが下がるのは避けられない」

「なるほど」ルーがうなずいた。「それに、残業も急激に増えています。週末も残業させたら、今四半期の残業予算を全部使い尽くしてしまいます」

「予算なんかはどうでもいい。ボブからの報告が上がってくるとき、責任者は私なのだから。残業が増えるということは経費の上昇を意味している。問題は、スループットが下がり、経費が上昇し、それからバッファーを増やすということは、在庫が増えるということだ。すべてが、本来あるべき姿とは反対方向に進んでいる」

「なるほど」ルーがうなずいた。

「どこかで間違えたのだ」私はつぶやいた。「そのせいで、後戻りを余儀なくされている。ルー、どうやら私たちは、まだ自分たちが何をやっているのかよくわかっていないようだ。まるで、モグラみたいにただやみくもに前に進んでいるだけだ。計画性がなく、ただそのときそのときの状況に対応しているだけだ」

「そうかもしれませんが、ただ以前よりかは、対応の仕方がうまくなったと思いませんか」

「それじゃ、気休めにもならないよ。スピードも、以前に比べると速くなった。まるで、バックミラーだけを頼りに運転しているような気分だ。道から外れそうになっても、すぐに気づかないで、もうほとんど手遅れというぎりぎりのところで軌道修正しているようなもんだ。これじゃ、駄目だ。まだまだだな」

40

ルーと一緒にクルマで本社から戻るところだ。決して楽しい仕事ではないが、ここ二週間ほど毎日これを続けている。いまではユニウェア部門の現状のありとあらゆることまでつかめてきたが、見通しは暗い。唯一、明るいのは私の工場だけだ。いや、いまはボブの工場と呼ばねばならない。それに、「明るい」という表現では過小評価かもしれない。我がユニウェア部門の救世主とでも呼んだほうが適切だろう。

ボブといえば、例の問題を客から大きなクレームが発生する前にうまく片づけたようだ。営業の連中から信頼を回復するにはしばらく時間がかかるかもしれないが、私がサイドから援護してやれば、そう大して時間もかからないだろう。

工場のほうは、私たちがいなくても順調に流れるようになり、ルーと私の居場所がすっかりなくなってしまった感じがする。報告書を見る限り、部門全体としてそれほど悪いという印象は受けないのだが、ボブの工場を切り離してみると、その実態が浮き彫りになる。ひどい、とにかく壊滅的な状況だ。

「ルー、やってはいけないことをしてしまったようだな」

「何のことですか。まだ、何もやっていないじゃないですか」

「データ集めだよ。データを山のように集めたじゃないか」

「ええ、でも集めたデータには問題があります。あんないい加減な仕事見たことがありません。報告書はどれも説明が足りないし、それに今日わかったのですが、売掛金のレポートさえ作っていないのです。データはあっても三か所以上の場所に分散しているし、まったくあんなやり方でよくやってきたものです」

「ルー、大切なことを忘れているぞ」

「何ですか。売掛金だったら、もう少し気を配れば、少なくとも四日ぐらいは回収を早めることができると思いますが」

「それだけでも、部門全体を救えるかもしれないな」私は、皮肉たっぷりに言った。

「それは無理です」ルーは笑った。「多少の助けにはなるかもしれませんが」

「そうかな?」

ルーの返事がなかったので、私は話を続けた。「本当にそんなことが助けになると思うのか。ルー、いままで私たちは何を学んできたんだ。私について行きたいと言ったとき、私に何と言ったか覚えているかね」

苛立たしそうにルーが答えた。「いったい、何の話ですか。明らかに間違っていることがあれば、やはりちゃんと正すべきではないのですか」

いったい、どうやって話したらわかってもらえるのか、私は戸惑った。もう一度説明してみよう。

「ルー。たとえば、未収の売掛金を四日分回収したとしよう。それで、どれだけスループットや在庫や経費の改善につながるんだ」

「みんな少しずつは改善すると思いますが、一番大きいのはキャッシュフローへの影響でしょう。四日分のキャッシュだからと言って馬鹿にはできません。部門全体を改善するには、小さなステップを数多く踏まなければいけないからです。みんながそれぞれの責任を果たせば、全体として良くなるはずです」

私は、ハンドルを握ったまま黙っていた。ルーの言うことは確かに筋が通っているのだが、何かが違う。明らかに何かが間違っている、そう私は感じた。

「ルー、教えてくれないか。部門全体を良くするには、改善しなければいけないことがたくさんある。しかし……」

「しかし、何ですか」ルーが訊ねた。「所長、少し焦りすぎてはいませんか。『ローマは一日にして成らず』と言うじゃないですか」

「ああ。だが、私たちには一〇〇年も時間があるわけじゃないんだ」

ルーの言うとおり、私には忍耐が足りないのかもしれない。だが、事が事だけに、必ずしも忍耐強いのがいいというわけでもないだろう。忍耐強かったから、工場を救えたわけでもない。確かに小さな改善は数多く必要だが、目先の状況の改善策だけで満足していればいいということにはならない。何をすべきか慎重に選んで、それに努力を集中させなければならない。さもなければ……。

「ルー、一つ質問させてくれ。社内の在庫評価方法を変えるとしたら、どのくらい時間がかかるかな」

「技術的にはそう難しいことではありませんから、作業はほんの二、三日ですむと思います。ですが、評価方法を変えることで業務上どんな影響が出るのか、社内の各部署に説明して回らないといけませんから、それはまた別です。どんなに急いだとしても、数週間はかかると思います」

これで、私の心は固まった。

「いま使っている在庫の評価方法は、ユニウェア部門全体の完成品の在庫レベルにどんな影響を与えていると思うかね」

「大きな影響を与えていると思いますが」

「どのくらい大きいんだ」私はさらに訊ねた。「数字で答えてくれないか」

「それは、ちょっと難しいですね。数字で答えるのは」

「それじゃ、一緒に考えてみよう。このところ、この部門全体の完成品の在庫が増えているのは知っていいるかね」

「ええ。しかし、それがどうかしたのですか、予想されていたことでは。売上げは減っているのに、利益を上げろとプレッシャーは相変わらず強いので、在庫の利益を偽装的に上げようと完成品の在庫を増やす……、なるほど、所長のおっしゃりたいことがわかりました。つまり、いま使っている在庫の評価方法がどうなのか、その影響を推し測る指標として完成品の在庫増加を使うことができる……なるほど、これはすごい。七〇日分もあります」

「なかなか、いい勘をしているじゃないか。さっきの売掛金の四日分と比べてみてくれ。どっちに先に取り組むべきだと思うかね。それにスループットへの影響、これはどうかな」

「スループットへの影響は、特にないと思います。キャッシュ、在庫、それに経費への影響はよくわかりますが、スループットへの影響は特に……」

「影響がないと言うのかね」私は、情け容赦なかった。「新型モデルの導入を拒否した連中の言い訳を覚えていないのか」

「ええ、覚えています」ルーは、ゆっくりと答えた。「新しいモデルを作ると、いま在庫に残っている製品はもう役立たずと公言するようなもので、売上げが落ちるからだと言っていました」

「だから新しいモデルは作らないで、古いモデルを作り続けようというわけか。マーケット・シェアを失い続けても平気で、売れなくなった製品を処分するよりはましだというわけか。これでも、まだスループットには影響がないと言うのかね」

「なるほど、確かに所長のおっしゃるとおりです。しかし、少し頑張れば在庫の評価方法と売掛金の回収の問題は両方同時に対応できると思います」

ルーは、まだ理解していないようだが、私にはどう対応したらいいのか、だいたいのめどはついてきた。

「現場の評価指標については、どう思うかね」私は続けて訊ねた。

「そっちのほうが、厄介そうですね」ルーが、ため息をついた。

「どの程度ダメージがあるんだ。四日程度か？　営業の連中は、いまだに従来の製品コストの計算に基づいて、コストがこれで、マージンがいくらだからといったことを取引の選択基準にしているらしいが、その辺りはどうなんだ。それに変動コスト以下の価格では売ろうとしないらしいが、そのダメージはどうなんだ。それから、ユニウェア部門と他の部門との間の引渡し価格もある。ほかにも、まだまだたくさんあるぞ」

「いえ、いえ、もう結構です」そう言いながら、ルーは手を上げ私を制止した。「よくわかりました。売掛金の回収はどうすべきなのか自分でもよくわかっていることなので、どうしてもそちらに気が回ってしまうのですが、ほかのことはどうも……」

「怖気づいてしまう？」

「ええ、まあそんなところです」

「私も同じだ」私はつぶやいた。「どこから始めたらいいのか、何をどう続けたらいいのか、最初にやるべきことは、その次は……、あまりにもたくさんありすぎて頭が混乱してくる」

「何らかのプロセスが必要では……」ルーが言った。「何らかのプロセスが必要なことだけは間違いありません。せっかく苦労して考えた五つのステップが正解でなかったのは痛いですが……、いや、ちょっと待ってください。意外とそうとも言い切れないかもしれません。結局、問題はボトルネックが動き回ることではなく、既存のボトルネックに部品を供給するリソースの予備の生産能力が不足していたということだったと思いますが、もしかしたら、あの五つのステップのプロセスもまだ使えるかもしれません」

「どうやったらいいのかわからないが、まあ調べてみる価値はあるかもしれないな。さっそく工場に行って試してみるかね」

「もちろん。その前に、何本か電話をさせてください。いいですか」

「いや、やっぱり駄目だ。今夜は都合が悪い」私は用を思い出して言った。

「大丈夫です。重要なことですが、今日中でなければ駄目だということでもありませんから。明日にしましょう」

「ステップ1、制約条件を見つける」ルーが、ホワイトボードを読み上げた。「最初のステップは、これでいいですか」

「わからない。どうしてこれを最初のステップにしたのか、あのときの考え方をロジカルに検証してみようじゃないか。ルー、あのときのことを覚えているかね」

「ええ、なんとなく。スループットが一番重要な指標だという結論になって、だからどうとかこうとかいう話だったと思います」

「なんとなくじゃ駄目だ。検証のスタートがなんとなくじゃ、後が続かない。もう一度、一番基本的なところからよく考えてみよう」

「いいでしょう」ルーが唸った。「でも、一番基本的なところとは？」

「わからない。すごく根本的なことで、誰にでもすぐわかることだ」

「一つあります。すべての組織には目的があって、単に組織を存在させることが目的で組織を作るわけではないということです」

「そのとおり。だが、そんなことさえ忘れている連中もいるがね」そう言いながら、私は軽く笑った。

「ワシントンの政治家ですか？」ルーが訊ねた。

「ああ、奴らもそうだな。私が考えていたのはこの会社のことだが、まあそんなことはどうでもいいことだな。それより話を先に進めよう。根本的なことといえば、もう一つある。どの組織も、複数の人間によって構成されているということだ。人間が複数いなければ組織にはならない」

「そうですね。しかし私が言ったことも、所長がおっしゃったことも、いったいポイントは何ですかね。組織とは何かということであれば、ほかにもいくらでも挙げることができますが」

「そうだな。しかし、いま君と私が言ったことからだけでも、一つ結論を導き出せるじゃないか。組織が目的を持って設立され、複数の人間によって構成されるとするならば、その目的を達成するために複数の人間が力を合わせる必要がある」

「そうですね。でなければ組織を作る意味がない。個人個人が勝手に頑張ればいいわけです。でも、だからどうだとおっしゃるんですか」

「複数の人間が力を合わせる必要があるとすれば、組織の目的達成に向けた個々のメンバーの貢献は他のメンバーのパフォーマンスに強く依存する」

「確かに」ルーが、苦々しく笑いを浮かべた。「普通はそうだと思いますが、我が社の評価システムは例外ですね」

ルーの言うことはまったくそのとおりだが、軽く受け流して私は話を続けた。「複数の人間が力を合わせる必要があって、個々のメンバーの貢献が他のメンバーのパフォーマンスに強く依存するのであれば、組織というのは一本の鎖と考えることができ、単に異なる輪が複数集まったものではないということになる」

「あるいは、格子ですね」ルーが、私の言葉を正した。

「ああ、だが格子にしても、いくつかの独立した鎖で構成されていると考えることができる。しかし、組織が複雑になればなるほど、鎖の輪同士の依存関係が増し、独立した鎖の数は少なくなる」

ルーは、この話にはあまり興味がなさそうだ。「そうかもしれませんが、それ自体はそれほど重要だとは思いません。重要なのは、組織を一本の鎖と見なすことができるということがわかったことで、そこから話を前に進めたほうがいいと思います。鎖の強度は、それを構成する輪の中で一番弱い輪によって決まるのですから、組織を改善するための最初のステップは、その鎖の中でどこが一番弱い輪なのかを見つけることだと思います」

「ああ、それが複数存在する場合もある。組織によっては、複数の独立した別々の鎖で構成されているところもあるからだ」

「ええ」苛立たしそうにルーが答えた。「しかし、所長がおっしゃったように、組織が複雑になれば独立した鎖も少なくなる。まあ、とにかく制約条件が複数ある組織もあるということですね。いいでしょう。それでは、評価指標のほうはどうですか。こっちは、どうします」

「評価指標?」私は、ルーの質問に驚いた。「突然、どうして評価指標が出てくるんだ」

「昨日は、歪められた評価システムが、この部門にとって最大の制約条件だという話だったではないですか」

ボブが言うように、ルーはどうしても評価システムに頭がいってしまうようだ。「確かに大きな問題だが、評価システムが制約条件だと、私は納得したわけではない」

「納得していないのですか？」ルーは、驚いた顔をしている。

「ああ、まだ納得していない」私は、断固とした口調で答えた。「競合会社が新しい製品を次々と出していくなかで、我が社が相変わらず時代遅れの製品を売っていることが大きな問題だとは思わないのかね。エンジニアリングの連中は、プロジェクトが予定どおりに終わらなくても当たり前みたいな顔をしているが、それが大きな問題だとは思わないかね。それから営業だ。連中が作ったマーケティング・プランを見て、現状を打破するような可能性を感じたことはあるかね」

「いいえ」ルーが、苦々しい笑いを浮かべた。「長期計画とか称するもので、これまで見てきたものはすべてどうしようもないものばかりでした」

今日の私の口は、休むことを知らない。私に質問するのは、ダムを決壊させるに等しいことだった。

「ちょっと待て、ルー、私の話はまだ終わっていないぞ。本部の連中たちはどうなんだ。あの逃げ腰の態度だ。少しでも都合の悪いことがあると、何を聞いても全部他人のせいにしようとする」

「ええ、いやでも目につきますから。所長、わかりました。所長がおっしゃりたいのは、この部門の至るところに大きな問題が転がっているということですね。制約条件は一つだけでなく、いくつもあると」

「いや、制約条件は、やはりそんなに多くはないと思う。この部門は複雑だから、独立した鎖が別々に何本もあるとは考えにくい。ルー、いままで私たちが話してきたことがすべて相互に強い関連があることに気づかないか。よく練られた長期的な戦略計画に欠けていること、評価システムの問題、製品設計の遅れ、製造のリードタイムが長いこと、逃げ腰で無関心な態度――すべて関連している。真の問題をきちっと把握し、その原因を突き止めないといけない。それこそ、『制約条件を見つける』ということではないのか。問題の優先順位を決めることではなく、何がその問題を引き起こしているのか突き止めることなんだ」

「ですが、どうしたらいいのですか。ユニウェア部門の制約条件をどうやって見つけ出すんですか」ルーが訊ねた。

「それは、私にもわからない。しかし、この工場で成功することができたのだから、部門全体で成功できないはずがない」

ルーは、私の言葉を吟味するようにしばらく考えてから言った。「そうでしょうか。この工場では単に幸運だっただけかもしれません。私たちが対応したのはボトルネックという物理的な制約条件で、これだけならそう難しくはありません。しかし、部門全体では評価システム、ポリシー、手順といったことも考えなければなりません。長いこと続けてきた行動パターンですから、そう簡単にはいかないと思います」

「私には、よく違いがわからないな。この工場でも評価システムやポリシー、手順にはずいぶん苦労したじゃないか。よくよく考えてみると、ここでも制約条件は結局、物理的な機械ではなかったじゃないか。確かに熱処理炉やNCX-10をボトルネックと呼んできたが、もし本当に熱処理炉やNCX-10といった物理的なものがボトルネックであれば、どうしてあんなに詰め込んで以前の倍も作り出すことができたのか。新たな機械や装置を導入して生産能力を増強することなく、どうしてスループットを増やすことができたのか」

「評価システム、ポリシー、手順についてはやり方を全面的に変えたし、これらに関連する問題についてもその対応を改めました」

「そうなんだ、私が言いたかったのはそのことなんだ」私は言った。「問題は、何のやり方を変えたかだ。『評価システム、ポリシー、手順――長いこと続けてきた行動パターンですから、そう簡単にはいかないと思います』」私は、ルーの口調を真似しながら自らの問いに答えた。「ルー、まだわからないのか。真の制約条件は機械なんかじゃない。ポリシーなんだ。私たちの工場でも、そうだったじゃないか」

「ええ、言っていることはわかりますが、それでもやはり、私たちの工場と部門全体では違いがあると思います」ルーは、なかなか引き下がらない。

「どんな違いだ。例を挙げてみてくれ」

「所長。どうして、そう私を追い詰めようとするのですか。大きな違いがあるのがわかりませんか。もし違いがないのなら、どうしていまだに部門全体の制約条件が何であるのかわからないのですか」

その問いに、私は言葉が詰まってしまった。

「そうだな、君の言うとおりだ。確かにこの工場では、ただラッキーだっただけなのかもしれない。物理的な制約があったからこそ、真の制約条件であるポリシーに照準を合わせやすかったのかもしれない。しかし、部門全体ではそうはいかない。余剰生産能力はあり余るほどあるし、エンジニアリングのリソースも無駄にしている。十分、市場があることも間違いない。単に自分たちが持っているものをどう活用したらいいのかわからないだけなんだ」

ルーが落ち着き払った顔をして言った。「そうすると結局、『どうやって、制約条件を見つけたらいいのか』という、本来の質問に戻るわけです。一番問題とされるポリシーにどうしたら照準を合わせることができるのか、あるいは所長のお言葉を借りれば、どうすれば核心的な問題を見つけることができるのか。

さまざまな問題が起こっているわけですが、それを引き起こしている真の原因をどうやって突き止めたらいいのかということです」

「そうだな。確かに問題はそこだ」

私は、ボードを見ながら言葉を続けた。「ここに書かれているプロセスは、まだ使えるな。最初のステップはやはり制約条件を見つけることだろう。ただ、いまわかったことだが、それを探し出す方法も必要だ……ルー、それだ。それなんだ」

私は興奮して思わず立ち上がった。「これだ。これが、ジョナから与えられた質問の答えだ。いますぐ、ジョナに電話をしよう。ジョナが電話に出たら開口一番、『真の問題を見つける方法を教えてください』と言ってみよう」

慌てて会議室を出ようとする私に、後ろからルーが声をかけた。「所長、それだけでは、まだちょっと足りないのでは」

「どうしてだね」ドアに手をかけた私は、振り返ってルーに訊ねた。「真の問題を見つける方法をまず学ばないといけない。それに何か疑問でもあるのかね」

「いいえ、それには何も異論はありません。ただ、それだけでは足りないと思うのです。真の問題が何なのか、ただ、それを知るだけでは十分だとは思えないのです」

「そうだな、また君の言うとおりだ」私は、気を静めて言った。「すまん。ずっと長いこと答えを探しているものだから、思わず……」

「気持ちはわかります。本当によくわかります」ルーは、軽く笑みを浮かべた。

「よし、ルー、それじゃほかに何を教えてくれとジョナに訊いたらいいと思うかね」そう言いながら、私は腰を下ろした。

「わかりません」彼は答えた。「しかし、ここに書かれている五つのステップがまだ有効だとすれば、それを実践するために必要なテクニックを教えてくださいと頼んでみてはどうでしょう。最初のステップについては、これを実行するために必要なテクニックがいるということがわかったわけですから、残りの四つのステップについても考えてみてはどうですか」

「いいアイディアだ」私は意気込んだ。「考えてみようじゃないか。二つ目のステップは『制約条件をどう活用するか決める』」私はホワイトボードを読み上げた。「これは違うな。間違ったポリシーを活用する意味などない」

「制約条件が物理的な物の場合にしか、このステップは当てはまりません。私たちが対応しないといけない制約条件はポリシーですから、次のステップに進みましょう」ルーも私と同じ意見だ。

「他のすべてをステップ2の決定に従わせる」私は次のステップを読み上げた。「これも同じだな。物理的な制約条件でなければ、このステップも意味がない。四つ目のステップは、『制約条件の能力を高める』だ。うーむ、これはどうしたらいいのかな」

「何を悩んでいるのですか」ルーが訊ねた。「ポリシーが間違っているのがわかったら、ポリシーを変えればいいのでは」

「なるほど、なかなか鋭いな」多少の皮肉を込めて私は言った。「ポリシーを変える。でも何に？　新しいポリシーをそんなに簡単に見つけられるのかね。君には簡単でも、私には難題だ」

「私にとっても難題です」ルーが苦笑いを浮かべた。「コスト会計にいろいろ問題があるのはわかっていますが、だからといって、コスト会計に代わるものは何かと聞かれても答えはわかりません。間違った評価システムやポリシーをどうやって直していったらいいのでしょうか」

「まずは、現状を打破するようなパッとした閃きが必要だろうな。ジョナが言っているマネジメント・テクニックには、そうしたアイディアを生み出すような能力も含まれているに違いない。さもなければ、そんなテクニックを使いこなせるはずがない。妻が言っていたんだが、私が探しているのは単にテクニックだけではなく、実は思考プロセスじゃないかってね」

「そんな感じになってきましたね」ルーも、同じ意見らしい。「しかし、パッとした閃きだけでは十分ではありません。そのアイディアで、本当に問題を解決できるのかどうか証明できなければいけません。そのほうが大変だと思います」

「ああ、それに新たな問題を起こすことなくだ」私は、ルーの言葉に付け足した。

「そんなこと、本当にできるんでしょうか」ルーは懐疑的だ。

「できるはずだ。目先の状況に慌てて対応するのではなく、前もってよく計画すればだが」そう言いながら、私の頭にはもっといい答えが浮かんだ。「そう、できるはずだ、ルー。売上げを増やそうとして、我々が何をしたか思い出してみればわかる。例のフランスからの受注のせいで、あの二週間はまったくひどい目にあった。計画していたマーケティング・キャンペーンを取りやめたり、遅らせなければいけなくなった。しかし、事前に組織的によく計画さえしておけば、多くの問題は回避できたはずだ。だから、ルー、不可能などとは言わないでくれ。必要な情報が掌中にあったにもかかわらず、思考プロセスが欠けていて、事前によく吟味、検討することができなかっただけなんだ」

「何に、変えたらいいのですか」ルーが訊ねた。

突然のルーの問いに、私は調子が狂ってしまった。「いま、何と？」

「もし、最初の思考プロセスで『何を変える』という質問に答えることができたなら、二番目の思考プロセスでは、『何に変える』という質問に答えることができるはずです。すると、三つ目の思考プロセスが自然に見えてきます」

「そうだな。『どうやって変える』かだ」ボードに描かれた五つめのステップを指さしながら、私は続けて言った。「ユニウェア部門全体には、かなりの惰性が蔓延しているだろうから、最後のステップがおそらく一番重要になるだろう」

「そのようですね」ルーが言った。

私は席を立ち、会議室の中をゆっくりと歩き回った。「私たちがいったい、何を探し求めているかわかるかね」私は自分の気持ちを抑えきれなかった。「私たちが探し求めているのは最も基本的なことなのだが、同時にそれがすべてでもある」

「はぁ? どういう意味ですか」静かな口調でルーが言った。

私は足を止めて、ルーの顔を真っ直ぐ見つめた。「私たちが探し求めているものは、いったい何なんだ。三つの簡単な質問に答えることのできる能力じゃないのか。『何を変える』、『何に変える』、それから『どうやって変える』かだ。マネジャーとして求められる、最も基本的な能力を探し求めているんだ。考えてもみてくれ。この三つの質問に答えられないような人間に、マネジャーと呼ばれる資格があると思うかね」

私の話を聞きながら、ルーはずっとうなずいている。

私はさらに話を続けた。「想像してみてくれ、その反対にどんなに複雑な環境下にあっても問題の核心を的確に把握し、ありとあらゆる問題を解決する方法を構築できる。それも、新たな問題を引き起こすことなくだ。それから一番重要なことだが、そうした変革を周りから反対されることなく、逆に熱意をもって受け入れられ、スムーズに実行する。そんな能力を身につけることができたら、すごいと思わないかね」

「所長、それこそ所長がやってきたことではありませんか。まさに、この工場で所長がやられたことです」

「それはどうかな。確かに、私たちみんなでやってきたことかもしれない。ただし、ジョナの助言があったからこそで、それがなかったらいま頃みんな別の仕事を探していたことだろう。どうして、ジョナがこれまでどおり助言するのを拒んだのか、いまになってようやくわかった。彼は、私にはっきり言ったんだ。周囲の力に頼ることなく、自分たちでできるよう、自ら学ばなければ駄目だとね。自分でこの思考プロセスを学び取らなければならなかったんだ。そのとき初めて、自分の仕事が何なのかがわかるんだ」

「私たち一人ひとりが、ジョナ先生にならなければいけないわけですね」ルーはそう言うと立ち上がって、私の肩に腕を回した。いつもは控えめな彼だけに、私は驚いた。最後に彼が言った。「所長と一緒に働くことができて、誇りに思っています」と。

『ザ・ゴール』誕生の背景とその後

一九八二年、私は、当時インク・マガジン誌によって国内成長率第六位にランクされていた企業の会長を務めるとともに主要株主でもあった。だが、極度のフラストレーション状態にあった。

すでに多くの企業が我が社の生産スケジューリング・ソフトを購入し、当社の指導のもと成功を収めていたが、私はこのソフトを採用したクライアントの数には満足していなかった。お金をもっと儲けたいとか、過度の野心家であったというわけではない。すべてのメーカーがこのソフトをもっと積極的に採用すべきだと考えていたし、私にはその根拠があった。

このソフトの根底となるコンセプトは、当時としてはまさに革命的だった。従来の考え方やポリシーに真っ向から反対するものだったが、それが実に正しかったのだ。少なくとも、私にはそう思われた。いや、それだけではない。このソフトが実際ちゃんと機能したのだ。不具合が生じなかった、仕様どおりに動いた、レポートをうまく作成できたとかいうことではない。本当に機能したのだ。顧客企業の多くで、このソフトを採用した結果、生産量が増え、その一方で在庫を減らすことに成功したのだ。喜んで証明してくれるクライアントも多いはずだ。決して安価なソフトではなかったが、それでも多くが六か月以内で投資を回収している。クライアントには錚々たる名前が並んでいた。ＲＣＡ、ゼネラル・エレクトリック、ゼネラル・モーターズ、ウェスティングハウス、コダック、フィリップス、ルーカス、ＩＴＴなどだ。

市場環境も良かった。どの工場もコンピュータ導入に躍起で、オートメーションが時代の流行でもあった。需要があったのだ。いまも変わらないことだが、どの生産マネジャーもスループットの向上と納期厳守に悪戦苦闘していた。仕掛品の削減メリットに注目し始めた者もいた。これを実現する機能を備えたソフトを提供していたのは、我が社だけだった。にもかかわらず、クライアント数は期待したほど増えなかった。

私たちの努力が足りなかったということではない。製品に精通した人員を常に営業の最前線に配し、セミナー、プレゼンテーション、ワークショップなどを開催したり、場合によってはパイロット・プログラムとして、クライアントの工場で実際にこのソフトを稼働させたこともあった。こうした努力にもかかわらず、普及ペースは苦痛を覚えるほど遅々としたものだった。津波のような勢いで伸びていくことを期待していたのだが、現実は小波、いやそれ以下だった。

失望感のなかから、これまでのやり方で壁を打ち破ることができないのなら、何か新しいアプローチがあるはずだと私は考えた。その何かだが、私にはあるアイディアがあった。そう、小説を通じて、マニュファクチャリング（製造）とは何なのか、私の手法を伝えようと思ったのだ。弁護士や医者に関する本を読む人がいるのだから、プラント・マネジャーについての本を読む人がいてもいいだろうと考えた。これが、本書『ザ・ゴール』誕生のきっかけである。

しかし、私の考えに賛成する者はいなかった。小説を書こうと思って雇ったライターのジェフ・コックス氏でさえそうだった。彼はこの本に可能性はないと考え、印税方式ではなく現金一括の固定フィーが欲しいと求めてきた。

いちばん反対したのは、我が社の人間たちだった。私の書いた原稿を読もうともしなかった。しかし、私は彼らを責める気にはなれなかった。営業、プレゼンテーション、開発、これらすべての中心になっていたのが私自身だった。その私が小説など書いて時間を無駄にし、自らボトルネックとなっていたのだ。彼らにしてみれば、まったく気に入らないことだった。

しかし、私はどうしても書いてみたかった。そして一三か月という長い時間をかけ、なんとか仕上げることができた。出来もまずまずで、自分では満足していた。だが、出版社はそうは思ってくれなかった。二十数社を超える出版社にアプローチしてみたが、どこもそう考えてはくれなかった。大手出版社のマグロウヒルには、実に丁重に断られた。「生産スケジューリングについての本でしたら喜んで出版を引き受けさせていただきますが、ラブストーリーでしたら少し検討させてもらわないと……しかし、マニュファクチャリングについてのラブストーリーでしたら、話はなかったことにしてください。売れるはずがありません。そんな本、本屋のどの棚に並べたらいいのですか」と言われた。

そのなかで、ノースリバー・プレス社のラリー・ガッド氏だけが唯一、頼みの綱だった。しかし彼でさえ、最初はあまり乗り気ではなかった。初版の三〇〇〇部が売れればラッキーだと言っていたが、個人的に気に入ってくれ出版してくれることになった。その中から一〇〇冊ほどを贈り物として人に配った。それが事の始まりだった。

人が自分の本を褒めてくれるのは、著者にとって名誉なことだ。人が自分の本を他の人に薦めてくれるのは、さらなる名誉だ。しかし、自分の本を人が自ら買い求めてくれるのは究極の賞賛を与えてくれる。それも一冊や二冊ではない。贈り物にと、まとめて買っていくのだ。そんなことが現実に起こったのだ。

「三〇〇〇部売れればラッキーだ……?」そんな話どころではなくなった。

我が社の見込み顧客数も急激に増えた。我が社の従業員たちのこの本に対する態度が変わっていくのを見るのは特に愉快だった。見込み客からの熱烈な反応を垣間見て、彼ら自身もついにこの本を読み始めたのだ。それから二か月もしないうちに、みんな記憶喪失にかかったかのように、もともと小説を出すことには賛成だったと言い出す始末だった。そんな彼らに、私はあえて異論を唱えたりはしなかった。

しばらくすると、ファンレターが舞い込むようになった。「まるで、自分たちの工場の話をそのまま書いているようだ。登場人物一人ひとりに実名を挙げることだってできる」と訴えるプラント・マネジャーや、自分たちの工場に潜んで様子をうかがっているのではという人たちからの手紙だ。

そのうち、今度はこの本を読んだ成果を具体的に書き記した手紙が届くようになった。あるプラント・マネジャーからの手紙にはこう書かれていた。「あなたの本は単なる小説ではなく、もはやドキュメンタリーです。私たちはアレックスが行ったことを、文字通りそのまま真似て、まったく同じ成果を上げることができました。唯一の違いと言えば、私のところには妻がまだ戻って来ていないことです」自分たちの工場をぜひ訪問してほしいとお招きをいただく手紙も多かった。実際、私はそのうちいくつかに足を運んだ。

私個人にとっての影響だが、予想外な結果が待っていた。この本のせいで、私の人生のなかでも最も困難な問題に私は放り込まれたのだ。極度のジレンマに、私はギブアップ寸前だった。

『ザ・ゴール』を執筆する際、私はそれまでの製造業界のパラダイムを変える必要があることに話を集中させようと考えた。工場のパフォーマンス改善にとって、これが最大の障壁であることがわかっていたからだ。話の的を外さないようにと、私はコンピュータのスケジューリング・ソフトに関する話は控えることにした。コンピュータ・ソフトが必要ないと考えたわけでは決してなかった。その反対に、我が社のソフトは多くの工場にとって欠かすことができないツールだとまだ信じていた。

しかし、次々と読者から手紙が寄せられ、いくつかの工場を訪れるにつれ、私は非常に不愉快な現実に直面することとなった。それまで我が子のように大切に育て誇りにしていたスケジューリング・ソフトが、パフォーマンス改善にとって障害になるのだと現実が証明してしまったのだ。『ザ・ゴール』を読み、その内容を実行しただけの工場のほうが、高いお金を払って我が社のスケジューリング・ソフトを採用したクライアントより高い成果を上げてしまったのだ。それもはるかに短い期間にである。どうしてなのだと私は悩んだ。

理解できるまでにはしばらく時間がかかったが、結局、簡単な結論に達した。ソフトウェアを導入することに努力が集中してしまい、もたらされる変化にどう対応すべきかまで神経が十分に回らなかったのである。根本的なコンセプト、評価基準、作業手順などの変化に対応できなかったのだ。そうとわかってまで、ソフトを買ってくれと客を説得できるだろうか。私には、良心の呵責があった。

私がどれだけのジレンマに陥ったかは想像していただけると思う。株主そして従業員に対する責任を考えれば、これまでどおりソフトウェア販売を続けるべきだ。しかしクライアント、そして自分自身に対する責任という点では、我が社の主力商品であるソフトウェアの販売は中止すべきだった。

私は、どうしていいのかわからなくなった。しかし、現実の勢いには対抗できなかった。このソフトの効力に疑いを持ち始めた人たちの同製品に対する信頼感を、もはやつなぎ留めておくことはできなかった。革新的な製品にとって、客の信頼は不可欠である。『ザ・ゴール』に描かれたソリューションが、このソフトウェアこそ絶対的に必要なツールであるという人々の確信を揺るがせてしまったのだ。そんななか、人々は私に意見を求めたのだが、結果、私は彼らの疑念を助長させてしまった。見込み客からの問い合わせはそれまで以上に増えたのだが、ソフトの販売が急激に減ったのも無理なかった。

私はひどく困惑していた。一〇年近く努力に努力を重ねて作り上げてきたソフトである。私の人生最大の偉業と見なしてきたこのソフトが、いまとなっては役立つどころか邪魔にさえなってしまったのだ。自分の会社、プライド、喜びが一気に坂を転がり落ちていった。これを救うには、自分自身の不完全さを認めるしかなかった。実につらい時期だった。それでも諦めずに続けられたのは、いくらかのプライドと惰性のおかげだった。

それから、さらに数か月がたったが、現実は私を放っておいてくれなかった。最初は窓を軽く叩くくらいだったのが、次第にドアをドンドンと大きく叩く音が聞こえてきた。そして驚くべき現象が起こった。あまりに理解し難かったため、自分たちの目を疑うほどだった。

『ザ・ゴール』を読んだほとんどの人たちが、私のメッセージに共感し、それを「常識（コモンセンス）」とも呼びながら、しかしそれを現場には導入しなかったのだ。それまでと同じように制約条件は無視し、すでに学んだ手法で改善できるものしか改善せず、コスト計算に基づいて投資判断を行い、製品コストに基づいて意思決定し、トランスファー・バッチ、プロセス・バッチの根本的な違いを無視し、効率や偏差を評価していたのだった。『ザ・ゴール』を必読書として従業員全員に読ませた会社でさえ、そうだったのである。いったい、どうしてなのか。

『ザ・ゴール』に書かれた内容にみんな賛同してくれているはずなのに、ほんの一握りの企業しか実際にこれを導入していないのはなぜなのか。何かが欠けていたのは明らかだった。いったい、何が足りなかったのだろう。

私は、この本を賞賛してくれる人々に問い始めた。なぜ、これを現場に導入できないのか――彼らがそれをどう説明するのか、私は注意深く耳を傾けた。『ザ・ゴール』実用の前に立ちはだかる大きな障害が見えるまで、そう時間はかからなかった。

簡単なことだった。

一、『ザ・ゴール』のメッセージを社内全体に広く伝えることができない。

本書が伝えようとするメッセージを短時間で他人に説明するのは難しい。一〇分、一時間、二時間、いや八時間かけても容易ではない。この本のメッセージを伝えるのは簡単ではないのだ。とにかくそれに尽きる。説明するより、本書を一部渡して読んでもらうことだ。しかし、みんながみんな本を読むわけではない。読む人でさえ、マネジメントの本にはみんな飽き飽きしているのだ。

二、『ザ・ゴール』で学んだことを、現場での実際の作業にどう置き換えたらいいのかわからない。

たいてい、みんな「ボトルネックがいつも移動しているので」とか「うちの状況は、ほかとは違うので」などと言い訳をする。しかし、決して哀れむべきこととは私は思わない。耳にしたくない言葉だが、みんなが言っていることは事実だ。私が行った仕事は、部分的でまだ不完全であるというのが彼らの訴えだ。本の中で私は、マニュファクチャリングの既存のパラダイムが間違った考え方をしていると指摘し、新たに必要とされるパラダイムの本質について説明した（これについては、なかなかの出来だったと我ながら思っている）。しかし、新しいパラダイムにおいてどのようにこれを実践したらよいのか、そのプロセスは提示しなかった。例は示したが、手順は示さなかった。例といっても、その手順を推定して導き出すのには不十分だった。

三、評価基準の変更を容認するよう意思決定者を説得できない。

大企業の一工場にとっては、特に大きな問題だ。パフォーマンスの評価方法を説明するという点では、確かに私の仕事は不十分だったかもしれない。

しかし、だからといって、みんながみんなこの問題にぶち当たっていたわけではない。本書だけを頼りに成功を収めた会社もあった。彼らに共通していたのは、分析力の高いカリスマ的なプラント・マネジャーに率いられていたことだ。まず、こうしたリーダーがそのカリスマ性を用いて周りの人間を自分の考えに賛同させる。あとは、信頼を寄せるみんなが、それぞれの経験や勘を駆使して、必要な手順を練り上げていくのだ。

私は一～三の問題について、なんとか答えを提供できるようにと一心不乱に作業を開始した。とにかく、ものすごい勢いだった。それから三か月もしないうちに、答えを作り上げた。評価基準変更の必要性をどう言葉で伝えたらいいのか、まずはその方法だ。それから手順をロジスティックにルール化したもの、すなわち「ドラム＝バッファー＝ロープ」と「バッファー＝マネジメント」と呼ばれる二つのルールを作った。これは簡単だった。難しかったのは、これを私のスタッフに教えることだった。新しいやり方に、みんななんとか抵抗しようとするのだ。日曜日に彼らを集め新しいプレゼンテーションを披露して、教育しようとしたのだが、彼らはこれを「血の日曜日」と呼んだ。

それはフェアな戦いではなかった。こちらにはロジックがあったが、相手は二〇〇人近くもいた。しかし、しばらくして市場から熱心な声が次々と寄せられるに至って、またみんなの間に例の記憶喪失が流行りだした。それまでの抵抗はいったいどこへ行ったのか、みんな新しいプレゼンテーションに惚れ込んでいったのだった。このプレゼンテーションを、ボブ・フォックス氏の手を借りて、私は本に仕上げることにした。***The Race***（『ザ・レース』）だ。これもまたノースリバー・プレス社のラリー・ガッド氏の協力で実現することができた。この本は、前記二と三の問題の解決に大きく役立った。そこで、今度は一番目の問題解決に私は全神経を集中させることにした。

これにはコンピュータを使った。といっても、例のスケジューリング・ソフトではない。ゲームだ。コンピュータは、ゲームにはうってつけだった。教育ゲームソフトの開発に着手し始めたのだが、ゲームをしているうちにどんどんはまっていき、気がついてみると最後は、必要な手順を自ら発明してしまうというゲームだ。小説より説得力のあるものがあるとすれば、それはコンピュータ・ゲームである。しかし、遅すぎた。時間がもう足りなかった。

我が社の株主たちは、業績にひどく不満だった。金儲けするどころか、底なし沼状態でお金がどんどん減っていく。私の事業計画のなかに、ソフトの販売向上が明確に打ち出されていないことを知った株主連中の目に、私は資産としてではなく負債として映っていたのだ。そして私は促されるように会社を去った。そして一人また一人と、有能だった私の部下たちも去って行った。みんな、私の考えに汚染されたのだ。

その後、私は父の名をとって、アブラハム・H・ゴールドラット・インスティテュートを設立し、例の教育ゲームの開発に没頭した。それから二か月もしないうちに、新会社は利益を上げた。それ以上に大切なことは、『ザ・ゴール』で描いたのと同じスピードで、クライアントに対しても成果をもたらすことができたことだ。また、明かりが見えてきた。

私は、同じ過ちを繰り返さないように注意を払った。今度は自分たち以外に株主はいない。会社の設立定款には、事業目的が知識を構築しこれを広めること、それと利潤に基づいた意思決定は行わない旨を明記した。

この時期、私は自分たちの考えの原点が何であるべきかを繰り返し語っていた。「継続的改善プロセスのステップ」――それが我々のスタートポイントであり、これは後に『ザ・ゴール』改訂版で詳しく解説することとなった。

このステップが、非常に有効な手段であることはすぐに実証された。クライアントのパフォーマンスは継続して向上し、私もこれを使って別の問題のソリューション開発にあたった。プロジェクト・マネジメントとディストリビューションというロジスティック上の二つの慢性的問題に対するソリューションだ。我々の知識、ノウハウは急速に強化拡大され、もはや理論の域に達していた。そして、これをTOC(Theory of Constraints＝制約条件の理論)と呼ぶことにした。

しかし、それだけで話は終わらなかった。また大きな問題が発生したのだ。我々のノウハウを取り入れて大成功を収め、同じ業界では群を抜いたパフォーマンスを誇っていた工場が突然悪化し始めたのだ。工場閉鎖に追い込まれたところもあった。

本来であれば、予想していなければいけない事態であったにもかかわらず、私にはそれができなかった。それも同じ問題が二件、三件と続くまでは気づかなかった。振り返って考えてみれば、明白なことだ。生産工程を改善する。すると、制約条件は生産工程の外へと移動する。制約条件がもはや物理的な条件ではなく、不適切なポリシーだとしたらどうなるのか。その場合、どうやって制約条件を認識することができるのか。どう向上させればいいのか。必要な変化をどう起こせばいいのか。私たちには答えは用意できていなかった。

結果は、スループットの伸び悩みだった。生産工程にいくら改善をほどこしても、スループットの増加にはつながらず、余剰人員、つまり人がどんどん余っていった。そんなとき、景気が悪くなり会社はコスト削減に走る。当然、最初に目をつけられるのは、人が余っているところである。改善効果があったために、余剰人員が発生したエリアなのだから皮肉なものだ。努力して成果を出したら、ペナルティを課せられる。継続的改善プロセスは完全に行き詰まった。その結果、モラルそしてパフォーマンスが急激に悪化する。一方、顧客は完璧なまでのパフォーマンスに慣れ甘やかされているものだから、そのサービスが低下することは許さない。売上げは落ち込み、場合によっては、経営不振に陥ることもある。

その対応として、我々はまず、対象範囲を限定することにした。生産量が倍増しても、制約条件がまだ市場に移行しない工場だけを対象にすることにした。そこから、私たちの真のチャレンジはスタートした。それまでの考えが、制約条件が物理的なものである場合だけを対象としていたことは明白だった。私に課せられたのは、もっと包括的なニーズに応えられる思考プロセスを開発することだった。それが次の三つの課題だった。

一、誤ったポリシー、つまり制約条件をすばやく見つけ出す。
二、副産物として破壊的な問題を引き起こすことのない新しいポリシーを策定する。
三、社内から抵抗があっても、これに屈しない導入計画を構築する。

この三つの課題に向き合うだけで、その後五年間、我々は忙しかった。それまでの自分たちの領域から未知の領域へ踏み出すことを、再度私はみんなに求めた。そして、また有能な人材を私は失った（しかし、本当に有能な連中は私と共に耐えてくれた）。

マーケティング、人間関係という、ごく一般的な二つの制約条件について、これらの思考プロセスをどう用いたらいいのか、その包括的な手順を開発することが私には求められた。その答えは、また本として書き上げた。*It's Not Luck*（『イッツ・ノット・ラック』）である。

これで、努力して成果を出した結果、ペナルティを受ける危険もなくなった。今度は生産工程そのものに関わる仕事を仕上げるときが来た。新しいシステム導入に関わる障害を取り除くために、より効果的なツールを提供しなければならなかった。マーケティング上の制約条件が改善され、その効果のゆえ需要が伸び、生産量の増加が急に求められた。半年、三か月、いやいますぐにでも増やすことが求められたのだ。私はさっそく障害となるものをもう一度よく見直した。

一、『ザ・ゴール』のメッセージを社内全体に広く伝えることができない。

本だけで十分な効果を求めるのは難しいことはわかっていた。とにかく、本を読むのが好きではない人がいるのだ。しかし、そんな人でもいい映画を観るのは好きだ（少なくとも拒むことはしない）。私は本書『ザ・ゴール』を映画化するために、アメリカン・メディア社と組むことにした。同社はトレーニングビデオ作成に関しては、国内でもトップクラスの会社だ。大変な作業だった。長い時間をかけ、脚本もできるだけ本書に忠実に仕上げた。そして映画が出来上がった。だが、失敗だった。

何度も言ってきたことだが、『ザ・ゴール』を書き上げた当時、私は五つのステップについては、まだまったく無知だった。その結果、ボトルネックを「見つける」、「活用する」、「従わせる」、「高める」といったアクションは区別されることなく一緒くたにされ、そのため知識を実際の行動に移すのには困難を極めた。どうしてそれを映画で直さないのか。遅すぎるのか。苦渋の末、脚本を書き直した。できるだけ原本に忠実に、しかしなおかつ五つのステップは明確に示すといった際どい作業だった。

アメリカン・メディア社の努力の結果、出来上がった映画は感動的で、なおかつ教育的な内容に仕上がった。一番いいパターンである。私の意見では、本より映画「ザ・ゴール」のほうがより具体的でいいと思われる。『ザ・ゴール』のメッセージを広く多くの人にわずか一時間以内で伝える手段が出来上がったのだ。これで、最初の障害は克服できた。あまりに主観的な考え方かもしれないが、いずれ時が教えてくれるだろう。

次の障害はどうだろうか。

二、『ザ・ゴール』で学んだことを、現場での実際の作業にどう置き換えたらよいのかわからない。

これは、比較的簡単だった。まずスタートポイントが良かった。二日間の生産ワークショップを行った。例のコンピュータ・ゲームを利用したワークショップで、すでに何万人もの人によって検証されている。私は時間をかけ、このワークショップを自己学習キットの形に仕上げた。このキットを利用すると、「ドラム"バッファー"ロープ」と「バッファー"マネジメント」が直感的に理解できるようになるのだ。さらにこのキットを使った人は、自ら学ぶスタミナのない人に対して、これを使って積極的に教えることができるようになるのだ。ユニークな状況を抱える工場にとって、ロジスティックな手順を詳細に構築できるこのキットは、まさに願ってもない跳躍台だった。

三、評価基準の変更を容認するよう意思決定者を説得できない。

年月の経過とともに、この障害は大きく減退した。TQMやJITなどの影響を受け、企業の経営幹部の見方は変わってきていたのだ。私の作った映画も役立った。しかし一番の功労者は、なんといってもインスティテュート・オブ・マネジメント・アカウンタント（The Institute of Management Accountants）だ。彼らが製造業界におけるTOC導入の現状に関する調査を行い、そして一九九五年、二〇〇ページにのぼるレポートが発表された。以下は、そのレポートに記載された総論からの抜粋である。

「財務会計者たる者は、ＴＯＣの会計手法に精通しているべきである。ＴＯＣに用いられる用語は我々が一般的に使っている用語とは異なるが、変動コスト、希少リソース、責任会計といったトピックは財務会計のテキストでも何十年も扱われてきた内容だ。理論的に言えば、ＴＯＣの内容は従来の会計方法にとって特に目新しいものではない。ただ、いくつかの点、特に希少リソースの利用方法については、従来と比較してその重要性をはるかに強調している。ＴＯＣを導入した企業は、他の多くの企業と比較し、教科書で学んだことを実際により多く行動に移している。財務会計のテキストで提唱されている手法の多くが、ほとんどの企業で実践されていないことは過去数十年の各種調査でも報告されている。意思決定にはコスト加算方式の使用がルーチン化し、本部の経費が各部門に割り振られ、また製品の利益が制約条件を無視したまま計算されている。我々財務会計を教える者にとって、我々が提唱していることを実践している会社があるのを知るのは心強いことだ」

それでＴＯＣの将来はどうなるのかだが、最も適用性が高いのは、やはり工場だろう。こうした現場の管理者は間違いなく『ザ・ゴール』におけるアレックス・ロゴの行動を続けて真似ることになるだろう。その努力はたいてい、オペレーションおよび利益の向上という形ですぐに現れるだろう。それも、ほとんどコストをかけないでである。しかしこうした努力も、生産現場以外の経営幹部がＴＯＣを全面的に受入れ、ＴＯＣの基準をもってパフォーマンス評価することを良しとしなければ、最終的には失敗につながる。

『ザ・ゴール』に描かれているＴＯＣの要素を見過ごすと、その先は不透明だ。そのなかでも思考プロセスは、微積分の発明以来、最高の知的業績と言ってもいいかもしれない。

ここ一五年間、私は何百というTOC導入を見てきた。私の知らないところでも、さらに多くの企業がTOCを採用していると聞いている。それぞれがユニークなケースだが、いくつか共通した点もあるようだ。「その努力はたいてい、オペレーションおよび利益の向上という形ですぐに現れるだろう。それもほとんどコストをかけないでである」――こんな結果の話をしているわけではない。あるいは「ボトルネックを見つける、活用する、従わせる、高める」といった作業手順の話でもない。彼らの行動力学の話だ。

TOC導入において克服しなければいけない最大の障害が、変化に対する抵抗であることはみんな認めるところだと思う。ここで鍵になるのは、関心事項が異なる人、理解レベルが異なる人に対してどう駆け引きしたらいいのかを知っておくことだ。

そのための何か一般的な方法があるのだろうか。必要とされる変化、そしてその遂行プロセスに対し全面的な同意を取り付けるための、実証された方法はあるのだろうか。

TOC導入に成功した企業に共通項目がいくつかあることから、私は何か方法があるはずだと確信した。まずは、変化に対する抵抗に何か一定のパターンがないかどうか探すことから私は始めた。最初は躊躇していても、抵抗感が薄れるにつれ、その躊躇も弱まっていく――そんなパターンを探してみた。これは、そう難しくはなかった。新しいやり方に対して反発を受ける、そんな例は十分過ぎるほど見てきた（全部が全部いい経験であったわけではない。私の傷跡がその証拠だ）。

まず最初に出食わす抵抗は、みな共通していることだが、「自分たちが原因ではない」という言い訳だ。サプライヤーから材料や部品が届かない、クライアントがぎりぎりになって言っていることを変える、従業員がちゃんとトレーニングされていない、本部のせいだ……などなどだ。

「この最初の段階を突破できない限り、いくら努力しても壁に向かって話をしているようなもので、成果はおぼつかない」

二番目の抵抗は、提案されたソリューションを導入しても成果は上がらないという主張だ。「ソリューションを提案する側にしてみればこれほど明白なことはないのだが、他人にはそうは映らない。この段階を切り抜けると、いよいよ本当のフラストレーションが待っている。次の壁にぶち当たるのだ」

三番目の抵抗は、提案されたソリューションが、今度はネガティブな結果をもたらすという主張だ。「これに立ち向かうには、豊富なスタミナと忍耐が必要とされる。生まれ持ったカリスマ性を備えた人は幸運かもしれない。しかし、この段階をクリアできたとしても、まだ次が待っている」

四番目の抵抗は、導入を阻止しようと障害を与えられることだ。「この段階をうまく切り抜けると、周囲の人間はもうこっちの味方だ。しかし……」

五番目の抵抗、それは周りの協力を本当に得られるのかどうか疑問を抱かれることだ（あるいは、疑問を持たれないことだ。これはもっと悪い）。

とにかく、変化に対する抵抗を克服するのは容易なことではない。だが、可能だ。これらの抵抗を順に一つひとつ取り除いていくことで、抵抗が次第に熱烈な支持へと変化していく。

私自身のリサーチはどうなのだろうか。もうだいぶ前（一九八六〜八七年）のことだが、人にどうやって最初の二段階を突破させることができるのか学ぶ機会があった。例の自己学習キットを作り上げるのに、このノウハウを使った。いまや最初の二段階は、有能なインストラクターなどがいなくてもクリアすることが可能だ。残りの三つの段階については、まだまだそう簡単にはいかない。それぞれの状況における抵抗度によるのだ。私としては、自己学習キットで提供されるノウハウだけで事足りることを願っている。

それが難しいケースもあるだろう。そんな場合のための方法も用意した。少なくとも我々の経験ではいつもうまくいった方法だ。しかし個別のケースにおいては、思考プロセスのネガティブ・ブランチ、必須条件ツリー、移行ツリーをどう適用したらいいのか十分な知識が必要とされる。このことを本書を通じてどううまく教えるのか、その術は私もまだ会得していない。

変化に対する抵抗を克服する作業には、いまでもまだ長い時間がかかる。理想的な状況（関係者全員を同じ部屋に招集して説明する）においても、丸五日くらいはかかる作業だ。もっとよく調べなければいけないが、こと生産に関して言えば、一週間程度でメンタル面の変化を、そして一か月で結果を出すだけの方法はすでに確立、実証済みだ。

みなさんの工場においても、障害が取り除かれ、パフォーマンスが飛躍的に向上することを願っている。生産とは産業の核である。そして、産業は国富の核である。その向上に私も貢献することができたと、引退するときに言えることが私の願いである。

エリヤフ・ゴールドラット

訳者あとがき

一九九二年夏、私はそれまで勤めていた大和證券を退社し、米国ユタ州に家族とともに渡った。ブリガムヤング大学―ユタ大学共同国際ビジネス教育研究センターの講師として招聘されたのがきっかけだった。同センターはビジネススクールにおける国際ビジネス教育の強化を図ることを目的として、米国文部省が全米約三〇の大学に設立したセンターの一つで、私は主にMBAの学生を対象に国際ビジネスのクラスで教鞭をとるほか、さまざまな国際ビジネス教育プログラムの企画、運営に携わることになった。プログラムの性質上、教育者ではなく国際ビジネスの実務経験のある人間を探していたこと、それと同センターの設立に関わった教授がたまたま私の知り合いだったことなどから招聘されることとなった。しかし大学側の計らいで、MBAで教えるかたわら、私自身もMBAの学生になるという非常に変則的な形での米国生活が始まった。

忙しいのには慣れていた私だったが、学生に戻るのは久し振りで、すっかり勉強の仕方は忘れていたし、クラスの雰囲気も日本の大学とはかなり違っていた。いくら仕事で毎日英語を使っていたとはいえ、仕事も勉強も二四時間英語というのは、さすがにきつかった。そんな私の都合には関係なく、MBAのカリキュラムはどんどん進んでいった。そして年が明けた九三年の冬の学期、私は三つのクラスをとったが、その一つがオペレーション（Operations＝日本語では生産管理とでも呼ぶのだろうか）のクラスだった。日本では証券会社に勤務し、金融関連のことなら英語でもそこそこいける自信はあったが、このオペレーションにはまいった。在庫管理やらジャストインタイム・システムといった話で、それまでの私にはまったく縁のない内容だった。講義は、座って話を聞いているだけでも苦痛だった。テキストは他のクラス同様、非常に分厚く毎週何十ページも読まされうんざりしたが、それだけではなかった。副読本があったのだ。それが『ザ・ゴール』だった。

授業では直接扱わず成績にも関係ないが、自分の時間で学期中に読み終えるようにというのが教授の指示で、学期末にその内容についてクラスで意見交換するということだった。成績には関係ないというのなら読む必要もなかろう。それが、私の結論だった。いまでこそ告白できるが、結局その学期中に目を通したのは三五〇ページのうち最初の三〇ページくらいだったと思う。結局、その本は冬の学期が終わってから、すぐに本棚の上段の隅っこに追いやられ、ホコリをかぶることになった。

それから数年たち、ある日、近くの本屋で時間つぶしをしていると、見慣れた表紙が目に飛び込んできた。『ザ・ゴール』――例の本である。ああ、この本なら家にあるなと思いながら手に取ると、基本的な表紙のデザインは変わっていないのだが、「二〇〇万部突破」と書かれた赤文字のキャッチコピーが追加されていた（現在では二五〇万部を突破）。私が持っている本には、そのようなことは確か記されていなかった。「二〇〇万部、それはすごいな。そんなに有名な本だったのか」とそのとき初めて、『ザ・ゴール』のすごさに気づいた。すでに渡米して何年もたち、ビジネススクールも無事卒業していた私は時間的にも余裕ができ、そろそろ何かいい本でも読もうかと思っていた矢先だったから、ちょうどいいタイミングだった。私はこれを読むことに決めた。

家に帰った私は、さっそく本棚から同書を取り出した。すっかりホコリにまみれた姿を目にし、私は少しばかりの罪悪感を感じた。それは副読本をほとんど読まずして、そこそこの成績を取ったことを思い出しての罪悪感、それとこれだけの名著とは知らずに本棚の片隅に何年もの間追いやっていたことに対する罪悪感だった。その罪悪感を振り払うかのように、私は軽く濡れた雑巾でさっと本の周りについたホコリをふき取った。もとの姿にもどった本を手に、私はさっそく最初のページを開いた。それからは、まさに一気だった。こんな勢いで本を読んだことなど私の記憶にはなかった。もともと読書は好きなほうではなかったが、こんなに本を読むことが面白いと思ったことはなかった。

『ザ・ゴール』を読み終えた私は、雷にでも打たれたかのような衝撃を感じた。非常に教育的な内容であるにもかかわらず、話にどんどん吸い込まれていく。ストーリー展開も絶妙である。すぐさまもう一度読みたいという衝動に駆り立てられた。しかし、私は思った。「どうせもう一度読むなら、今度は日本語で読んでみたいものだ」と。こんなに有名な本ならば、きっと日本語版も出ているに違いないと思った私は、さっそく表紙裏に記載されているノースリバー・プレス社に問い合わせた。日本の出版元を教えてもらおうと思ったからだ。しかし、電話に出た女性の返事は意外なものだった。日本語版はまだ出ていないというではないか。こみ上がっていた期待をすっかりはずされてしまった気分だったが、すぐさま私は思った。「こんなすばらしい本が日本にまだ紹介されていないのはおかしい。そうだ、誰もやらないのなら自分がやればいい」。

私は、もう一度ノースリバー・プレス社に電話をかけた。用件が用件なので、電話は社長のラリー・ガッド氏につなげられた。私はこの本に対する印象をまず述べ、敬意を表するとともに、ぜひこの本を翻訳して日本に紹介したい旨を話した。私の熱意が伝わったのか、同氏は二つ返事で私にその作業を任せてくれることになった。私に任されたのは、まず原書を日本語に翻訳すること、それと日本の出版社との交渉、契約であった。さっそく私は日本に飛び、大和證券時代の上司に紹介していただいたダイヤモンド社を訪れた。日本での出版社との交渉は時間がかかり手ごわいものになるだろうとの予想に反し、同社の反応は驚くべきものだった。なんと初めて訪れたその日に、オファーを出してくれたのだ。そのとき、私はあらためて本書のすごさを痛感した。ほかにも何社か出版社の候補はあったが、ノースリバー・プレス社の意向もあり、結局、ダイヤモンド社に決まった。私にしてみれば、何より彼らの本書に対する熱意、それと誠意ある態度がうれしかった。

出版社が決まったことで、私は翻訳作業に神経を集中することができた。契約書、技術仕様書などの翻訳経験は豊富にあった私だが、小説は初めてである。それにただの小説ではない。TOCという新しい理論の日本への紹介である。私はその任務の重大さにずいぶんとプレッシャーを感じた。しかし数多くの人たちの協力を得て、なんとかその作業も終えることができた。特に今回この本を出版して下さるダイヤモンド社の御立英史氏、久我茂氏には多大な協力をいただき、心より感謝している。またダイヤモンド社を紹介してくださった大和総研の吉水弘行氏、ブリガムヤング大学のテリー・リー、クリスティー・シーライト、モンテ・スウェインの三教授、さらには株式会社エーアイシーの谷川敦洋会長、株式会社ピーティーアンドシーの前田健次郎社長にもずいぶんとお世話になった。さらには技術的な用語の翻訳に関し、何度もアドバイスをしてくださった友人ドゥエイン・パルマー氏、また翻訳原稿の読み合わせにずっとつき合ってくれた妻の妙子には特に感謝したい。そして最後に、何よりノースリバー・プレス社のラリー・ガッド氏、そして著者のエリヤフ・ゴールドラット博士に対しては、このような名著を日本に紹介するという機会を私に与えてくださったことに心より感謝申し上げたいと思う。

私が感じた感動を、この本を手にする読者一人ひとりと共有できればと願ってやまない。そしてゴールドラット博士の理念が、日本の産業界において貢献する姿を目にすることができれば、これほどうれしいことはない。

二〇〇一年　春

三本木　亮

解説

日本では、海外のビジネス書が数多く出版されている。特にアメリカで話題になったベストセラー書ともなれば、翻訳出版されないということはまず考えられない。だが、空前のベストセラーを記録したにもかかわらず、これまで一五年以上の間、日本で翻訳されなかった幻のビジネス書があった。それが、本書『ザ・ゴール』である。

『ザ・ゴール』は、実に興味深い生い立ちを持って出版された本である。本書の著者のエリヤフ・ゴールドラット博士は、イスラエルの大学で物理学を研究していた。ある日、工場を経営していた知人から、いかに生産スケジューリングを工夫してもうまくいかないという相談を受けた。博士は生産管理に関してはまったくの素人だったが、物理学の研究で培った発想や知識を駆使してその問題の解決法を導き出した。結果は予想外に良好で、それに気を良くした博士はさらに研究を続け、ついに画期的な生産スケジューリング法とそのスケジューリング・ソフト「ＯＰＴ」を開発した。

博士は、アメリカにこのソフトを販売するクリエーティブ・アウトプット社というベンチャー企業を設立し、自らその会長の座に就いた。ＯＰＴを導入した工場では、生産性がたちどころに向上し、在庫が大幅に減るという驚くべき効果を挙げた。しかし、博士は他社に模倣されないようにＯＰＴの詳しい原理を公表しなかったので、生産管理の専門家の間ではＯＰＴをまがいものと批判したり、無視する傾向が強かった。

ＯＰＴを導入する工場の数は順調に増え続け、ますますその評判は高まっていった。だが、博士はＯＰＴが高価であるため、資金力のある大企業の工場でしかその良さをわかってもらえないことを残念に思っていた。そこで、ＯＰＴの基本原理をわかりやすく解説した小説を書くことを思い立ったのである。しかし生産管理に関する小説など売れるはずがないと、自社の従業員はもちろんのこと、相談を受けた出版社も、博士に本の出版を思いとどまらせようとした。だが周囲のこうした反対を押し切り、博士は小説家の協力を得て『ザ・ゴール』を一九八四年に出版するに至った。

周囲の予想に反して『ザ・ゴール』は、たちまち大ベストセラーとなった。小説としても面白いうえに、アメリカの工場関係者の多くが日夜悩んでいた問題の解決法を鮮やかに提示したのがその最大の理由だ。以前は、あれほど出版に反対していた従業員たちも、この本をＯＰＴの販売促進ツールとして使うようになった。

しかし『ザ・ゴール』出版後、博士はあることに気づき頭を悩ませ始めた。多くの読者から、工場で本のとおり実行したら、すばらしい成果が出たという手紙が寄せられたからである。『ザ・ゴール』では、ＯＰＴによるスケジューリング法を単純化して人の手で行うストーリーになっているが、これはあくまでも博士がＯＰＴの原理を一般の人にわかりやすく解説するためのものだった。博士は、現実の工場ではスケジューリングが複雑すぎるため、ＯＰＴのようなソフトを使わなければならないと考えていたのである。ところが何千万円もするソフトを買わなくても、その原理を人の手で実行すれば同じ効果が出ることが明らかになってくると、ＯＰＴをこれ以上売り続けることに疑問を持ち始めたのだった。

こうして、博士はクリエーティブ・アウトプット社の会長の座を退くと、『ザ・ゴール』で説明した生産管理の手法をTOC（Theory of Constraints＝制約条件の理論）と名づけ、その研究や教育を推進する研究所を設立した。その後、博士はTOCを単なる生産管理の理論から、新しい会計方法（スループット会計）や一般的な問題解決の手法（思考プロセス）へと展開させ、さまざまな業界のあらゆる問題解決に応用できる手法体系へと発展させた。

そして、このTOCはアメリカの生産管理やサプライチェーン・マネジメントに多大な影響を与えるようになった。博士は、その後も小説形式でTOCのさまざまな手法を説明する本を出版し続け、『ザ・ゴール』以降三冊の小説スタイルのビジネス書を出版している。

これだけ評判になり、世界のさまざまな言語に翻訳された本が日本で出版されなかったことは不思議に思えるが、長年にわたり博士が日本語版の出版に同意しなかったというのがその真相だ。偶然にも、私はそのことを博士から直接聞くことができた。数年前にアメリカの生産管理学会で行われた博士の講演後、著書にサインをもらう機会があり、そのときに、いつ日本語版は出版されるのかと訊ねた。すると、博士は真顔で「『ザ・ゴール』が日本語で出版されると、世界経済が破滅してしまうので許可しないのだ」と答えたのである。「日本人は、部分最適の改善にかけては世界で超一級だ。その日本人に『ザ・ゴール』に書いたような全体最適化の手法を教えてしまったら、貿易摩擦が再燃して世界経済が大混乱に陥る」と、博士は続けた。しかし今回、日本語版が出版されることになったということは、博士も日本に対する考え方を変えたのだろう。

物語は、主人公アレックス・ロゴが工場閉鎖を突然告げられるところから始まる。その工場は、他の工場と同様に在庫の山で、顧客からの注文はいつも遅れていた。毎日、工場での「火消し作業」に追われていたロゴが、偶然に大学時代の恩師であるジョナと再会し、それがきっかけでジョナからTOCの原理を教えられていく。このジョナこそがゴールドラット博士であり、アレックスは博士の指導を受けた多くの企業の工場長である。ジョナはTOCの原理を一度に教えるのではなく、少しずつヒントを与えながらアレックス自身に考えさせるという方法をとっている。読者にとっても、一種の謎解きのスリルを楽しめる——これも、この本の魅力の一つになっているのだろう。ストーリー中にTOCという全体最適化の改善手法の説明が織り込まれていて、読み進むうちに自然にTOCの原理が頭に入るようにできている。

　では、ここでTOCとはどのような手法であるかを簡単に説明してみよう。まずTOCは「システム改善のツール」であるということが言える。TOCは、現場での個別の工程の生産性や品質の改善ツールではない。あくまでも企業とか工場全体を一つのシステムと見なし、そのシステムの目的を達成するための改善手法である。博士は、企業の究極の目的が「現在から将来にかけて金を儲け続けること」と定義した。企業が金を儲けるには、スループットを増やすか、在庫を減らすか、経費を減らすという三つの方法しかない。TOCでは、このうちスループットを増やすということが最も重要なことで、次いで在庫を減らすことであり、経費節減は重要性が低いとしている。スループットとは販売を通じて金を儲ける割合のことで、売上げから資材費を引いた金額に等しい。たとえば、ある企業が一台一〇〇万円の販売価格で、資材費が三〇万円の製品を一種類だけ売っていたとしよう。その会社には、一台売るたびに七〇万円の利益が入ってくる。つまりスループットとは、製品を売ることによって得られる利益の増分のことである。では、この製品を一年間で一〇〇個売ったら、利益が七〇〇〇万円になるかと言えばそうはならない。資材費以外に工場や販売チャネルを維持するための固定的な経費がかかるからだ。仮にこの企業の固定費が年に五〇〇〇万円とすれば、利益は七〇〇〇万円から五〇〇〇万円引いた二〇〇〇万円ということになる。

　そこで工場のスループットを最大化するには、実際に顧客に売れる製品のアウトプットを最大にすればいいことになる。一見、単純な話に思えるかもしれないが、実際にはさまざまな要因が重なって非常に複雑な問題になる。まず工場では、製品ができるまでに多くの工程を通っていくが、そのどこかが必ずボトルネックになっている。TOCの「C」はConstraints（制約条件）のことだが、つまりボトルネックのことだ。ボトルネックがある場合、工場全体の生産量はボトルネックの生産能力で決まってしまう。もう一つ、この問題を複雑にしている要因は、統計的バラツキ、つまり生産の途中で起こるさまざまな不測事態である。多くの工場は自動化が進み、コンピュータ管理がされているのですべてが計画どおりに進むと思われがちだが、現実にはさまざまなトラブルが常に起きていて生産は計画どおりには進まない。

このようなボトルネックと統計的バラツキという、工場が本来抱えている問題をさらに増幅させるのが、従来の経理システムから導かれた評価指標である。従来の経理システムでは、工場全体の生産量がボトルネックの生産能力以上にできないということを考慮していない。そのため、工場全体の能率は個別工程の生産性の総和であると仮定し、個別工程の生産性を上げるように仕向ける。ボトルネックがあるにもかかわらず、工場中のあらゆる機械を目いっぱい働かせようとすると、結局のところ工場内の在庫がどんどん増えるだけで、工場としてのアウトプットは増えないのである。しかし経理部門は、在庫は工場全体として評価して、それを減らすようにプレッシャーをかけるので工場長としてはまったく矛盾したことを言われていることになる。TOCが主張しているのは、このように従来の経理システムがTOCのような全体改善手法の妨げになってきたということである。本書の冒頭に出てくるシーンは、まさしく混乱した工場の典型を描いている。

TOCの基本原理は、第一に工場全体のアウトプットを上げるためには、ボトルネック工程のアウトプットを最大限にするように工場内の改善努力をそこに集中させることだ。本書では、アレックスが工場内のボトルネックがNCX-10という機械であることを突き止めると、部下にその生産能力を最後の一滴まで搾り出すことがいかに重要かを説明して、それから現場の人たちがさまざまな改善提案をするようになる。このNCX-10という機械の名前が本書の最初から最後まで何回も出てくるのはこのためである。

このボトルネックに集中するということは、われわれにフォーカスすることの重要性を教えてくれる。経営者は、経営結果に最も影響が出る項目に自らの関心を集中させれば、最小限の努力で最大の効果を出すことができる。それと同様に工場内では、工場の経営結果に最も影響が出るボトルネックに全員の関心を集中させれば、いままでより少ない努力ではるかに大きな効果が出せるということになる。

TOCの第二の原理は、ボトルネック以外の工程では、ボトルネック工程より速くモノを作ってはいけないということだ。どうせ工場全体のアウトプットがボトルネック工程の能力で制約されるのであれば、ボトルネック以外の工程はボトルネック工程と同じペースで（つまりフル操業をせずに）動かす。こうすれば工程の間に余計な在庫ができないので、製造期間は非常に短くなり、顧客から受けた注文を確実に短期間で納めることができるようになる。

ただし、TOCでは工場全体の在庫をゼロにするのではなく、ボトルネック工程の前には適切な在庫を置くべきであると教えている。これは、工場のなかの加工時間には統計的バラツキがあるため、仮にボトルネック工程前に在庫がなく、その前工程のどこかでトラブルが起こって加工時間が余分にかかると、ボトルネック工程が加工を開始しようとした際に加工すべき製品がなくなるからだ。しかし、ボトルネック工程が少しでも仕事がないために動かないと、工場全体が停止したのと同じことになる。これによって失われたアウトプットは永久に取り戻せない。これを防ぐための在庫（バッファー）をボトルネック工程の前に置くのだ。つまり、TOCでは在庫を最小限にするというのはあくまでもアウトプットを最大限にするという範囲内で行うべきであり、それ以上でもそれ以下でも在庫を持ってはいけないとしている。

この工場内に在庫をどれだけ持つべきかということは、工場関係者を長年悩ませてきた問題である。在庫が多いと製造期間が長くなり、品質が下がり、工場の生産性が低下することは広く知られてきた。しかし、工場内の在庫をゼロにすると各工程の統計的バラツキのおかげで多くの工程で手空き（つまり人や機械が仕事がなくなる状態）状態が生じて、工場としてのアウトプットが低下してしまうこともわかっていた。そこで大部分の工場では、最低でもすべての工程で手空きが生じない程度の在庫を持って運用していた。しかしTOCは、ボトルネック工程の前にある在庫以外の在庫は工場全体のアウトプット増大に貢献しないのでなくしてしまえばよいという、このジレンマに対する実に鮮やかな解決法を提示した。

TOCの原理は、システムレベルの改善手法であるので、システムの範囲を広げていけば、生産現場だけに限らずサプライチェーン全体とか、企業全体にも容易に適用できる。

たとえば工場という範囲で考えれば、工場内のボトルネックを攻めればいいことになるが、サプライチェーン上流の部品メーカーがボトルネックであることも少なくない。本書に出てくるアレックスの工場ではボトルネックは常に工場内にあったが、多くの工場では部品メーカーがボトルネックになっているので、サプライチェーン全体を見なければ問題が解決できなくなっている。

最近アメリカでは、このようなサプライチェーン全体を総合的に計画するソフトウェアが多数開発されているが、その大部分が多かれ少なかれTOCの考え方を取り入れている。そういう意味ではサプライチェーンの時代に入り、TOCはアメリカにおける生産管理手法の主流の座を占めつつあると言えよう。

このように『ザ・ゴール』の目的は、TOCという、従来の考え方とは大幅に異なる革命的な改善手法を世の中に普及させるのを主目的として書かれたのだが、もう一つ重要なメッセージが込められている。

それは、ＴＯＣを使って職場改善を行うことによってできた時間を家族や個人の生活を豊かにするために使いなさいということである。アレックスは家族思いであるにもかかわらず、仕事に忙殺されて家族との時間を犠牲にせざるを得なくなり、それが原因で妻が家を飛び出してしまう。本書はこのアレックスの離婚の危機をもう一つの軸として展開する。ＴＯＣの導入は、工場の生産性を大幅に改善し、工場管理の手間を劇的に減らすことで、アレックスに家族と過ごす時間をもたらしたのである。この、どこにでもありそうな家庭劇に込められたメッセージこそが、『ザ・ゴール』を空前のベストセラーに押し上げた隠れた要因であろう。

最後に日本におけるＴＯＣの普及状況と、本書の意義について触れておきたい。博士から『ザ・ゴール』の日本語翻訳の出版を許可する意思がないことを聞いた私は、それでもＴＯＣの基本原理を日本に紹介しようと考えて入門書を上梓した。それを機に日本でもＴＯＣに対する理解が多少なりとも進み、専門書も数冊出版され、導入企業も増えてきた。

諸外国では『ザ・ゴール』がベストセラーになったおかげで、ＴＯＣの考え方が多くのビジネスマンに理解されている。アメリカでは、ＴＯＣという言葉は聞いたことがなくても『ザ・ゴール』を読んだことがあるというビジネスマンは非常に多いし、本書を必読書の一つに挙げているビジネススクールも多い。

本書の出版を契機に、日本でもＴＯＣに対する興味・理解がこれまで以上に高まり、日本企業の導入がさらに進むことを願ってやまない。

二〇〇一年四月

稲垣　公夫